NEW

서울대 선정 인문고전 60선

27

뉴턴 프린키피아

NEW 서울대 선정 인문 고전 27
만화 뉴턴 프린키피아

개정 1판 1쇄 인쇄 | 2019. 8. 14
개정 1판 1쇄 발행 | 2019. 8. 21

송은영 글 | 홍소진 그림 | 손영운 기획

발행처 김영사 | 발행인 고세규
등록번호 제 406-2003-036호 | 등록일자 1979. 5. 17.
주소 경기도 파주시 문발로 197 (우10881)
전화 마케팅부 031-955-3100 | 편집부 031-955-3113~20 | 팩스 031-955-3111

값은 표지에 있습니다.
ISBN 978-89-349-9452-7
ISBN 978-89-349-9425-1(세트)

좋은 독자가 좋은 책을 만듭니다. 김영사는 독자 여러분의 의견에 항상 귀 기울이고 있습니다.
독자의견전화 031-955-3139 | 전자우편 book@gimmyoung.com
홈페이지 www.gimmyoungjr.com | 어린이들의 책놀이터 cafe.naver.com/gimmyoungjr

이 도서의 국립중앙도서관 출판예정도서목록(CIP)은 서지정보유통지원시스템 홈페이지(http://seoji.nl.go.kr)와 국가자료종합목록시스템(http://www.nl.go.kr/kolisnet)에서 이용하실 수 있습니다. (CIP제어번호 : CIP2018042948)

어린이제품 안전특별법에 의한 표시사항
제품명 도서 제조년월일 2019년 8월 21일 제조사명 김영사 주소 10881 경기도 파주시 문발로 197
전화번호 031-955-3100 제조국명 대한민국 ⚠주의 책 모서리에 찍히거나 책장에 베이지 않게 조심하세요.

미래의 글로벌 리더들이 꼭 읽어야 할 인문고전을 만화로 만나다

NEW 서울대 선정 인문고전 60선

27

뉴턴 프린키피아

송은영 글 · 홍소진 그림

주니어김영사

'서울대 선정 인문고전 50선'이 국민 만화책이 되기를 바라며

40여 년 전, 제가 살던 동네 골목 어귀에는 아이들에게 만화책을 빌려 주는 가게가 있었습니다. 땅바닥에 검정색 비닐을 깔고 그 위에 아이들이 좋아하는 만화책을 늘어놓았는데, 1원을 내면 낡은 만화책 한 권을 빌릴 수 있었지요. 저는 그곳에서 처음으로 만화책을 접했고, 만화책을 보면서 한글을 깨쳤습니다. 어쩌면 그때 저는 만화가 가진 힘을 깨우쳤다고 할 수 있습니다.

이렇게 만화책으로 시작한 책과의 인연으로 저는 책을 좋아하게 되었고, 중학교 때는 도서반장을 맡게 되었습니다. 약 10만 권의 장서를 자랑하는 학교 도서관을 매일 밤 10시까지 지키면서 참 많은 책을 읽었습니다.

또래의 아이들이 지겹게만 여기던 헤밍웨이의 《노인과 바다》를 두 손에 땀을 쥐며 네 번이나 읽었습니다. 또한 헤르만 헤세의 《데미안》을 읽으며 질풍노도의 시절을 달랬고, 김래성의 《청춘 극장》을 밤새워 읽느라고 중간고사를 망치기도 했습니다.

당시 저의 꿈은 아주 큰 도서관을 운영하는 사람이 되어 하루 종일 책을 보면서 사람들에게 필요한 책을 쓰는 작가가 되는 것이었습니다. 이제 저는 한 가지 더 큰 꿈을 가지려고 합니다. 그것은 우리나라의 아이들이 꿈과 위로를 얻고, 나아가 인생을 성찰하

게 해 줄 수 있는 멋진 만화책을 만드는 일입니다.

'서울대 선정 인문고전 50선'은 서울대학교 교수님들이 추천한 청소년들이 꼭 읽어야 할 동서양 고전 중에서 50권을 골라 만화로 만든 것입니다. 이 책들은 그야말로 인류 문화의 금자탑이라고 할 수 있는 것이지만, 사실 제목만 알고 있을 뿐 쉽사리 읽을 엄두가 나지 않는 책들입니다.

그것을 수십 명의 중 · 고등학교 선생님들과 전공 학자들이 밑글을 쓰고, 또 수십 명의 만화가들이 고민에 고민을 거듭하여 쉽고 재미있게, 그러면서도 원서의 내용을 정확하게 전달할 수 있도록 노력하여 만들었습니다.

그래서 '서울대 선정 인문고전 50선'이 어린이와 청소년뿐만 아니라 부모님들이 함께 봐도 좋을 만화책이라고 자부합니다. 국민 배우, 국민 가수가 있듯이 만화로 읽는 '서울대 선정 인문고전 50선' 이 '국민 만화책' 이 되길 큰마음으로 바랍니다.

손영운

지구에서 우주로 생각을 펼쳐라!

인류의 역사에서 가장 영향력이 컸던 책을 서너 권 고르라고 하면 빠지지 않는 책 중 하나가 뉴턴의 《프린키피아》입니다. 프린키피아는 '원리'라는 뜻으로, 원제목은 '자연 철학의 수학적 원리 Philosophiae Naturalis Principia Mathematica'입니다. 이것을 줄여서 프린키피아라고 부르지요.

뉴턴이 굉장히 유명한 물리학자라는 건 모두 알고 있을 거예요. 과학자들은 아인슈타인에 버금가는 물리학자로 뉴턴을 꼽는 데 기꺼이 동의한답니다. 거기에는 그럴 만한 이유가 있습니다.

물리학자들이 이루려는 최종 꿈은 '통합'이에요. 가능하면 하나의 이론이나 법칙으로 모든 자연 현상을 설명하려는 것이지요. 아인슈타인은 상대성 이론을 완성한 뒤, 통일장 이론으로 그 가슴 벅찬 야망을 이루려고 시도했습니다. 그러나 끝내 완성하진 못했지요. 오늘날의 물리학자들은 아인슈타인이 못다 이룬 그 꿈을 실현시키기 위해 갖은 노력을 기울이고 있습니다.

그럼 통일장 이론의 첫 발판을 마련해 준 과학자가 누구인지 아세요? 바로 뉴턴이랍니다. 뉴턴 이전까지 지구와 우주는 완전히 동떨어진 세계였어요. 우주는 신이 사는 고

귀한 공간으로, 인간이 감히 침범할 수 없었지요. 갈릴레이가 그걸 어겼다가 말년에 종교 재판을 받았으니까요.

그렇게 갈릴레이가 못 다 이룬 일을 뉴턴이 해냈습니다. 지구에서 적용되는 운동 법칙이 우주에서도 통하고, 지구의 중력이 우주에서도 들어맞는다는 사실을 명명백백히 입증했거든요. 이것은 지구와 우주의 운동 법칙과 중력을 통합한 최초의 업적입니다. 그래서 뉴턴을 아인슈타인과 어깨를 나란히 하는 인물로 높이 평가하고, 뉴턴의 그런 업적이 고스란히 담겨 있는 《프린키피아》를 높이 사는 것이랍니다.

이 책을 통해 뉴턴의 위대한 업적에 한 발 더 다가갈 수 있기를 기대해 봅니다. 아울러 《프린키피아》의 내용을 십분 이해하는 데, 이 책이 도움이 되었으면 하는 바람입니다.

일산에서 송은영

앞집 아저씨 뉴턴, 옆집 동생 만유인력

어떤 사람은 살아가면서 단 한 번도 느끼지 않을 궁금증들이 있습니다. 그런가 하면 또 어떤 사람은 살아가는 동안 세상 모든 것을 궁금해 하고 알고 싶어 합니다. 이렇게 자신이 살아가면서 갖는 물음표, 그것이 과학의 첫걸음일 테지요.

과학은 조금은 거리감이 있고, 그러면서도 흥미롭고 궁금하기도 한 묘한 지식입니다. 원초적인 호기심이지만 복잡한 원리들이 가득해서 늘 거리감이 느껴지는 게 사실이지요. 마치 지하철역에 울려 퍼지는 안내 방송처럼 말이에요.

'한 걸음 물러서 주시기 바랍니다.'

뉴턴이 쓴 《프린키피아》도 아주 훌륭한 책이면서 또 그만큼 머리 아픈 책입니다. 게다가 원서는 라틴어이지요. 쉽게 손이 가지 않는 게 당연할지 모릅니다. 그럼에도 불구하고 여러분이 이 책을 선택했다면 그건 아마 과학의 시작에 대한 궁금증 때문일 거라 생각합니다. 그래서 그림 작가인 저는 최대한 쉽게 읽고 쉽게 이해할 수 있도록 그리고자 했습니다. '과학을 싫어하는 사람이 읽어도 쉽게 이해할 수 있게 그리자.' 이것이 이 책의 그림을 시작하면서 다잡은 마음가짐이었습니다.

이 책에는 뉴턴을 포함해 많은 과학자들이 나옵니다. 뉴턴과 동(同)시대를 산 과학자는 많지 않지만 다른 여러 물리학자, 천문학자들의 가설을 뉴턴이 《프린키피아》에 정리하기까지의 과정들을 편안하게 읽어 갈 수 있을 겁니다. 또 뉴턴이 발견한, 우주에 작용하는 많은 힘들의 상호 관계에 대해서도 그림을 통해 쉽게 알 수 있을 것입니다. 아울러 뉴턴이 발견한 힘들이 지금 이 글을 읽는 여러분에게도 작용하고 있다는 걸 느낄 수 있길 바랍니다.

거대한 진리의 바다에서 뉴턴이 발견한 자그마한 돌과 예쁜 조개들.

제가 이 책에서 배운 많은 지식을, 이 책을 읽는 독자 여러분도 꼭 가져가시길 바랍니다. 마지막으로, 믿고 기다려 주신 모해규 선생님, 바쁜 와중에도 도움 준 홍하영 님, 명성에 비해 의외로 외로운 사람이었던 뉴턴, 지금도 나에게 작용하고 있는 만유인력…….

모두 감사드립니다.

홍소진

| 차 례 |

기획에 부쳐 04

머리말 06

제1장 《프린키피아》는 어떤 책일까? 12

제2장 뉴턴, 그는 누구일까? 26

천재의 계보 44

아인슈타인의 기적의 해 46

제3장 운동의 세 가지 법칙에 대하여 48

제4장 구심력에 대하여 62

제5장 만유인력에 대하여 78

제6장 케플러의 법칙에 대하여 94

천체 망원경 112

제7장 지구 타원체에 대하여 114

제8장 천동설과 지동설에 대하여 128

상대성 원리 146

제9장 조석에 대하여 148

제10장 혜성에 대하여 166

혜성들의 쉼터 184

제11장 중력에 대하여 186

무중력 공간 202

제12장 《프린키피아》를 마무리하며 204

가상 대토론

뉴턴 VS 아인슈타인, 중력을 논하다!

논쟁 1라운드 중력과 가속도 216

논쟁 2라운드 만유인력 220

논쟁 3라운드 중력과 빛의 휘는 성질 222

논쟁 4라운드 빛이 휘는 각도 225

논쟁 5라운드 토론을 마치며 230

제1장
《프린키피아》는 어떤 책일까?

너희들, 세상에서 가장 유명한 사과가 뭔지 알아?
툭
맞아.
만유인력의 영감*을 준 뉴턴의 사과야!
우리집 사과도 유명한디~.
허허허.

*영감 – 신기한 예감이나 느낌.

다들 뉴턴은 알고 있지?
'이름은 알아요.' 라고 말하는 사람이 몇몇 보이는군.
뉴턴은 아인슈타인과 함께 세계 2대 과학자로서 과학에 위대한 업적을 남긴 대단한 사람이야.

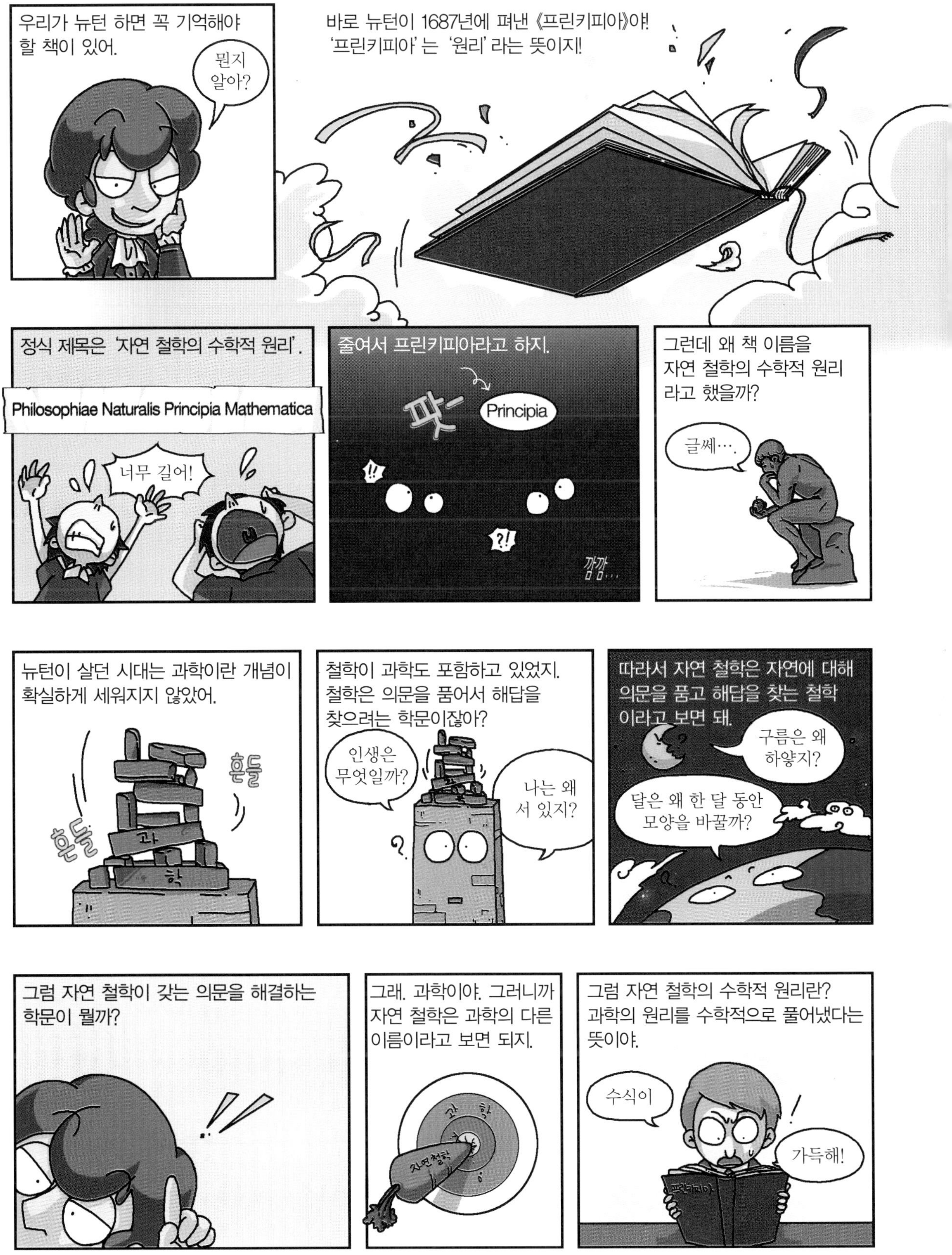
우리가 뉴턴 하면 꼭 기억해야 할 책이 있어.
뭔지 알아?
바로 뉴턴이 1687년에 펴낸 《프린키피아》야! '프린키피아'는 '원리'라는 뜻이지!
정식 제목은 '자연 철학의 수학적 원리'.
Philosophiae Naturalis Principia Mathematica
너무 길어!
줄여서 프린키피아라고 하지.
딱-
Principia
!!
?!
깜깜…
그런데 왜 책 이름을 자연 철학의 수학적 원리라고 했을까?
글쎄….
뉴턴이 살던 시대는 과학이란 개념이 확실하게 세워지지 않았어.
흔들
흔들
과
학
철학이 과학도 포함하고 있었지. 철학은 의문을 품어서 해답을 찾으려는 학문이잖아?
인생은 무엇일까?
나는 왜 서 있지?
따라서 자연 철학은 자연에 대해 의문을 품고 해답을 찾는 철학이라고 보면 돼.
구름은 왜 하얗지?
달은 왜 한 달 동안 모양을 바꿀까?
그럼 자연 철학이 갖는 의문을 해결하는 학문이 뭘까?
그래. 과학이야. 그러니까 자연 철학은 과학의 다른 이름이라고 보면 되지.
과학
자연철학
그럼 자연 철학의 수학적 원리란? 과학의 원리를 수학적으로 풀어냈다는 뜻이야.
수식이
가득해!
프린키피아

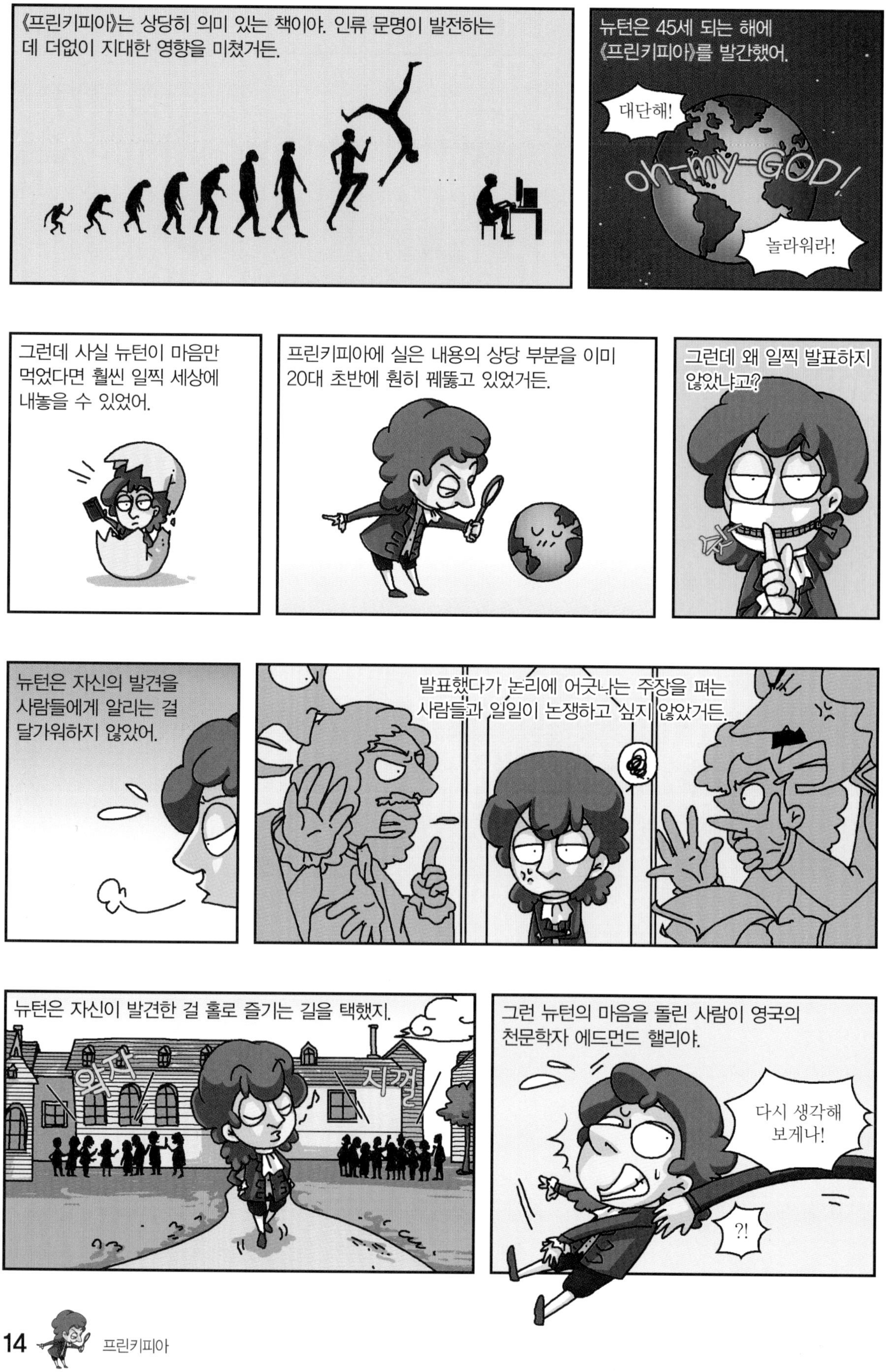
《프린키피아》는 상당히 의미 있는 책이야. 인류 문명이 발전하는 데 더없이 지대한 영향을 미쳤거든.
뉴턴은 45세 되는 해에 《프린키피아》를 발간했어.
대단해!
oh-my-GOD!
놀라워라!
그런데 사실 뉴턴이 마음만 먹었다면 훨씬 일찍 세상에 내놓을 수 있었어.
프린키피아에 실은 내용의 상당 부분을 이미 20대 초반에 훤히 꿰뚫고 있었거든.
그런데 왜 일찍 발표하지 않았냐고?
뉴턴은 자신의 발견을 사람들에게 알리는 걸 달가워하지 않았어.
발표했다가 논리에 어긋나는 주장을 펴는 사람들과 일일이 논쟁하고 싶지 않았거든.
뉴턴은 자신이 발견한 걸 홀로 즐기는 길을 택했지.
그런 뉴턴의 마음을 돌린 사람이 영국의 천문학자 에드먼드 핼리야.
다시 생각해 보게나!
?!

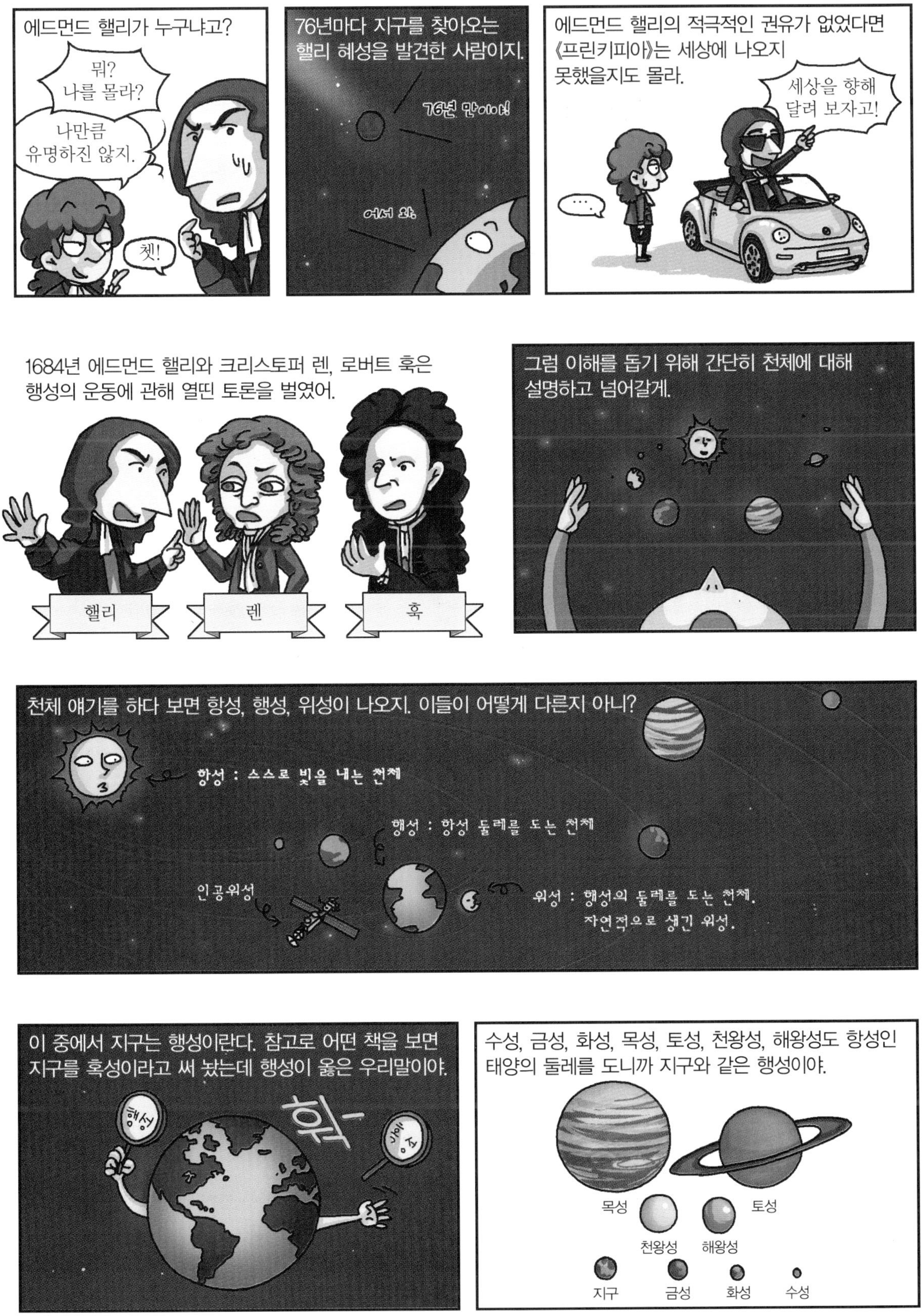

에드먼드 핼리가 누구냐고?
뭐? 나를 몰라?
나만큼 유명하진 않지.
칫!
76년마다 지구를 찾아오는 핼리 혜성을 발견한 사람이지.
76년 만이야!
어서 와.
에드먼드 핼리의 적극적인 권유가 없었다면 《프린키피아》는 세상에 나오지 못했을지도 몰라.
세상을 향해 달려 보자고!
…
1684년 에드먼드 핼리와 크리스토퍼 렌, 로버트 훅은 행성의 운동에 관해 열띤 토론을 벌였어.
핼리
렌
훅
그럼 이해를 돕기 위해 간단히 천체에 대해 설명하고 넘어갈게.
천체 얘기를 하다 보면 항성, 행성, 위성이 나오지. 이들이 어떻게 다른지 아니?
항성 : 스스로 빛을 내는 천체
행성 : 항성 둘레를 도는 천체
인공위성
위성 : 행성의 둘레를 도는 천체. 자연적으로 생긴 위성.
이 중에서 지구는 행성이란다. 참고로 어떤 책을 보면 지구를 혹성이라고 써 놨는데 행성이 옳은 우리말이야.
행성
휙-
혹성
수성, 금성, 화성, 목성, 토성, 천왕성, 해왕성도 항성인 태양의 둘레를 도니까 지구와 같은 행성이야.
목성
토성
천왕성
해왕성
지구
금성
화성
수성

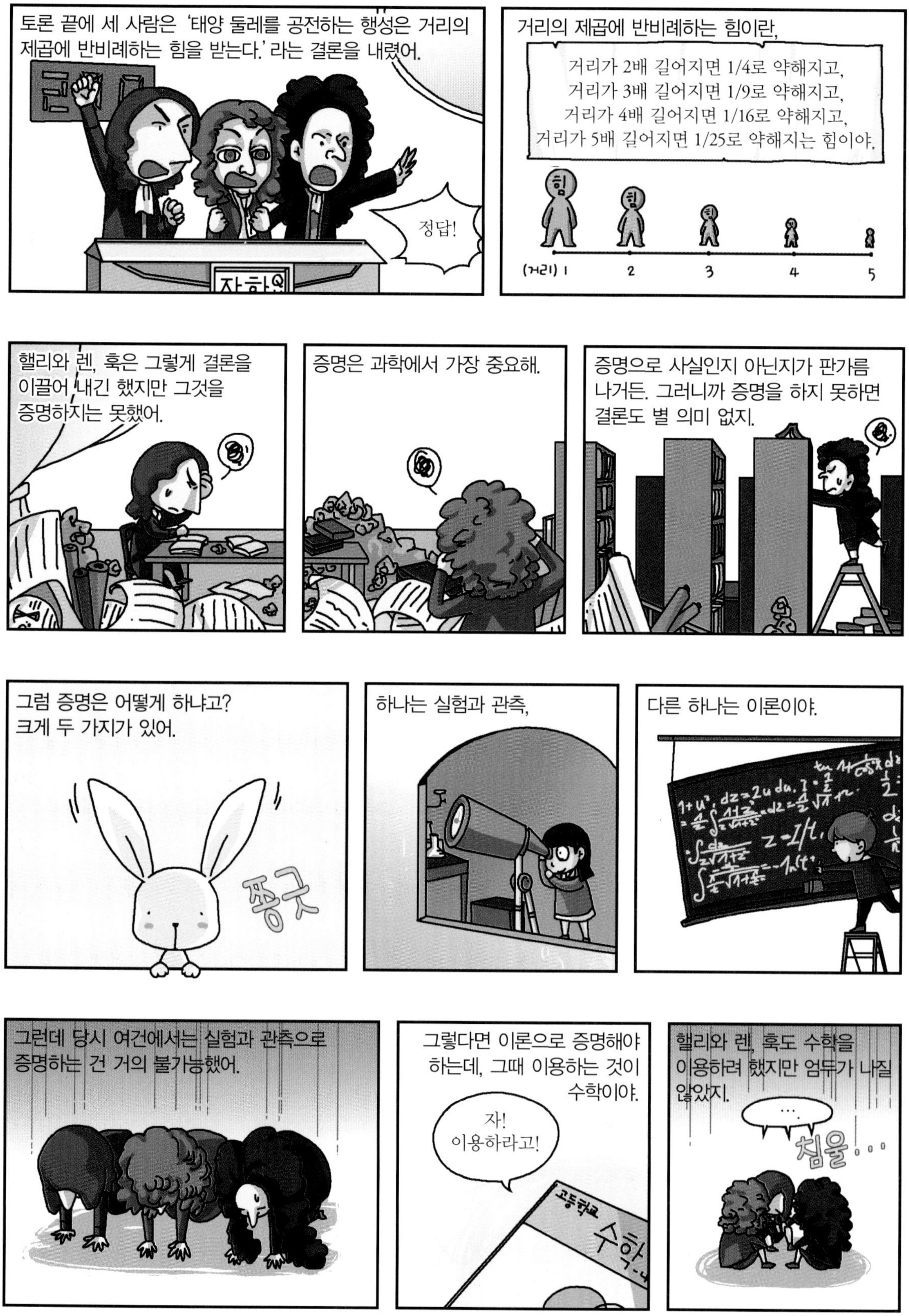
토론 끝에 세 사람은 '태양 둘레를 공전하는 행성은 거리의 제곱에 반비례하는 힘을 받는다.' 라는 결론을 내렸어.
정답!
거리의 제곱에 반비례하는 힘이란,
거리가 2배 길어지면 1/4로 약해지고,
거리가 3배 길어지면 1/9로 약해지고,
거리가 4배 길어지면 1/16로 약해지고,
거리가 5배 길어지면 1/25로 약해지는 힘이야.
힘
힘
(거리) 1 2 3 4 5
핼리와 렌, 훅은 그렇게 결론을 이끌어 내긴 했지만 그것을 증명하지는 못했어.
증명은 과학에서 가장 중요해.
증명으로 사실인지 아닌지가 판가름 나거든. 그러니까 증명을 하지 못하면 결론도 별 의미 없지.
그럼 증명은 어떻게 하냐고? 크게 두 가지가 있어.
쫑긋
하나는 실험과 관측,
다른 하나는 이론이야.
그런데 당시 여건에서는 실험과 관측으로 증명하는 건 거의 불가능했어.
그렇다면 이론으로 증명해야 하는데, 그때 이용하는 것이 수학이야.
자! 이용하라고!
고등학교 수학
핼리와 렌, 훅도 수학을 이용하려 했지만 엄두가 나질 않았지.
….
침울...

바로 그때 핼리는 뉴턴을 떠올렸어.
곧바로 뉴턴이 있는 케임브리지 대학으로 달려갔지.
후다닥
두 사람은 즐겁게 대화를 나눴어.
거리의 제곱에 반비례하는 힘으로 행성이 태양 주위를 공전한다고 생각합니다.
나도 그렇다고 봅니다.
그럼 행성은 어떤 궤도를 그리면서 운동할까요?
타원입니다.
깜짝!
어떻게 그렇게 빨리, 자신 있게 대답하십니까?
예전에 계산해 놓았거든요.
정말이세요? 그걸 보여 주실 수 있나요?
물론이죠.
그런데 뉴턴은 계산한 종이를 찾지 못했어.
다시 계산하죠, 뭐.
오오-

어느덧 8개월이 흘렀어.
오래 걸리네….
안절
부절
그러나 뉴턴은 그 문제를 해결하지 못한 게 아니었어.
뭐?
뉴턴은 일찍이 문제를 풀었지. 다만 흡족하지 않았을 뿐이야.
흐음~.
문제를 더 산뜻하게 풀어내는 방법을 찾고 있었던 거지.
새로운 방법을 동원하면 좀 더 완벽한 원고가 될 것 같은데….
뉴턴은 이미 푼 문제에 계속해서 매달렸어.
거기에서 탄생한 원고가 〈회전하는 물체의 운동에 관하여〉라는 제목의 9쪽짜리 논문이야. 이것이 《프린키피아》의 바탕이 되었지.
회전하는 물체의 운동에 관하여 –뉴턴
뉴턴은 런던에 있는 핼리에게 보냈어.
이건 모두가 볼 수 있도록 널리 알려야…!
다시 뉴턴을 찾아온 핼리는 이 논문을 왕립 학회*에 제출하고 출판할 것을 권유했어.
OK?
OK.
뉴턴은 흔쾌히 수락했지.
비용은 내가 대겠네!
팍
나에게 맡겨!
….

*왕립 학회 – 1660년 영국에 설립된 자연 과학 학회.

이렇게 해서 세상을 뒤바꿔 버린 책,
《프린키피아》가 세상에 나오게 되었지.

《프린키피아》는 3권으로 구성되어 있어.
1
2
3

1권은 물체의 운동에 대해서 다루고 있지.

우선, 운동과 관련 있는 용어들에 대해 정의를 설명하고 있어.
물질의 양
구심력
운동의 양
힘

먼저 물질의 양을 정의해 보면
물질의 양 = 밀도 × 부피
이것을 다시 밀도에 대한 식으로 바꾸면,
물질의 양 / 부피 = 밀도
부피를 넘기면 나누기가 돼.
교과서에선 밀도를 이렇게 정의해.
밀도 = 질량 / 부피
이 식에 따르면 질량은 물질의 양에 해당하지.

운동의 양에 대해선 '전체의 운동은 하나하나의 운동을 합한 것' 이라고 말했어.
운동의 양
색종이를 예로 들어 볼게. 색종이를 가위로 잘라.
그런 다음 자른 색종이들을 한 조각 한 조각 모아서 맞추면,
자르기 전의 전체 색종이가 되는 것과 마찬가지인 거지.
운동의 양
부분들이 모이면 전체가 되는 거야!
또 1권에서는 운동의 세 가지 법칙도 설명하고 있어.
제1운동법칙
관성의 법칙
정지해 있는 물체는 계속 정지하려 하고,
부릉~
!!!!
급출발
등속으로 움직이는 물체는 계속 등속으로 움직이고 싶어 하는 법칙을 말해.
!!!!
끼익!
급정지
등속이란 처음이나 중간이나 마지막이나 속도가 달라지지 않는 운동이지.
이 버스 다시 타나 봐라.
어휴.

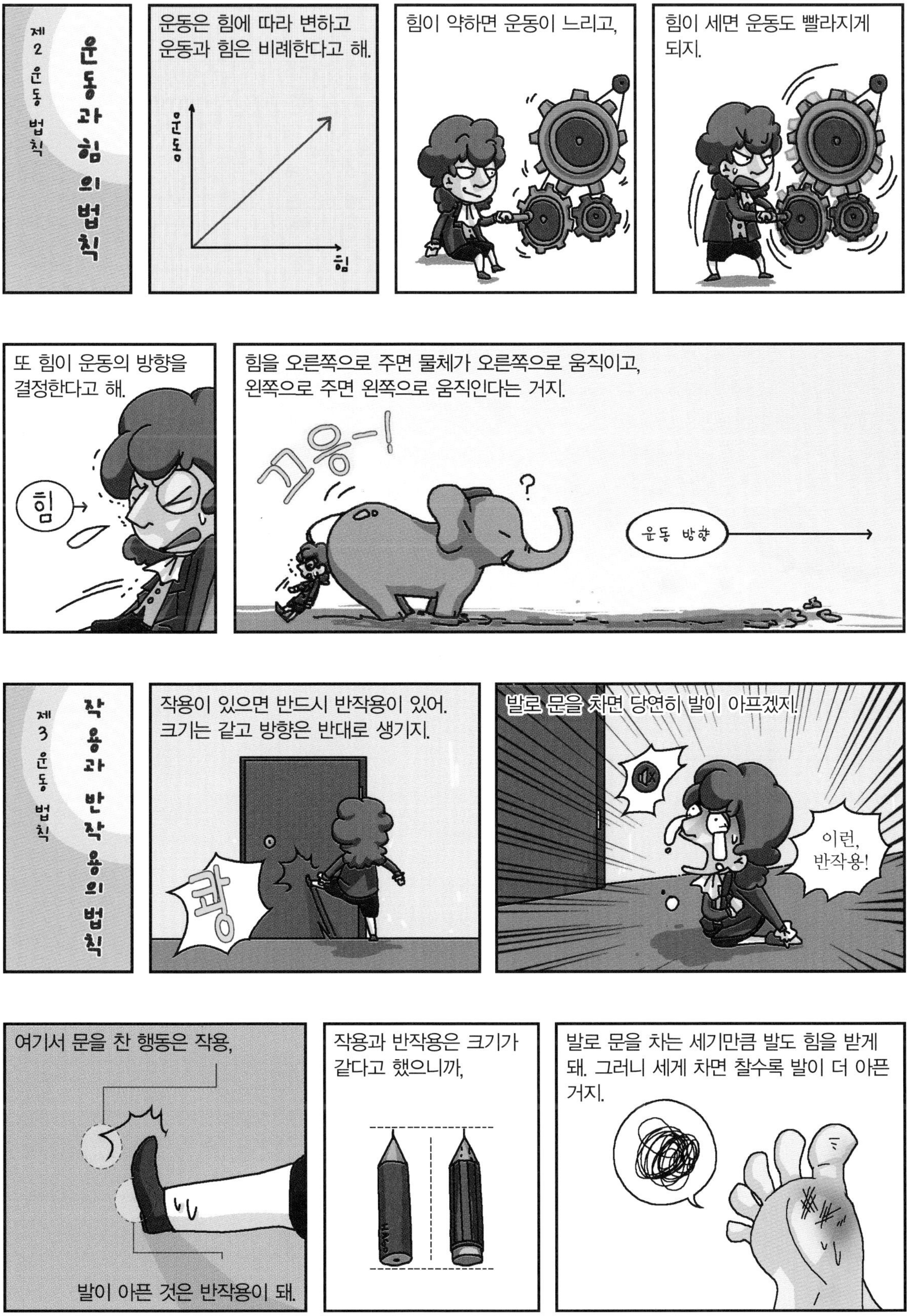
제2 운동 법칙
운동과 힘의 법칙
운동은 힘에 따라 변하고 운동과 힘은 비례한다고 해.
운동
힘
힘이 약하면 운동이 느리고,
힘이 세면 운동도 빨라지게 되지.
또 힘이 운동의 방향을 결정한다고 해.
힘
힘을 오른쪽으로 주면 물체가 오른쪽으로 움직이고, 왼쪽으로 주면 왼쪽으로 움직인다는 거지.
끄응-!
?
운동 방향
제3 운동 법칙
작용과 반작용의 법칙
작용이 있으면 반드시 반작용이 있어. 크기는 같고 방향은 반대로 생기지.
쾅
발로 문을 차면 당연히 발이 아프겠지!
이런, 반작용!
여기서 문을 찬 행동은 작용,
발이 아픈 것은 반작용이 돼.
작용과 반작용은 크기가 같다고 했으니까,
발로 문을 차는 세기만큼 발도 힘을 받게 돼. 그러니 세게 차면 찰수록 발이 더 아픈 거지.

《프린키피아》 2권에선 유체에서의 운동을 다루고 있어.
유체?

세상 여러 물질들은 세 가지 상태 중 하나에 속해 있어.
단단하고 잘 변하지 않는 나는 고체!
가장 유연하고 입자들이 붙어 있지 않는 난 기체!
모양이 쉽게 변하고 흐르는 난 액체!

이중 액체와 기체를 묶어서 '유체'라고 해.
흐른다는 뜻이지.

뉴턴이 유체에 대해 다룬 이유는 데카르트의 소용돌이 이론을 반박하기 위해서였어.
그건 아닌 것 같은데요.
뭐야? 철학의 아버지인 날 무시하는 거야?

데카르트는 철학, 수학, 물리학 등에서 탁월한 업적을 남긴 사람이지.
...
하하하
알았으니까 소용돌이나 설명해 봐요.
오! 빠!
철학
수학
물리학

우선 컵에 물을 붓고 젓가락으로 휘휘 저으면 물이 소용돌이치고 물 위에 띄워 놓은 스티로폼은 그 소용돌이를 따라서 회전해.

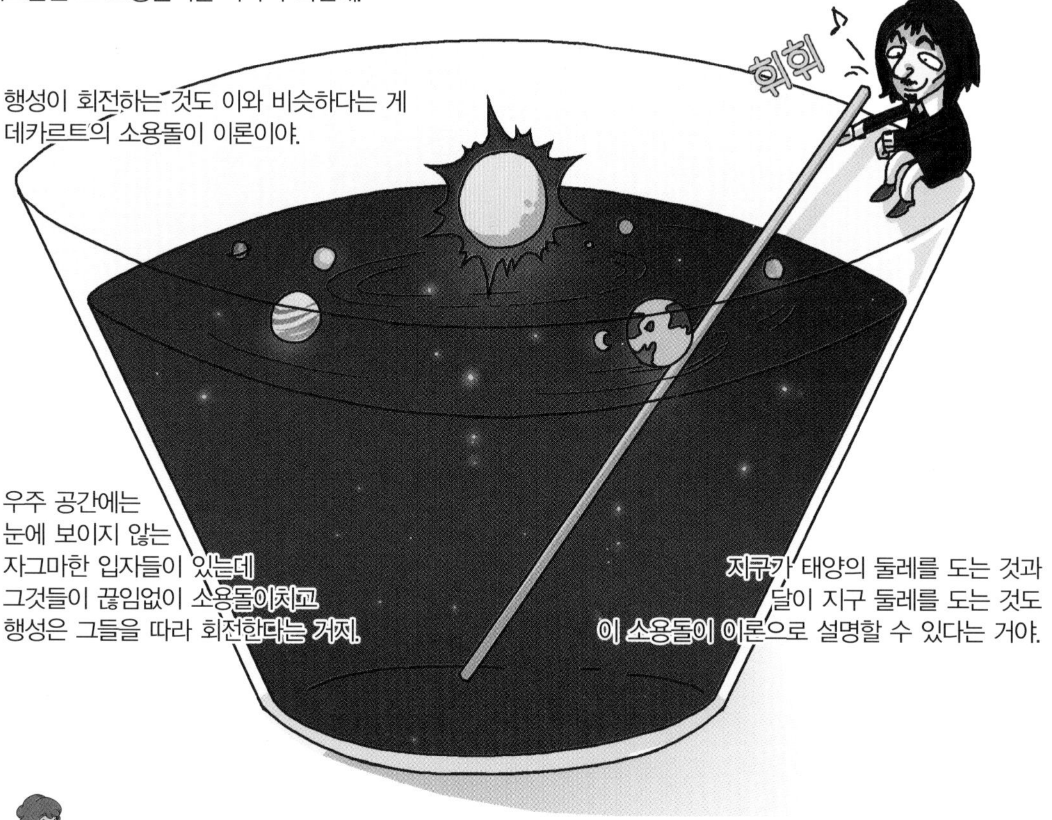
휘휘
행성이 회전하는 것도 이와 비슷하다는 게 데카르트의 소용돌이 이론이야.
우주 공간에는 눈에 보이지 않는 자그마한 입자들이 있는데 그것들이 끊임없이 소용돌이치고 행성은 그들을 따라 회전한다는 거지.
지구가 태양의 둘레를 도는 것과 달이 지구 둘레를 도는 것도 이 소용돌이 이론으로 설명할 수 있다는 거야.

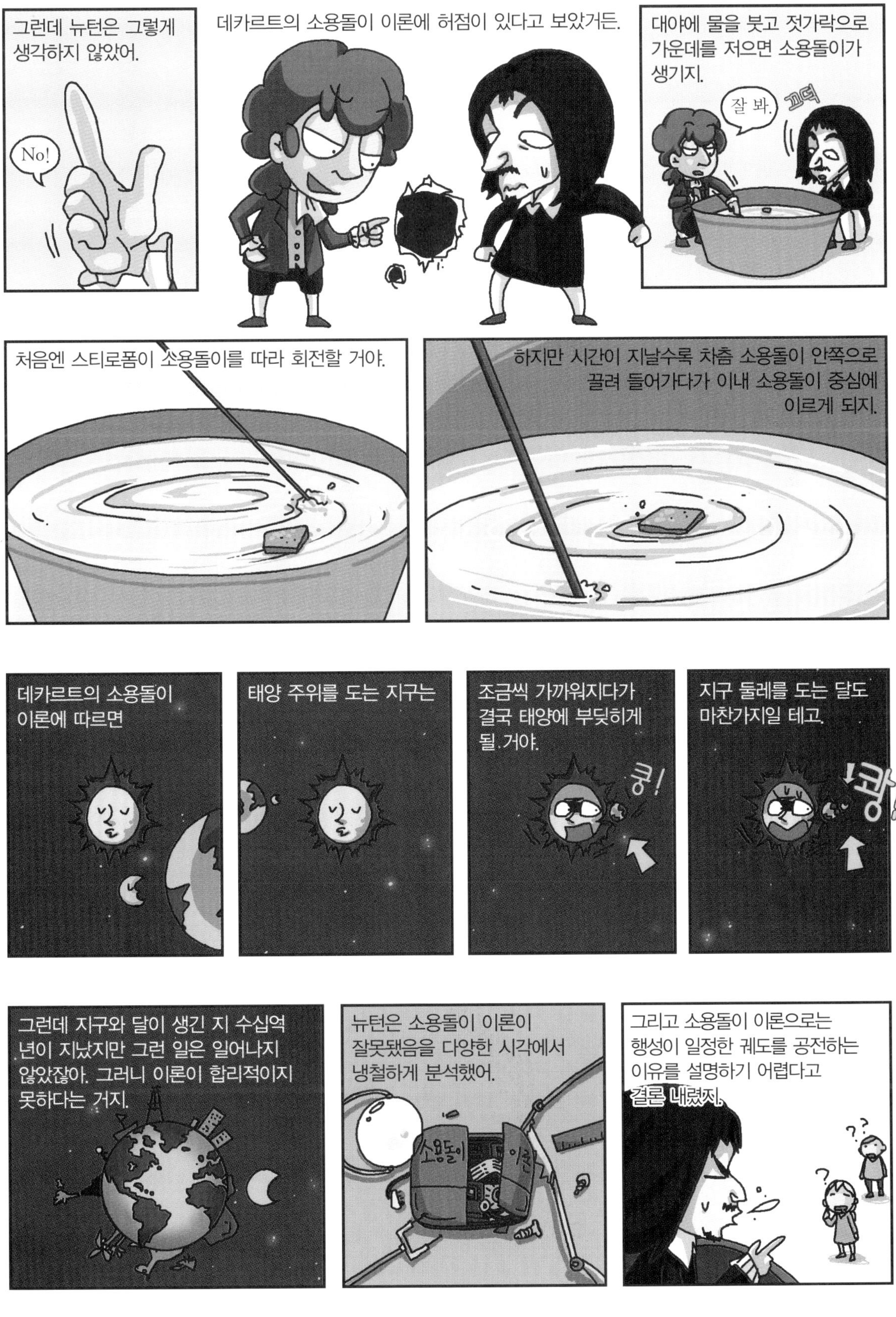

그런데 뉴턴은 그렇게 생각하지 않았어.
No!
데카르트의 소용돌이 이론에 허점이 있다고 보았거든.
대야에 물을 붓고 젓가락으로 가운데를 저으면 소용돌이가 생기지.
잘 봐.
끄덕
처음엔 스티로폼이 소용돌이를 따라 회전할 거야.
하지만 시간이 지날수록 차츰 소용돌이 안쪽으로 끌려 들어가다가 이내 소용돌이 중심에 이르게 되지.
데카르트의 소용돌이 이론에 따르면
태양 주위를 도는 지구는
조금씩 가까워지다가 결국 태양에 부딪히게 될 거야.
쿵!
지구 둘레를 도는 달도 마찬가지일 테고.
쾅!
그런데 지구와 달이 생긴 지 수십억 년이 지났지만 그런 일은 일어나지 않았잖아. 그러니 이론이 합리적이지 못하다는 거지.
뉴턴은 소용돌이 이론이 잘못됐음을 다양한 시각에서 냉철하게 분석했어.
소용돌이
이론
그리고 소용돌이 이론으로는 행성이 일정한 궤도를 공전하는 이유를 설명하기 어렵다고 결론 내렸지.

마지막 3권에선 천체의 운동을 설명하고 있어.
자, 얘들아, 돌아~.
여기서 가장 중요하게 이야기하는 건 만유인력이야.
허허허.
우리집 사과도 괜찮다니께~.

뉴턴은 만유인력으로 갖가지 자연 현상을 설명하고
여길 주목해~.
행성의 운동, 달과 위성의 운동, 혜성의 운동,
그리고 밀물과 썰물의 원리를 명쾌하게 풀어 냈지.

만유인력이라는 원리 하나로 서로 어울리지 않을 것 같던
여러 자연 현상을 모두 꿰뚫은 셈이야.

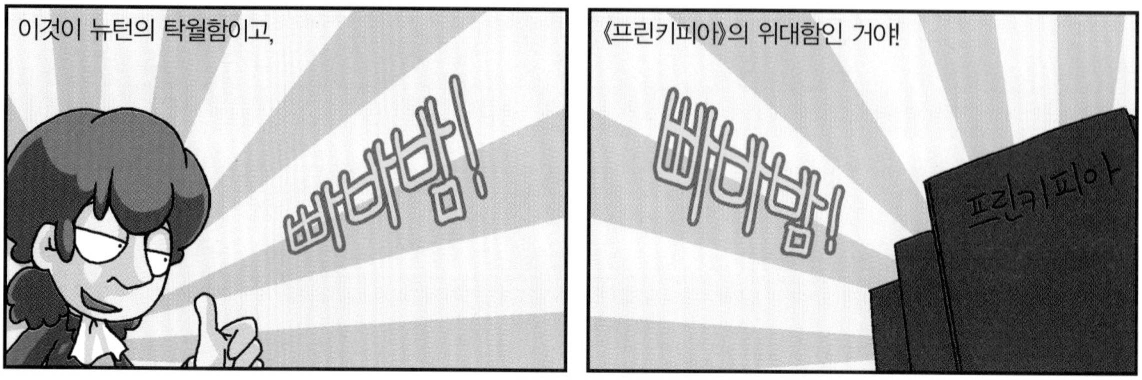
이것이 뉴턴의 탁월함이고,
빠바밤!
《프린키피아》의 위대함인 거야!
빠바밤!
프린키피아

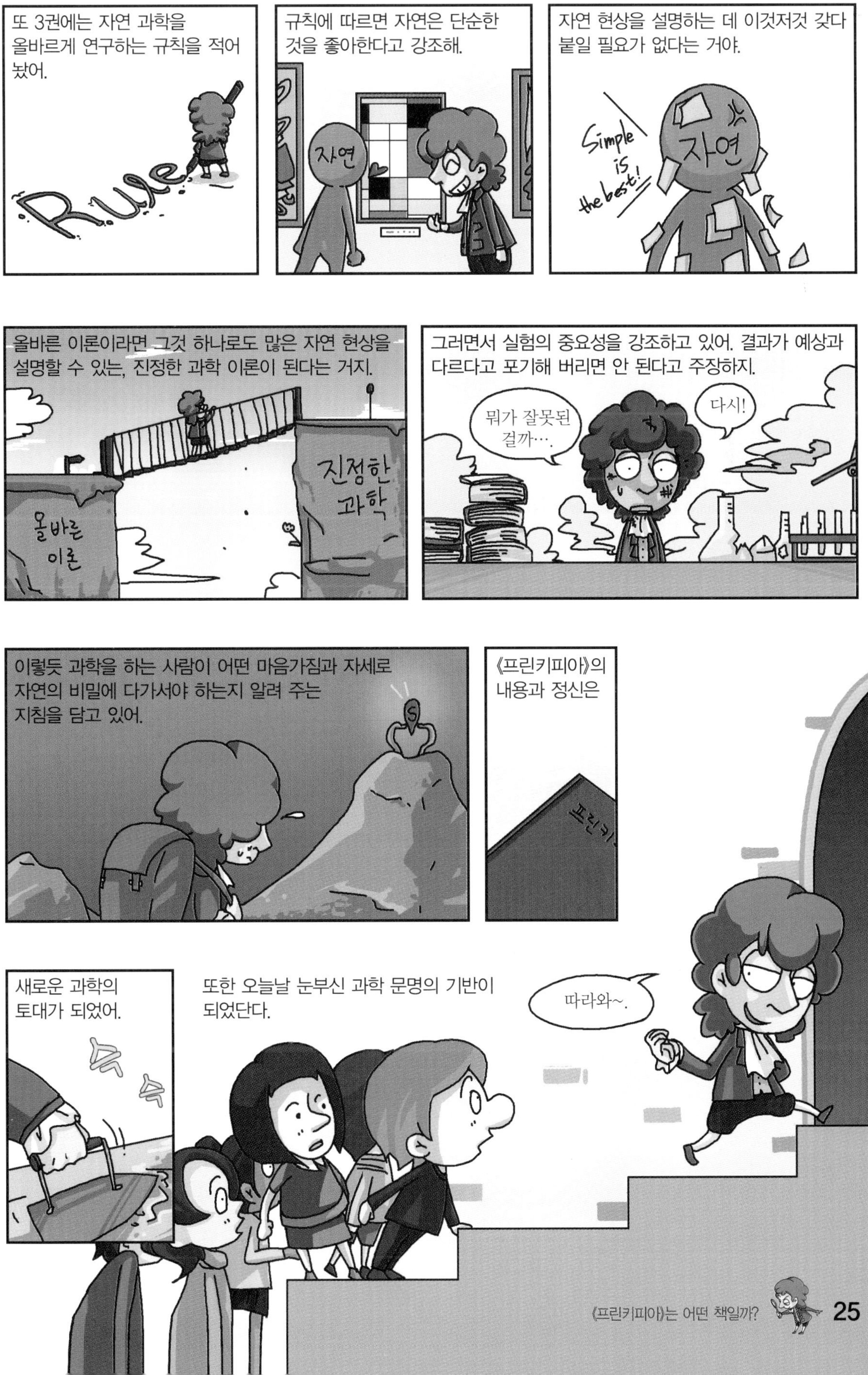
또 3권에는 자연 과학을 올바르게 연구하는 규칙을 적어 놨어.
Rule
규칙에 따르면 자연은 단순한 것을 좋아한다고 강조해.
자연
자연 현상을 설명하는 데 이것저것 갖다 붙일 필요가 없다는 거야.
Simple is the best!
자연
올바른 이론이라면 그것 하나로도 많은 자연 현상을 설명할 수 있는, 진정한 과학 이론이 된다는 거지.
올바른 이론
진정한 과학
그러면서 실험의 중요성을 강조하고 있어. 결과가 예상과 다르다고 포기해 버리면 안 된다고 주장하지.
뭐가 잘못된 걸까….
다시!
이렇듯 과학을 하는 사람이 어떤 마음가짐과 자세로 자연의 비밀에 다가서야 하는지 알려 주는 지침을 담고 있어.
《프린키피아》의 내용과 정신은
새로운 과학의 토대가 되었어.
쓱
쓱
또한 오늘날 눈부신 과학 문명의 기반이 되었단다.
따라와~.

제2장 뉴턴, 그는 누구일까?

1642년 근대 과학의 문을 연 물리학자 갈릴레이가 세상을 떠났어.
그래도 지구는 돈다.

우연인지 운명인지, 같은 해인 1642년에 뉴턴이 태어났지.
응애~

그래서 훗날 사람들은 이렇게 말했어.

"걸출한 천재가 죽자, 하늘도 그를 안타까워해서

또 한 명의 천재, 뉴턴을 내려 보내 준 게 아닐까?" 하고 말이야.
파
앗-

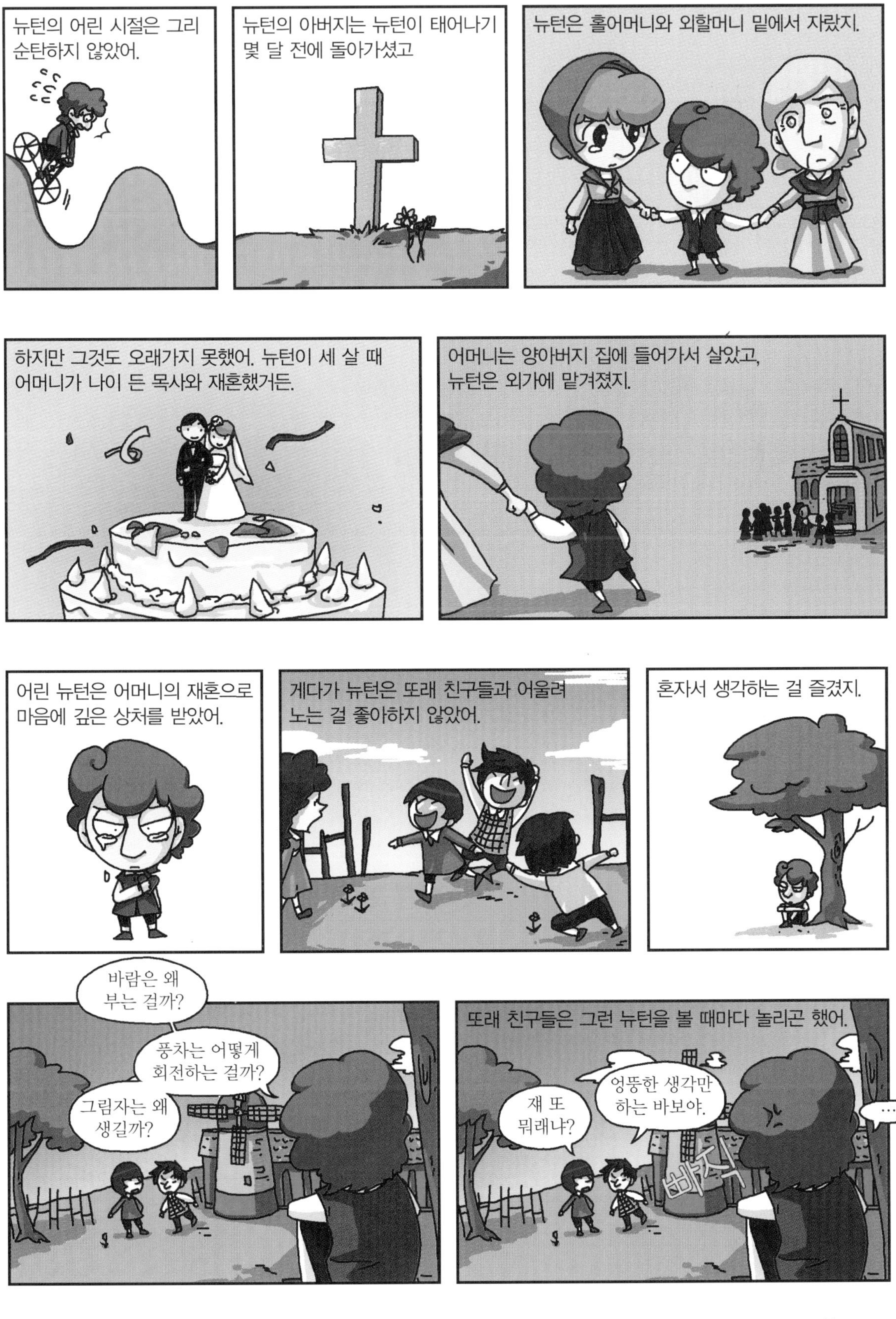
뉴턴의 어린 시절은 그리 순탄하지 않았어.
뉴턴의 아버지는 뉴턴이 태어나기 몇 달 전에 돌아가셨고
뉴턴은 홀어머니와 외할머니 밑에서 자랐지.
하지만 그것도 오래가지 못했어. 뉴턴이 세 살 때 어머니가 나이 든 목사와 재혼했거든.
어머니는 양아버지 집에 들어가서 살았고, 뉴턴은 외가에 맡겨졌지.
어린 뉴턴은 어머니의 재혼으로 마음에 깊은 상처를 받았어.
게다가 뉴턴은 또래 친구들과 어울려 노는 걸 좋아하지 않았어.
혼자서 생각하는 걸 즐겼지.
바람은 왜 부는 걸까?
풍차는 어떻게 회전하는 걸까?
그림자는 왜 생길까?
또래 친구들은 그런 뉴턴을 볼 때마다 놀리곤 했어.
쟤 또 뭐래냐?
엉뚱한 생각만 하는 바보야.
빠직
…

한 번은 이런 일도 있었어. 바람이 강하게 부는 날이었는데,
뉴턴은 바람의 방향과 세기가 운동에 어떤 영향을 미치는지 알아보고 싶었지.
N
W
E
S
?
처음엔 바람을 등지고 멀리뛰기를 했어.
부웅~
우아…!
다음은 바람을 맞으며 멀리뛰기를 했지.
탓
그런데 바람을 맞으며 뛰니까 바람을 등지고 뛸 때보다 멀리 뛸 수가 없었어.
….
달리는 방향과 바람의 방향이 같으면 속력에 이득이 생기는구나.
쟤는 아무래도 머리가 돈 것 같아.
맞아. 동네 바보라고 불러야겠어.
난 바보가 아니야!
메롱~!
두고 봐. 나의 행동이 결코 헛된 게 아니라는 걸 언젠간 꼭 보여 주고 말겠어!
화르륵

세월이 흘러 1661년에 뉴턴은 명문 케임브리지 대학에 합격했어.
도착!
뉴턴은 대학에 입학하자마자 장학생이 되었지.
역시 뉴턴이야!
오오~
굉장해!
잠깐! 성급한 판단이거든?
뉴턴은 학업 장학생이 아니라, 근로 장학생이었어.
뉴턴은 대학 연구원과 부자 학생들의 심부름을 해 주고 장학금을 받았지.
고마워!
뉴턴의 집안이 가난해서 그랬던 건 아니야. 뉴턴의 어머니는 굉장한 부자는 아니었지만 하인을 두고 살 정도의 재력은 있었지.
하지만 뉴턴의 어머니는 아들이 고향에 내려와 농사를 지으며 평범하게 살길 바랐어. 그래서 학비를 보내 주지 않았던 거야.
고향 울즈소프
뉴턴이 고생하다 보면 지쳐서 고향으로 내려올 거라고 생각했지.
뉴턴!
이것부터!
그러나 뉴턴은 학자의 꿈을 포기하지 않았어.
엄마, 미안!
뉴턴은 왠지 세상 모르고 공부만 했을 것 같지?
보다시피 열공 중이라고!
그런데 말이야. 뉴턴이 돈놀이를 했다는 사실 알아?
정말?
말도 안 돼!
하하하~! 그런데 믿어야 해. 명명백백한 사실이거든.

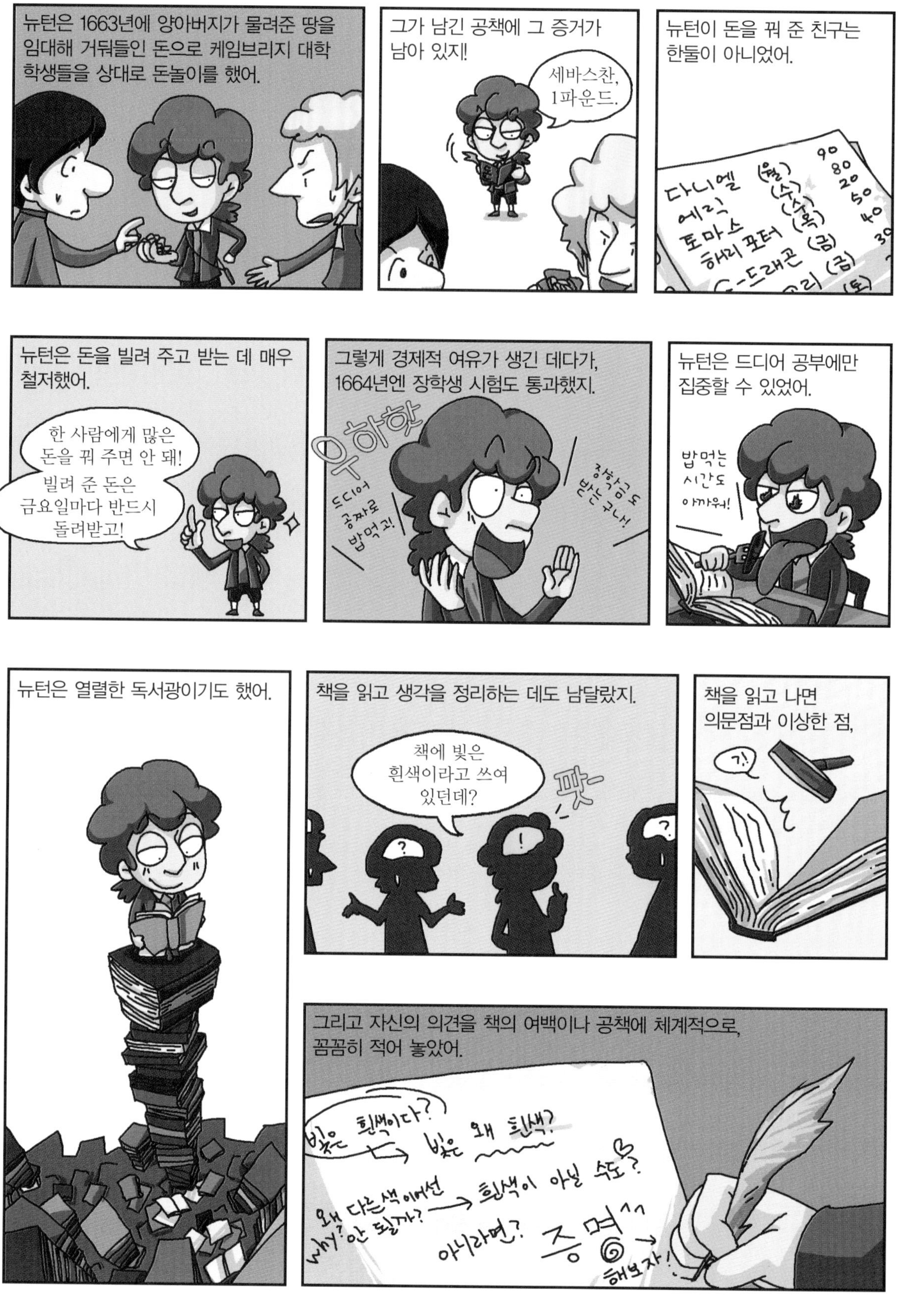
뉴턴은 1663년에 양아버지가 물려준 땅을 임대해 거둬들인 돈으로 케임브리지 대학 학생들을 상대로 돈놀이를 했어.
그가 남긴 공책에 그 증거가 남아 있지!
세바스찬, 1파운드.
뉴턴이 돈을 꿔 준 친구는 한둘이 아니었어.
다니엘 (월) 90
에릭 (수) 80
토마스 (수) 20
해리 포터 (목) 50
드래곤 (금) 40
뉴턴은 돈을 빌려 주고 받는 데 매우 철저했어.
한 사람에게 많은 돈을 꿔 주면 안 돼!
빌려 준 돈은 금요일마다 반드시 돌려받고!
그렇게 경제적 여유가 생긴 데다가, 1664년엔 장학생 시험도 통과했지.
우하핫
드디어 공짜로 밥먹고!
장학금도 받는구나!
뉴턴은 드디어 공부에만 집중할 수 있었어.
밥먹는 시간도 아까워!
뉴턴은 열렬한 독서광이기도 했어.
책을 읽고 생각을 정리하는 데도 남달랐지.
책에 빛은 흰색이라고 쓰여 있던데?
팟
책을 읽고 나면 의문점과 이상한 점,
?!
그리고 자신의 의견을 책의 여백이나 공책에 체계적으로, 꼼꼼히 적어 놓았어.
빛은 흰색이다?
빛은 왜 흰색?
왜 다른 색이어선 안 될까?
why?
흰색이 아닐 수도?
아니라면?
증명 해보자!

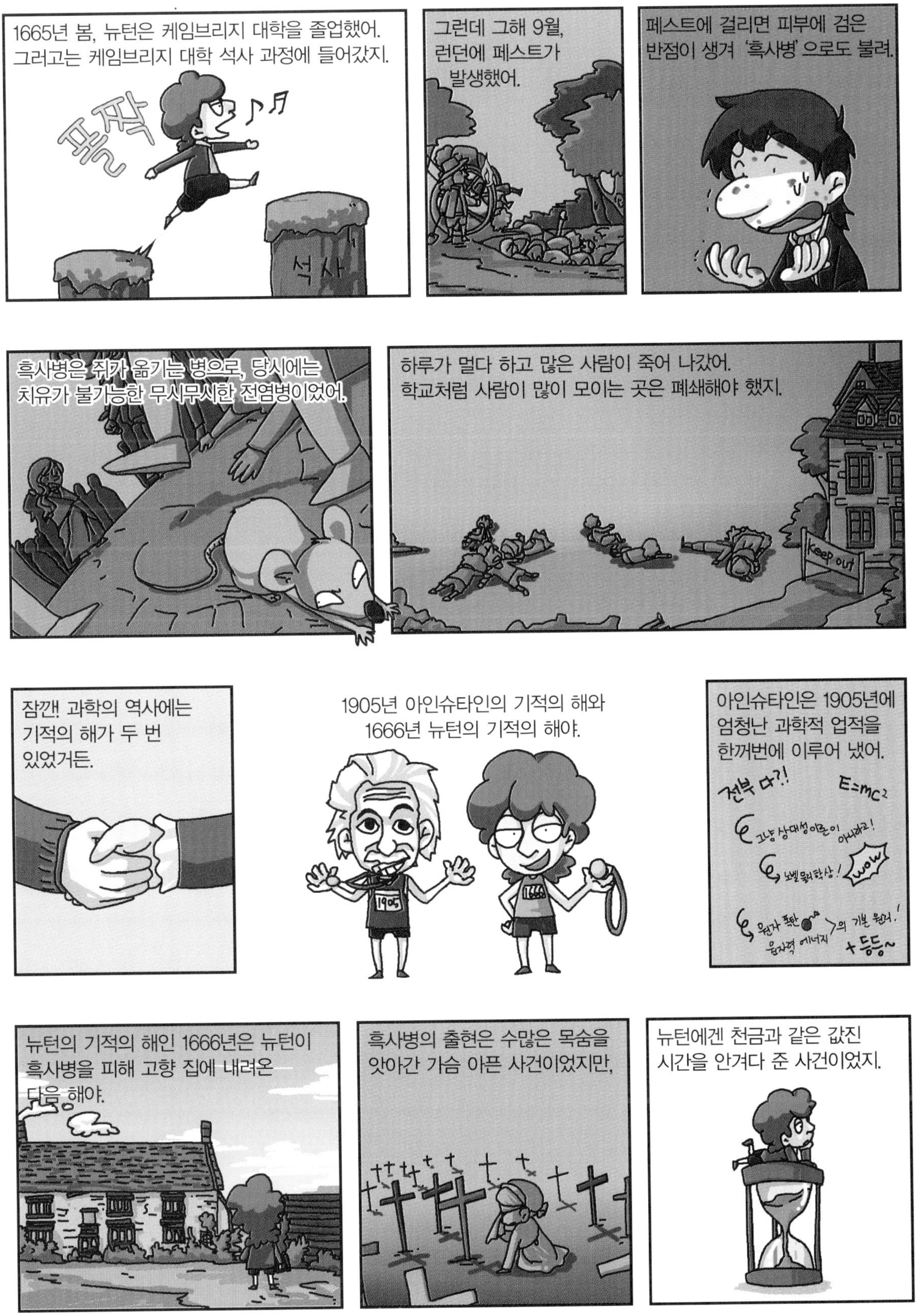
1665년 봄, 뉴턴은 케임브리지 대학을 졸업했어.
그러고는 케임브리지 대학 석사 과정에 들어갔지.
폴짝
석사
그런데 그해 9월, 런던에 페스트가 발생했어.
페스트에 걸리면 피부에 검은 반점이 생겨 '흑사병'으로도 불려.
흑사병은 쥐가 옮기는 병으로, 당시에는 치유가 불가능한 무시무시한 전염병이었어.
하루가 멀다 하고 많은 사람이 죽어 나갔어.
학교처럼 사람이 많이 모이는 곳은 폐쇄해야 했지.
KEEP OUT
잠깐! 과학의 역사에는 기적의 해가 두 번 있었거든.
1905년 아인슈타인의 기적의 해와 1666년 뉴턴의 기적의 해야.
1905
1666
아인슈타인은 1905년에 엄청난 과학적 업적을 한꺼번에 이루어 냈어.
전부 다?!
E=mc2
그냥 상대성 이론이 아니라고!
노벨 물리학상!
WOW
원자 폭탄
원자력 에너지
의 기본 원리!
+등등~
뉴턴의 기적의 해인 1666년은 뉴턴이 흑사병을 피해 고향 집에 내려온 다음 해야.
흑사병의 출현은 수많은 목숨을 앗아간 가슴 아픈 사건이었지만,
뉴턴에겐 천금과 같은 값진 시간을 안겨다 준 사건이었지.

고향 집에 내려온 뉴턴은 생각에 잠기곤 했어.
...
그러던 어느 날, 사과나무 아래에서 사색에 잠겨 있는데 사과가 '툭' 하며 떨어졌지.
툭-
순간 뉴턴의 뇌리를 스치는 생각이 있었어.
사과가 옆이나 위가 아니라 아래로 떨어지는 이유는 뭘까?
그래!
중력이 아래로 작용하기 때문이야!
중력은 지구에만 있지 않아! 달을 봐. 달은 지구 주위를 빙글빙글 돌잖아.
중력이구나~!
그건 지구의 중력이 달에 작용해서 달이 벗어나지 못하도록 막고 있다는 거야.
뉴턴은 중력이 지구와 달은 물론이고,
이리 와!
꽉!
태양, 화성, 북극성 등 우주의 모든 천체에 공통으로 존재하는 힘이라고 생각했어.
이런 생각 속에서 이끌어 낸 것이 바로 유명한 만유인력의 법칙이야.

뉴턴은 고향 집에 머무는 동안
미분 · 적분학도 알아냈어.
미분 · 적분이 뭐냐고?
미분은 잘게 나눈다는 뜻이고
툭
적분은 그것을 다시 모은다는 의미야.
미분 · 적분을 모르고는 물리학은 물론,
현대 수학과 공학을 배울 수가 없어.
물리학
현대 수학
공학
미분 · 적분도 모르다니!
그만큼 중요한 학문이지.
만유인력의 법칙을 이론적으로 엄밀하게
증명하려면 지구 곳곳에서 당기는 중력의
세기를 하나하나 다 따져야 해.
지구의 중력은 특정한 곳에서만
나오는 게 아니거든.
그래서 지구의 중력을 세세히
나누고 다시 합칠 필요가 있어.
으악!
이때 필요한 수학이
미분 · 적분학인 거야.
푸드득
뉴턴은 만유인력을 증명하기 위해 전에 없던 미분 · 적분학을
새롭게 만들어 냈지.
물리 이론을 증명하기 위해
새로운 수학을 생각해 내다니,
정말 놀라워!
뉴턴을 달리
천재라고 하겠어?

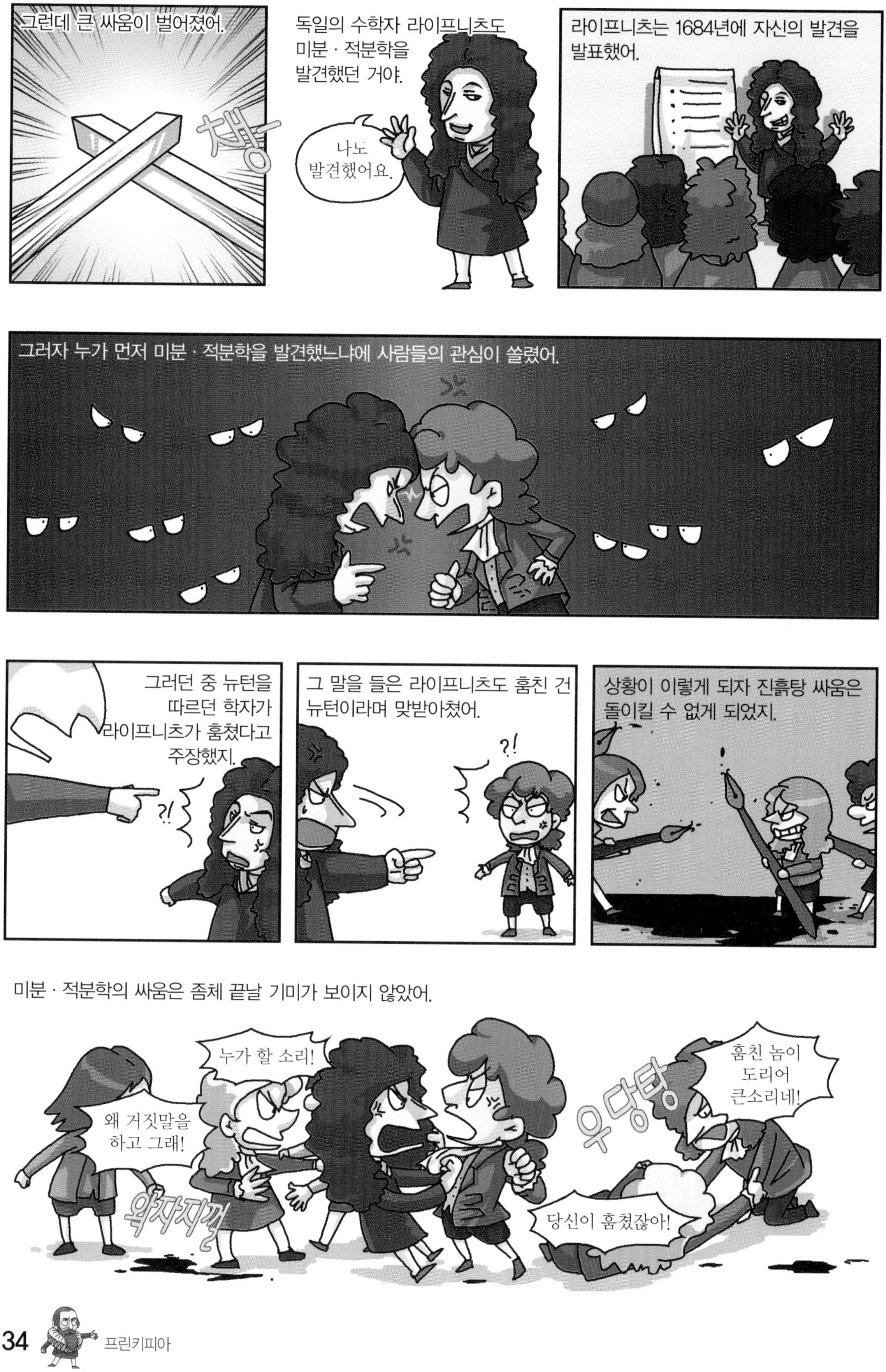

그런데 큰 싸움이 벌어졌어.
쨍-
독일의 수학자 라이프니츠도 미분 · 적분학을 발견했던 거야.
나도 발견했어요.
라이프니츠는 1684년에 자신의 발견을 발표했어.
그러자 누가 먼저 미분 · 적분학을 발견했느냐에 사람들의 관심이 쏠렸어.
그러던 중 뉴턴을 따르던 학자가 라이프니츠가 훔쳤다고 주장했지.
?!
그 말을 들은 라이프니츠도 훔친 건 뉴턴이라며 맞받아쳤어.
?!
상황이 이렇게 되자 진흙탕 싸움은 돌이킬 수 없게 되었지.
미분 · 적분학의 싸움은 좀체 끝날 기미가 보이지 않았어.
왜 거짓말을 하고 그래!
와자지껄
누가 할 소리!
우당탕
훔친 놈이 도리어 큰소리네!
당신이 훔쳤잖아!

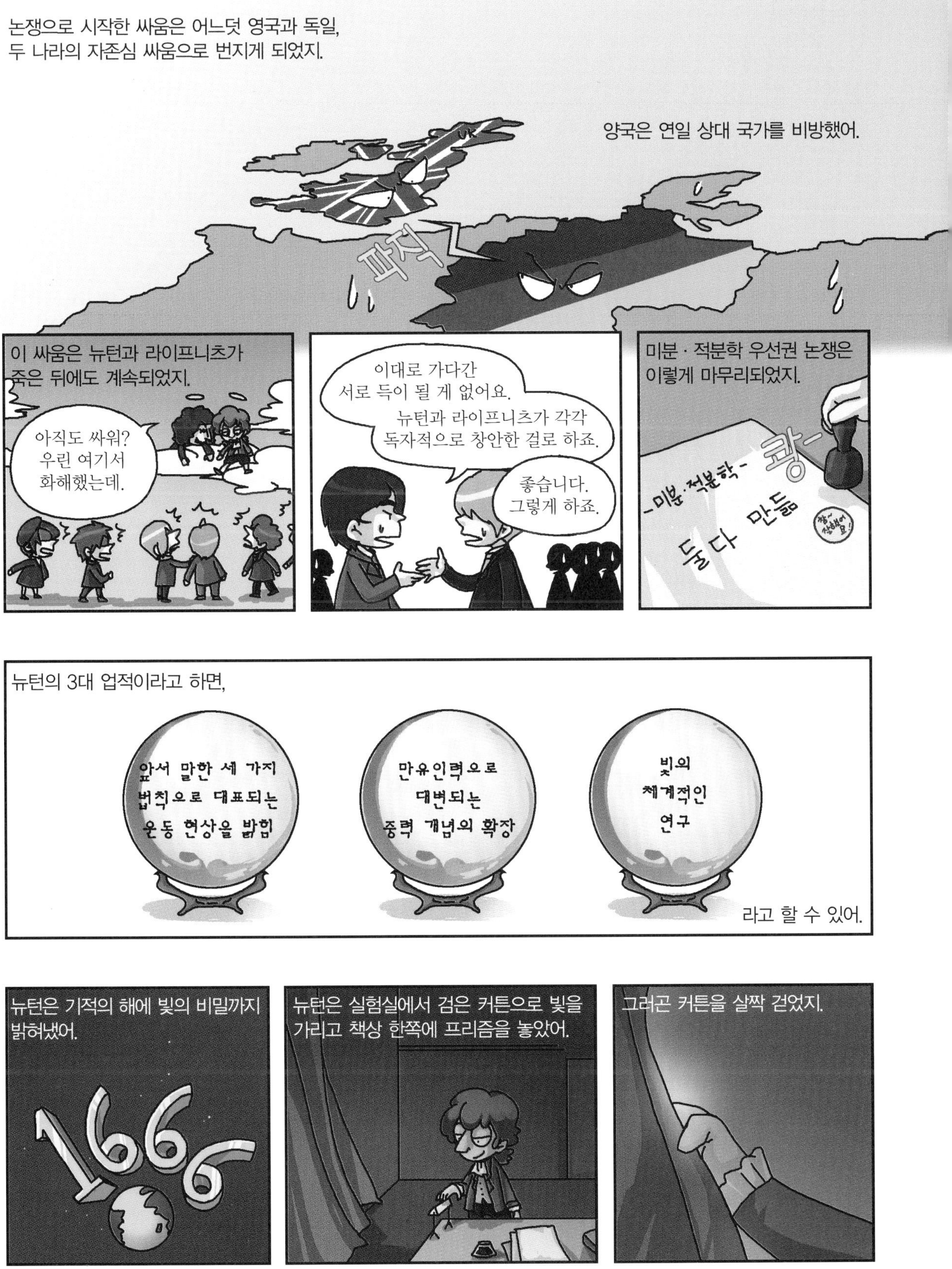
논쟁으로 시작한 싸움은 어느덧 영국과 독일,
두 나라의 자존심 싸움으로 번지게 되었지.
양국은 연일 상대 국가를 비방했어.
파직
이 싸움은 뉴턴과 라이프니츠가 죽은 뒤에도 계속되었지.
아직도 싸워? 우린 여기서 화해했는데.
이대로 가다간 서로 득이 될 게 없어요.
뉴턴과 라이프니츠가 각각 독자적으로 창안한 걸로 하죠.
좋습니다. 그렇게 하죠.
미분 · 적분학 우선권 논쟁은 이렇게 마무리되었지.
쾅
-미분·적분학- 둘다 만듦
참~ 잘했어요!
뉴턴의 3대 업적이라고 하면,
앞서 말한 세 가지 법칙으로 대표되는 운동 현상을 밝힘
만유인력으로 대변되는 중력 개념의 확장
빛의 체계적인 연구
라고 할 수 있어.
뉴턴은 기적의 해에 빛의 비밀까지 밝혀냈어.
1666
뉴턴은 실험실에서 검은 커튼으로 빛을 가리고 책상 한쪽에 프리즘을 놓았어.
그러곤 커튼을 살짝 걷었지.

그러자 따스한 햇살이 실험실 안으로 들어와 프리즘을 통과했어. 뉴턴의 입에서는 감탄사가 흘러나왔지. 프리즘을 통과한 빛이 빨강, 주황, 노랑, 초록, 파랑, 남색, 보라의 일곱 빛깔 무지개 색으로 나누어졌던 거야.
팟-
뉴턴이 빛에 대해 이런 사실을 알아내기 전까지는 누구도 빛이 일곱 빛깔 무지개 색으로 이루어져 있다는 것을 알지 못했지.
빛은 흰색이야.
아니야. 투명해.
빛의 본성은 색이 없거나 흰색이 아니라 무지개 색이란 사실을 뉴턴이 확인시켜 준 거야.
좌악-
이처럼 빛이 각각의 색으로 갈라지는 현상을 '분산'이라고 해.
다시 말해서 분산을 처음 발견한 과학자가 뉴턴인 셈이야.
분산
얼마 뒤,
흑사병이 누그러지자

뉴턴은 케임브리지로 돌아갔고 삶은 거칠 것 없는 탄탄대로였어.
찌릉
1667년에 케임브리지 대학의 특별 연구원이 되더니, 1669년에는 스승의 뒤를 이어서 루카스 석좌 교수에 임명되었지.
루카스 석좌 교수 자리는 천재들만 앉는구나!
현재 이 자리는 그 이름도 유명한 불굴의 천재 이론 물리학자 스티븐 호킹 박사가 앉아 있어!
그런데 뉴턴이 천체 망원경을 발명했다는 사실은 알고 있지?
나야, 나!
뭐? 금시초문이라고? 뉴턴이 들으면 실망하겠는걸.
급
실망
뉴턴이 천체 망원경을 최초로 발명한 건가?
그건 아니야.
천체 망원경을 최초로 발명한 사람은 갈릴레이야. 그것을 갈릴레이식 천체 망원경이라고 해.
내가 바로 최초!
뒤이어 케플러가 새로운 천체 망원경을 생각해 냈어. 이건 케플러식 천체 망원경이라고 하지.
갈릴레이와는 렌즈가 다르다고!
두 천체 망원경은 색수차라는 단점을 가지고 있어.
색수차는 또 뭐죠?
BB
렌즈를 통과한 빛이 한 곳에 정확히 모이지 못하고 갈라지는 현상이야. 색수차가 생기면 상이 뚜렷하게 나타나지 않아.
천체 망원경에 렌즈를 착용하는 한 색수차를 완벽하게 없애지 못해.
렌즈 대신 거울을 써야 해!

이런 사실을 깨달은 뉴턴은 거울을 장착한 천체 망원경을 만들었어.
이를 뉴턴식 천체 망원경이라고 해.
뉴턴은 자신이 만든 천체 망원경을 영국의 왕립 학회에 보냈지.
택배 왔습니다.
뉴턴
그것을 본 왕립 학회 회원들은 찬사를 아끼지 않았어. 영국 국왕인 찰스 2세까지 뉴턴의 반사 망원경을 극찬했지.
멋져! 최고야!
왕립 학회의 특별 회원 자격을 주겠네!
매우 잘했소.
뉴턴은 이렇듯 하는 일마다 승승장구했어.
하지만 산이 있으면 골이 있다는 말이 있지? 잘 나갈 때가 있으면 주춤할 때가 있는 법이야.
으악!!
지위가 높아질수록 뉴턴을 못마땅해 하거나 시기하고 견제하는 사람들이 생겨나기 시작했지 뭐야.
라이프니츠와 미분 · 적분학의 우선권을 놓고 벌인 싸움이라든가, 빛과 색깔에 관한 논쟁,
뉴턴 저 사람 너무 잘난 체하는 거 아냐?
기를 팍 꺾어야 하는데.
여러 가지 과학적 이론과 원리를 놓고 로버트 훅과 사사건건 시비가 붙은 일 등이 대표적이야.
빛에 대한 당신의 생각에 오류가 있소.
아니죠. 당신이 빛의 본성에 대해 잘못 생각하는 거죠.

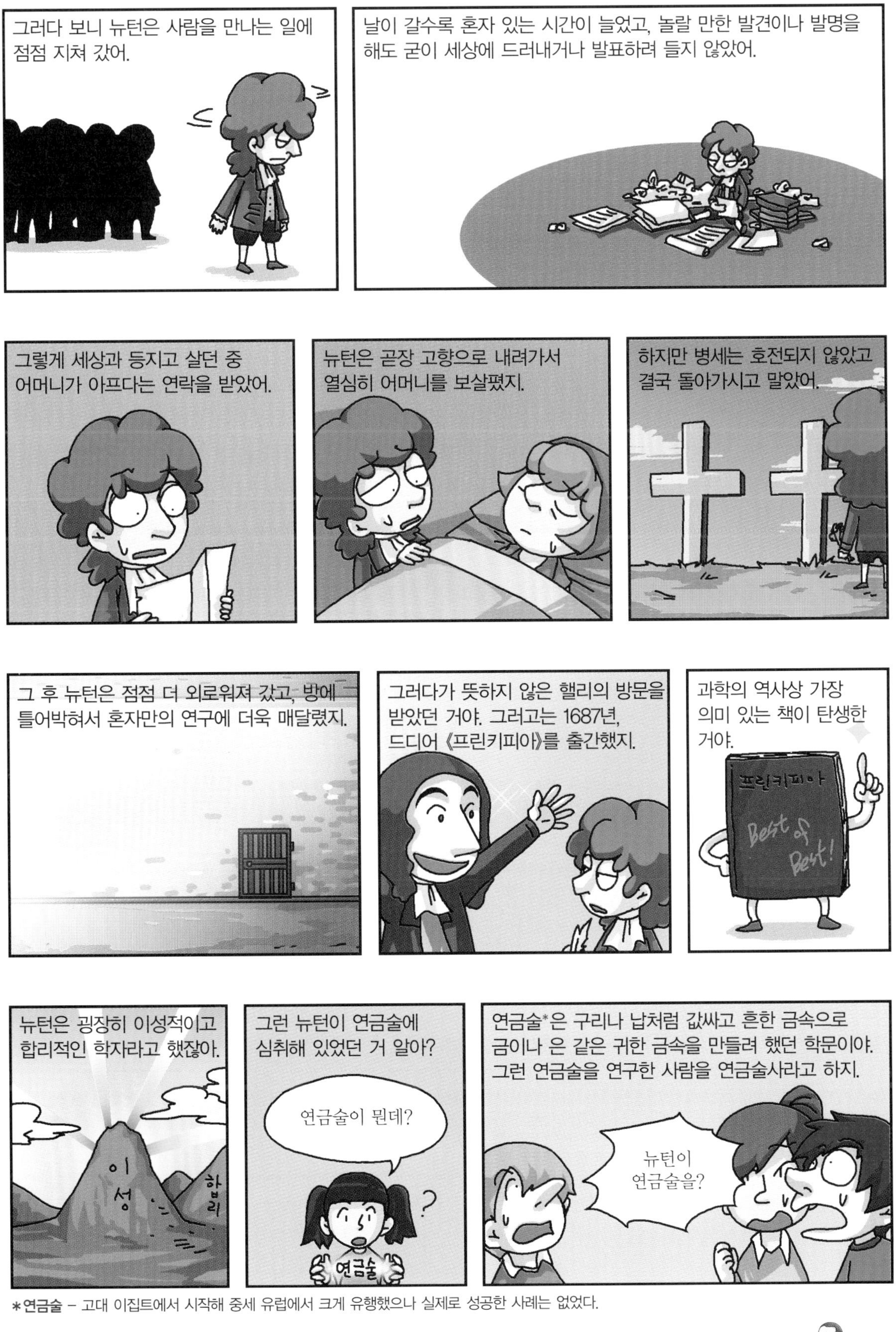

그러다 보니 뉴턴은 사람을 만나는 일에 점점 지쳐 갔어.
날이 갈수록 혼자 있는 시간이 늘었고, 놀랄 만한 발견이나 발명을 해도 굳이 세상에 드러내거나 발표하려 들지 않았어.
그렇게 세상과 등지고 살던 중 어머니가 아프다는 연락을 받았어.
뉴턴은 곧장 고향으로 내려가서 열심히 어머니를 보살폈지.
하지만 병세는 호전되지 않았고 결국 돌아가시고 말았어.
그 후 뉴턴은 점점 더 외로워져 갔고, 방에 틀어박혀서 혼자만의 연구에 더욱 매달렸지.
그러다가 뜻하지 않은 핼리의 방문을 받았던 거야. 그러고는 1687년, 드디어 《프린키피아》를 출간했지.
과학의 역사상 가장 의미 있는 책이 탄생한 거야.
프린키피아
Best of Best!
뉴턴은 굉장히 이성적이고 합리적인 학자라고 했잖아.
이성
합리
그런 뉴턴이 연금술에 심취해 있었던 거 알아?
연금술이 뭔데?
?
연금술
연금술*은 구리나 납처럼 값싸고 흔한 금속으로 금이나 은 같은 귀한 금속을 만들려 했던 학문이야. 그런 연금술을 연구한 사람을 연금술사라고 하지.
뉴턴이 연금술을?

＊연금술 – 고대 이집트에서 시작해 중세 유럽에서 크게 유행했으나 실제로 성공한 사례는 없었다.

뉴턴이 연금술을 열렬히 좋아했다는 건 1970년대에 뉴턴의 머리카락을 분석한 결과로 확인할 수 있어.
납과 수은이 직잖이 들어 있군.
연금술에 빠져 있었다는 증거지.
하지만 뉴턴이 연금술에 매료됐던 이유는 황금을 얻어 부자가 되려는 욕망 때문이 아니었어.
뉴턴은 자연 깊숙이 숨어 있는 비밀에 관심이 많았지.
그것을 알아내는 데 있어 물질이 실마리가 될지도 모른다고 생각했어.
그래서 여러 가지 방법으로 물질을 분석하는 연금술에 매료되었던 거지.
더불어 뉴턴은 종교에도 심취해 있었어.
웬만한 종교인보다 더 깊이 공부했지.
어느 정도냐 하면 뉴턴의 이름을 길이길이 전하게 한 물리학…
물리학
물리학
보다 더하면 더했지 덜하지는 않을 만큼 정성을 쏟아부었어.
물리학
종교
사제*들보다 구약 성서와 신약 성서를 더 잘 이해하고 있을 정도였지.
구약 성서
성서

***사제** – 가톨릭에서 주교와 신부를 통틀어 이르는 말.

뉴턴이 그토록 종교에 빠져든 이유도
연금술에 매료된 이유와 같았어.
연금술
종교
신을 연구하면 진리의
문에 바짝 다가갈 수 있고
결국 자연의 숨은 비밀을
알아낼 수 있을 거라고
보았던 거야.
그런데 뉴턴의 말년은
과학적인 연구와는 다소
동떨어진 삶이었어.
과학
1696년에 왕립 조폐국 부국장, 1699년에는
왕립 조폐국장이 되었거든.
훗-
왕립 조폐국은 영국에서 발행하는
동전을 찍어 내던 곳이야.
당시에는 지폐가 아예 없었어. 그래서
동전만 찍었는데, 위조 동전이 넘쳐났지.
위조동전
위조 동전 때문에 경제는 혼란에 빠졌어. 뉴턴은 위조 동전이
유통되지 못하도록 여러 방안을 강구했어.
이 동전
가짜잖아?
내가 월급으로 받은
동전이 가짜래요.
이 동전으론
아무것도
살 수 없어.
위조 동전을
가려내고,
동전 위조범을 잡아서 처벌하고,
위조하기 어려운 동전을 만드는
일을 했지.

뉴턴은 1703년에 영국 왕립 학회의 회장이 되었어.

1703년은 뉴턴과 앙숙이었던 로버트 훅이 사망한 해이기도 해.

학문적으로 다툼이 잦았던 훅이 죽자, 뉴턴은 빛에 대해 연구한 결과를 책으로 출판했지.

바로 《광학》이라는 책이야.

팍
光學
빛 광
배울 학

라틴어로만 쓰여진 《프린키피아》와 달리
PHILOSOPHIÆ
NATURALIS
PRINCIPIA
MATHEMATICA
IMPRIMATUR

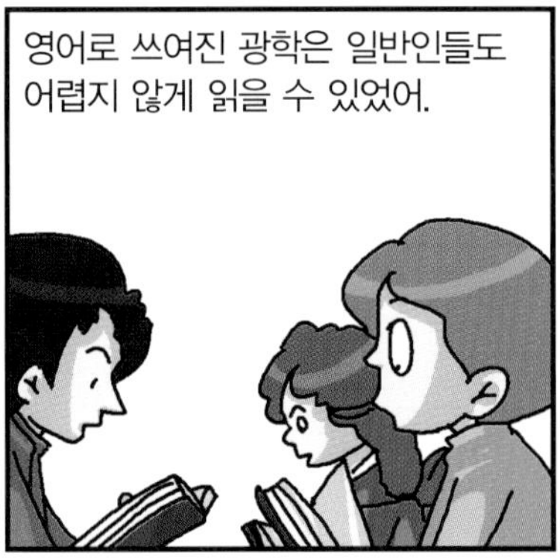
영어로 쓰여진 광학은 일반인들도 어렵지 않게 읽을 수 있었어.

《프린키피아》에 이어 《광학》을 출판함으로써 어두운 시대의 잘못된 과학은 거의 자취를 감추었지.
폐지

1705년 영국의 앤 여왕은 뉴턴에게 기사 작위를 수여했어. 과학자로서 기사 작위를 받은 사람은 뉴턴이 처음이었지.

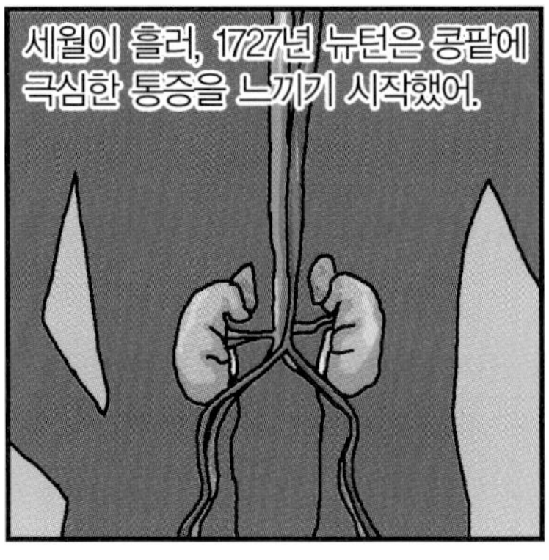
세월이 흘러, 1727년 뉴턴은 콩팥에 극심한 통증을 느끼기 시작했어.

그러고는 1727년 3월 20일, 결국 세상을 떠났지.

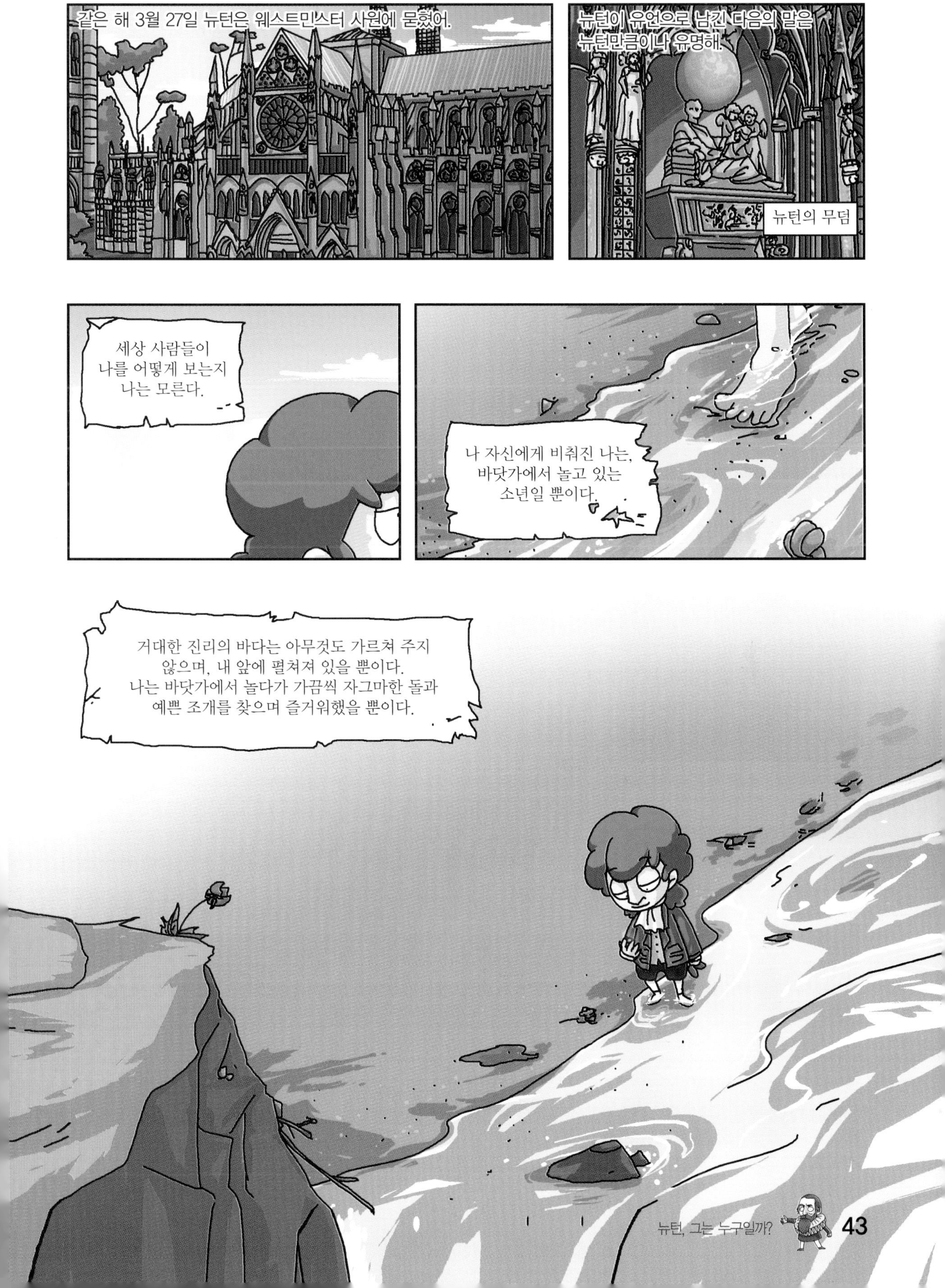

같은 해 3월 27일 뉴턴은 웨스트민스터 사원에 묻혔어.
뉴턴이 유언으로 남긴 다음의 말은 뉴턴만큼이나 유명해.
뉴턴의 무덤
세상 사람들이 나를 어떻게 보는지 나는 모른다.
나 자신에게 비춰진 나는, 바닷가에서 놀고 있는 소년일 뿐이다.
거대한 진리의 바다는 아무것도 가르쳐 주지 않으며, 내 앞에 펼쳐져 있을 뿐이다.
나는 바닷가에서 놀다가 가끔씩 자그마한 돌과 예쁜 조개를 찾으며 즐거워했을 뿐이다.

필연 같은 우연!

천재의 계보

▲ 윌리엄 셰익스피어

▲ 갈릴레오 갈릴레이

과학자를 제외하고 가장 위대한 천재를 꼽으라면 누구를 꼽을 수 있을까요? 그래요. 셰익스피어가 떠오르는군요. 희곡 〈로미오와 줄리엣〉을 쓴 영국의 위대한 작가 말입니다.

셰익스피어가 태어난 해에 과학자 중에서도 위대한 천재가 태어났답니다. 바로 근대 과학의 문을 연 갈릴레오 갈릴레이입니다. 셰익스피어와 갈릴레이 두 사람은 1564년에 태어난 동갑내기로, 셰익스피어는 영국, 갈릴레이는 이탈리아 태생이지요. 과학과 문학을 대표하는 갈릴레이와 셰익스피어가 같은 해에 태어났다니 우연치고는 참 운명적이라는 생각이 들지 않나요?

그런데 천재의 계보는 여기서 끝나지 않습니다. 1642년, 갈릴레이가 사망한 해에 고전 과학을 완성한 뉴턴이 태어났거든요. 마치 천재의 바통을 이어받듯이 말이지요.

세계 3대 과학자로 아인슈타인, 뉴턴, 갈릴레이를 꼽습니다. 그런데 여기에 한 명을 더 추가하라면 맥스웰을 고려할 수 있습니다. 맥스웰은 영국의 물리학자로 전기와 자기 현상을 통합하

▲ 제임스 클럭 맥스웰

고, 전자기파의 존재 가능성을 입증하면서 빛과 전자기파가 다르지 않다는 사실을 증명했지요. 맥스웰의 업적으로 전자기학과 빛을 다루는 광학이 통합되었고, 그에 따라 오늘날의 무선 통신과 같은 고도의 전자기 문명이 발전할 수 있었습니다.

맥스웰의 혁혁한 공헌으로 과학자들은 더 이상 발견할 것이 없다고 생각했습니다. 그런데 알고 보니 그게 아니었어요. 발견할 것이 없는 게 아니라, 너무 많았던 거죠. 과학자들은 몹시 당혹스러웠습니다.

▲ 알베르트 아인슈타인

그때 걸출한 인물 하나가 나타나서 그 혼란을 해결해 주었습니다. 세계 3대 과학자 중 한 명으로, 우리가 흔히 천재의 대명사로 일컫는 물리학자 아인슈타인이지요. 그런데 여기에서 또 한 번 신기한 우연이 일어납니다. 바로 맥스웰이 죽은 해인 1879년에 아인슈타인이 태어난 거죠.

우연을 가장한 필연처럼 이어져 온 천재들의 계보. 그들이 이룬 업적만큼 놀랍진 않지만 적잖이 흥미진진한 이야기이지요?

1905

기적은 나의 것!

아인슈타인의 기적의 해

학자들은 1905년을 아인슈타인의 기적의 해라고 부릅니다. 아인슈타인은 이 해에 네 종류의 혁명적인 이론을 발표했지요. 그럼 어떤 이론들인지 한번 살펴볼까요?

▲ 프리즘을 통과한 빛

1. 광양자 이론

'빛의 본성이 무엇일까?' 라는 질문은 물리학계의 오랜 숙제였습니다. 뉴턴은 그것을 입자라 했고, 호이겐스를 비롯한 많은 물리학자들은 파동이라고 했지요. 그렇게 입자와 파동의 논쟁은 계속 이어졌습니다. 그러다가 맥스웰이 빛은 전자기 파동과 같다는 사실을 이론적으로 밝혀 빛의 본성에 관한 논쟁이 끝나는 듯했지요. 그러나 1905년에 아인슈타인의 광양자 이론에서 빛이 광자(光子, Photon)라는 입자로 이루어져 있다는 것을 밝혀냈습니다. 아인슈타인은 그 업적으로 1921년에 노벨 물리학상을 수상했지요.

2. 브라운 운동

영국의 식물학자 브라운(Robert Brown, 1773~1858)은 꽃가루를 물에 떨어뜨리고 현미경으로 관찰했습니다. 꽃가루 입자들은 이리저리 자유롭게 움직였지요. 이것을 발견자의 이름을 따 '브라운 운동'이라고 합니다.

아인슈타인은 이 브라운 운동이 꽃가루와 물 분자가 충돌하여 일어나는 것으로 파악했습니다. 그러고는 브라운 운동의 움직임을 분석하면 물 분자의 크기를 가늠할 수 있을 거라고 보았지요.

이것은 통계 물리학의 새로운 장을 연 이론으로 높이 평가받고 있습니다. 아인슈타인은 이 이론을 담은 논문으로 취리히 공과 대학에서 물리학 박사 학위를 받았지요.

3. 특수 상대성 이론

아인슈타인 하면 곧 떠오르는, 더 이상 말이 필요 없는 기념비적인 이론이지요. 특수 상대성 이론에는 광속에 가까운 속력으로 내달리면 길이가 줄고, 무거워지며, 시간이 느려진다는 내용이 담겨 있습니다. 특수 상대성 이론의 원래 제목은 〈운동하는 물체의 전자기학〉이랍니다.

4. 질량과 에너지의 등가 원리

아인슈타인이 이 이론을 발표하기 전까지 누구도 질량과 에너지가 같다고 제안한 사람은 없었습니다. 그런데 아인슈타인은 질량이 에너지로 전환될 수 있을 거라고 보았지요.

아인슈타인의 이런 예측은 원자 폭탄으로 현실화되었습니다. 원자 폭탄이 핵분열 반응을 일으킬 때 반응 전과 반응 후에 약간의 질량 차이가 생깁니다. 이 차이는 아주 미미하지만 그것이 전부 에너지로 전환되면 어마어마한 에너지를 방출하게 되지요.

▲ 원자 폭탄

제3장 운동의 세 가지 법칙에 대하여

《프린키피아》 1권 1장에서는 물체의 운동에 대해서 설명하고 있어.
따라와~.

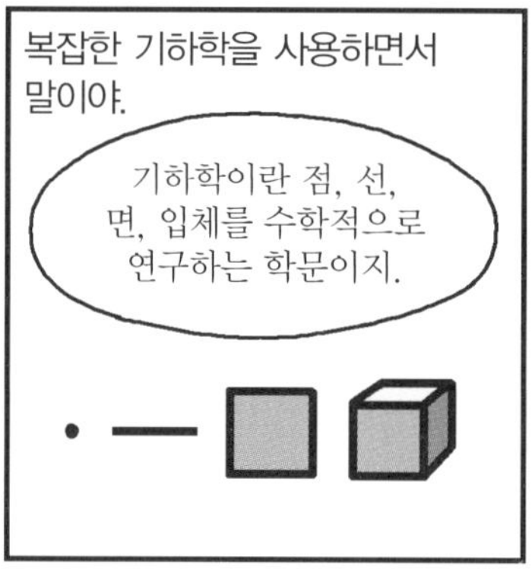
복잡한 기하학을 사용하면서 말이야.
기하학이란 점, 선, 면, 입체를 수학적으로 연구하는 학문이지.

뉴턴은 1권 1장으로 들어가기 전에 운동의 법칙이라는 이름으로 세 가지 법칙을 소개했어.
띠리리리~
1
2
3

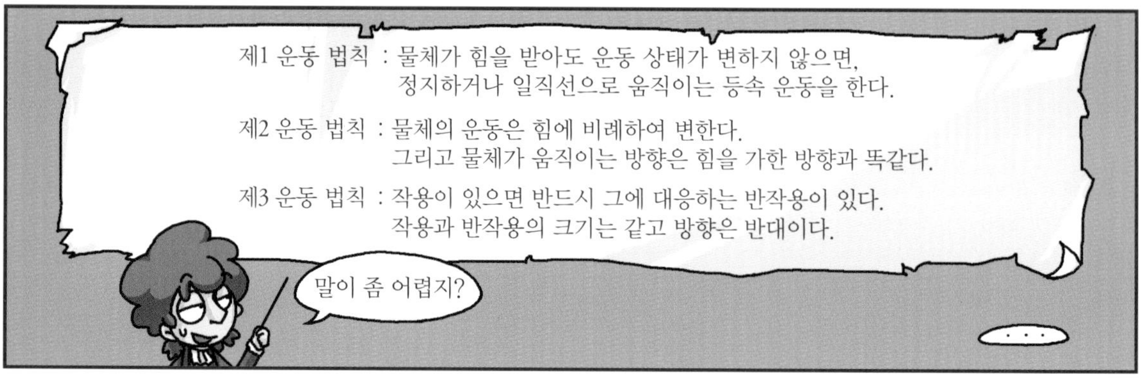
제1 운동 법칙 : 물체가 힘을 받아도 운동 상태가 변하지 않으면, 정지하거나 일직선으로 움직이는 등속 운동을 한다.
제2 운동 법칙 : 물체의 운동은 힘에 비례하여 변한다. 그리고 물체가 움직이는 방향은 힘을 가한 방향과 똑같다.
제3 운동 법칙 : 작용이 있으면 반드시 그에 대응하는 반작용이 있다. 작용과 반작용의 크기는 같고 방향은 반대이다.
말이 좀 어렵지?
...

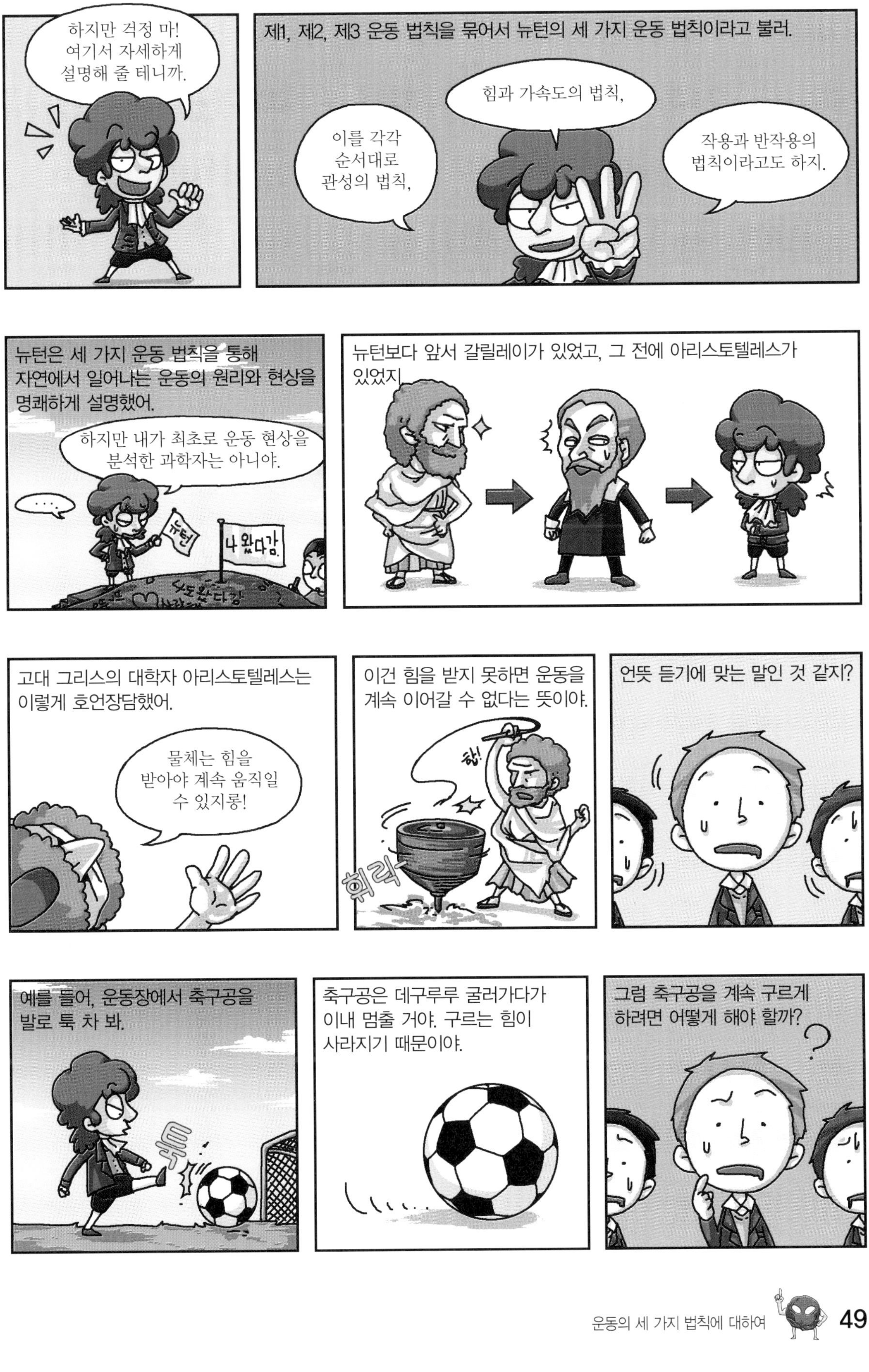

하지만 걱정 마! 여기서 자세하게 설명해 줄 테니까.
제1, 제2, 제3 운동 법칙을 묶어서 뉴턴의 세 가지 운동 법칙이라고 불러.
이를 각각 순서대로 관성의 법칙,
힘과 가속도의 법칙,
작용과 반작용의 법칙이라고도 하지.
뉴턴은 세 가지 운동 법칙을 통해 자연에서 일어나는 운동의 원리와 현상을 명쾌하게 설명했어.
하지만 내가 최초로 운동 현상을 분석한 과학자는 아니야.
…
뉴턴
뉴턴보다 앞서 갈릴레이가 있었고, 그 전에 아리스토텔레스가 있었지.
고대 그리스의 대학자 아리스토텔레스는 이렇게 호언장담했어.
물체는 힘을 받아야 계속 움직일 수 있지롱!
이건 힘을 받지 못하면 운동을 계속 이어갈 수 없다는 뜻이야.
합!
휘리
언뜻 듣기에 맞는 말인 것 같지?
예를 들어, 운동장에서 축구공을 발로 툭 차 봐.
툭
축구공은 데구루루 굴러가다가 이내 멈출 거야. 구르는 힘이 사라지기 때문이야.
그럼 축구공을 계속 구르게 하려면 어떻게 해야 할까?
?

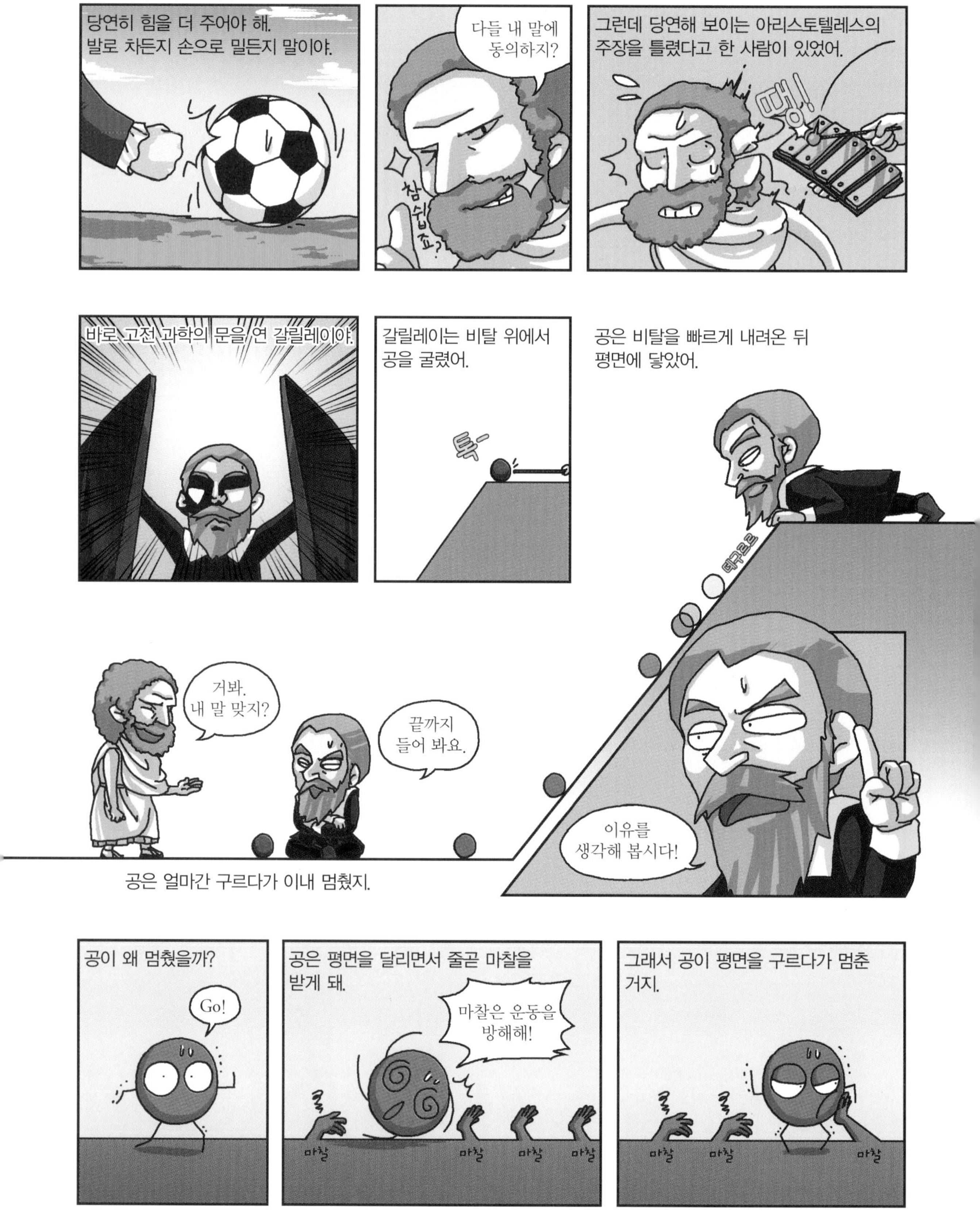
당연히 힘을 더 주어야 해.
발로 차든지 손으로 밀든지 말이야.
다들 내 말에 동의하지?
참 쉽죠?
그런데 당연해 보이는 아리스토텔레스의 주장을 틀렸다고 한 사람이 있었어.
땡!
바로 고전 과학의 문을 연 갈릴레이야.
갈릴레이는 비탈 위에서 공을 굴렸어.
톡
공은 비탈을 빠르게 내려온 뒤 평면에 닿았어.
데구르르
거봐. 내 말 맞지?
끝까지 들어 봐요.
이유를 생각해 봅시다!
공은 얼마간 구르다가 이내 멈췄지.
공이 왜 멈췄을까?
Go!
공은 평면을 달리면서 줄곧 마찰을 받게 돼.
마찰은 운동을 방해해!
마찰
마찰
마찰
마찰
그래서 공이 평면을 구르다가 멈춘 거지.
마찰
마찰
마찰

그럼 마찰을 줄이면 어떻게 되겠어?
꾸욱-
공은 더 멀리 굴러갈 거야.
100
0
마찰지수
노~ 골~!
물론 마찰을 더 줄이면 공은 더 멀리 나아가겠지.
100
0
마찰지수
어디까지 가는 거야?
마찰이 적어서 그래.
……
데구루루
공
거친 마루보다 왁스를 칠해 반짝반짝 윤이 나는 마루가 마찰이 적어서 잘 미끄러지는 것과 같은 이치야.
왁스
마찰이 적으면 적을수록 공이 나아가는 거리는 더욱 길어져.
마찰지수가 낮은 공
더 잘 미끄러질 테니까.
촤라락-
그러면 마찰이 아예 없으면 어떻게 될까?
100
0
마찰지수
0이라는 거지.
공은 끝없이 미끄러지듯 나아갈 거요.
힘을 더 주지 않는데도 멈추지 않고 말이지.
힘을 가해야만 움직이는 줄 알았는데!
촤락-

갈릴레이는 물체의 운동에 대해 다음의 사실을 알아낸 셈이야.
그래!
마찰이 없으면 힘을 더 주지 않아도 물체는 일정한 속도로 내달린다.
그렇구나!
100
0
빵
?!
일정하다는 것은 한결같다는 거야.
처음이나
중간이나
마지막이나 속도가 똑같다는 말이지.
운동하는 내내 속도가 변하지 않는다는 뜻이고
난 계속 시속 8km로 뛰고 있어.
다다다
이것을 등속 운동이라고 해.
等速 운동
같을 등 빠를 속
같은 빠르기란 거야.
움직이는 물체가 똑같은 상태를 계속 이어 가려면 처음 속도와 중간 속도와 나중 속도가 변하지 않아야 해.
속도(v)
시간(t)
이것은 움직이는 물체가 그 상태를 유지하고 싶어 한다는 뜻이야.
등속으로 움직이는 물체는 계속 등속으로 움직이고 싶어 한다.
이걸 '작은 법칙①' 이라고 할게.

등속 운동은 정지한 경우도 포함해.
…
정지해 있으면 처음이나 중간이나 마지막이나 속도가 영(0)으로 항상 같으니까.
…
0 속도
0 속도
정지한 물체의 속도가 변하지 않으려면,
물체는 계속 정지해 있어야 하지.
…
주차한 거예요.
다시 말해서,
정지한 물체는 계속 정지하고 싶어 한다.
이를 '작은 법칙②' 라고 할게.

작은 법칙①과 작은 법칙②를
이어 붙이면 이렇게 될 거야.

이것을 뉴턴의 '제1 운동 법칙' 이라고 해.
등속으로 움직이는 물체는 계속 등속으로 움직이고 싶어 하고
정지한 물체는 계속 정지하고 싶어 한다.

물체가 원래의 상태를 계속 유지하고 싶어 하는 성질을 '관성' 이라고 하지.
젤리도 관성이 있어.
등속으로 움직이면 계속 등속으로 움직이고, 정지해 있으면 계속 정지해 있으려는 성질이 바로 '관성' 이야.
종이를 따라가지 않고
동전이 아래로 떨어지는 것도 관성이야.
그래서 뉴턴의 제1 운동 법칙을
관성의 법칙이라고도 부르는 거야.

관성의 법칙으로 흔히 드는 예가 있어.
달리고 있거나 정지해 있는 버스 속 승객이야.
정지해 있는 버스가
갑자기 출발하면 승객은 뒤로 쏠리는 힘을 받아.
왜일까?
버스가 출발하기 전까지 승객은 정지해 있었잖아. 승객은 계속 정지해 있고 싶어 하는 상태야.
승객은 정지해 있고 싶은 관성에 익숙해져 있거든.
그런데 버스가 갑자기 출발하면 어떻게 되겠어?
정지 상태를 유지하려다 보니 자연스레 뒤로 넘어지게 되는 거야.
버스가 갑자기 멈추는 상황도 마찬가지야.
달리던 버스가
갑자기 멈추면 승객은 앞으로 쏠리지.
끼익~
버스가 멈추기 전까지 승객은 움직이고 있었잖아. 버스와 함께 말이야.
그러니 움직이고 싶은 관성에 익숙해져 있는 거야.
그런데 버스가 갑자기 멈추면?
움직이는 상태를 유지하려다 보니 자연스레 앞으로 고꾸라질 수밖에.

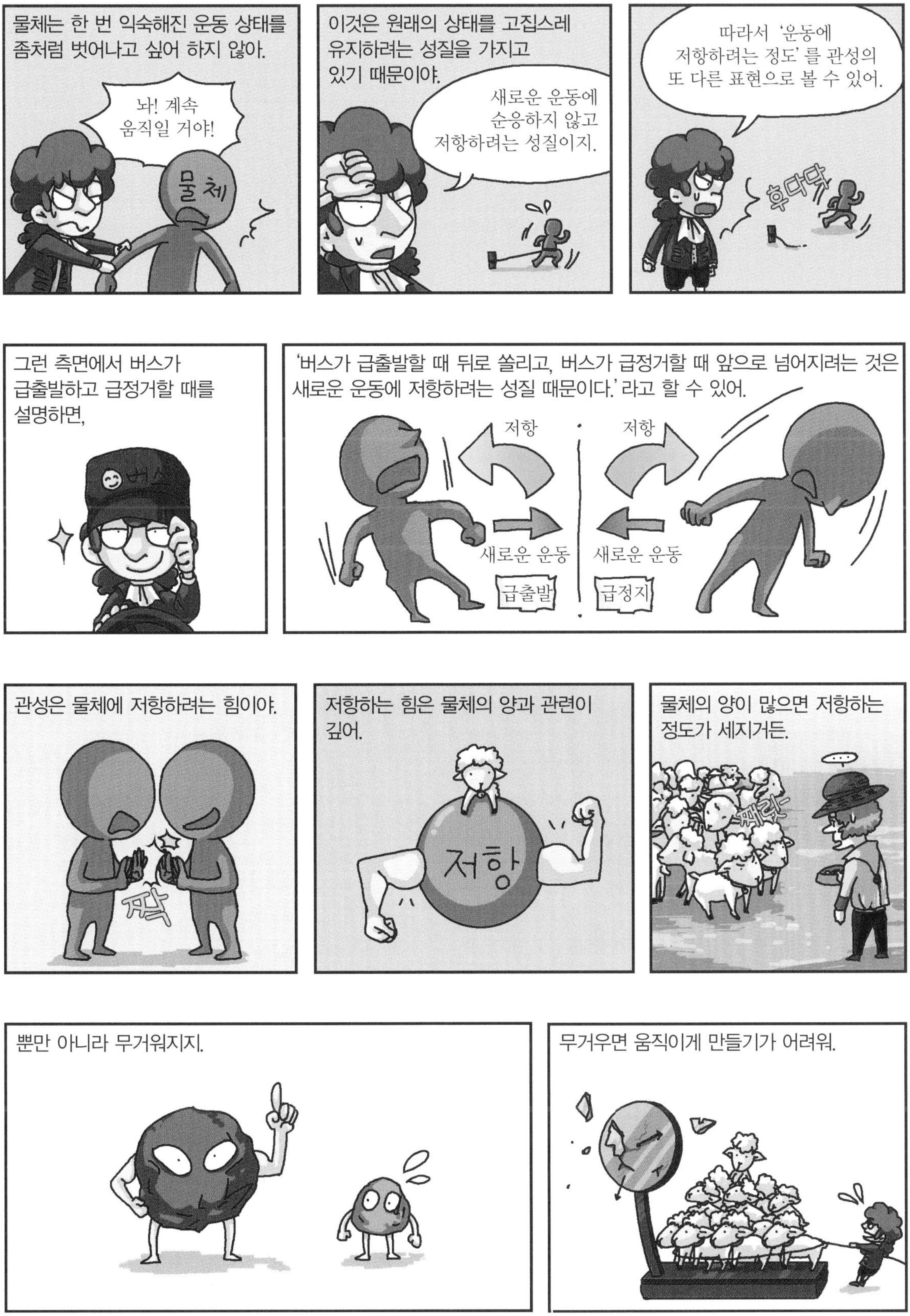
물체는 한 번 익숙해진 운동 상태를 좀처럼 벗어나고 싶어 하지 않아.
놔! 계속 움직일 거야!
물체
이것은 원래의 상태를 고집스레 유지하려는 성질을 가지고 있기 때문이야.
새로운 운동에 순응하지 않고 저항하려는 성질이지.
따라서 '운동에 저항하려는 정도'를 관성의 또 다른 표현으로 볼 수 있어.
후다닥
그런 측면에서 버스가 급출발하고 급정거할 때를 설명하면,
버스
'버스가 급출발할 때 뒤로 쏠리고, 버스가 급정거할 때 앞으로 넘어지려는 것은 새로운 운동에 저항하려는 성질 때문이다.' 라고 할 수 있어.
저항
새로운 운동
급출발
저항
새로운 운동
급정지
관성은 물체에 저항하려는 힘이야.
짝
저항하는 힘은 물체의 양과 관련이 깊어.
저항
물체의 양이 많으면 저항하는 정도가 세지거든.
뿐만 아니라 무거워지지.
무거우면 움직이게 만들기가 어려워.

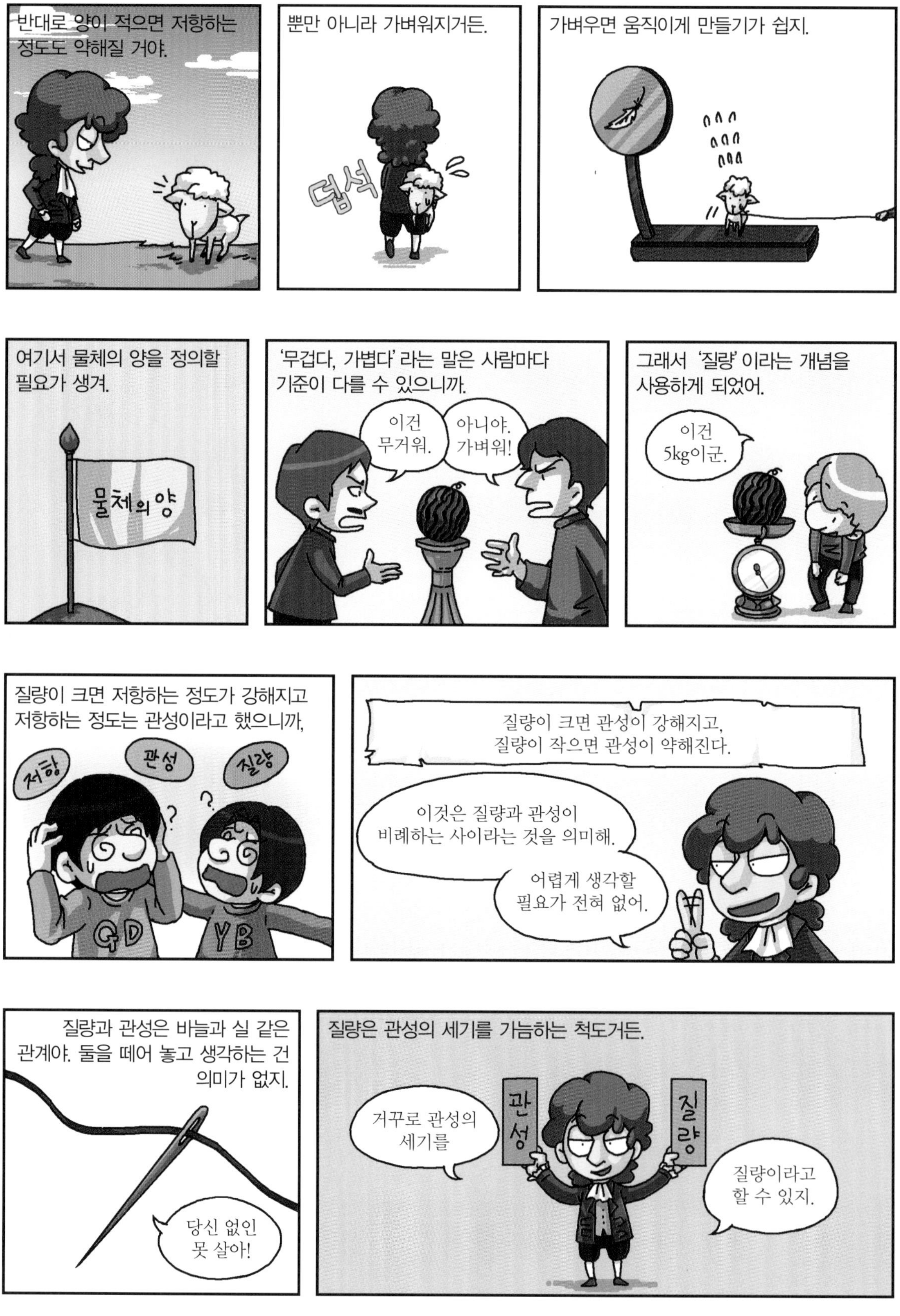

반대로 양이 적으면 저항하는 정도도 약해질 거야.
뿐만 아니라 가벼워지거든.
덥석
가벼우면 움직이게 만들기가 쉽지.
여기서 물체의 양을 정의할 필요가 생겨.
물체의 양
'무겁다, 가볍다'라는 말은 사람마다 기준이 다를 수 있으니까.
이건 무거워.
아니야. 가벼워!
그래서 '질량'이라는 개념을 사용하게 되었어.
이건 5kg이군.
질량이 크면 저항하는 정도가 강해지고 저항하는 정도는 관성이라고 했으니까,
저항
관성
질량
GD
YB
질량이 크면 관성이 강해지고, 질량이 작으면 관성이 약해진다.
이것은 질량과 관성이 비례하는 사이라는 것을 의미해.
어렵게 생각할 필요가 전혀 없어.
질량과 관성은 바늘과 실 같은 관계야. 둘을 떼어 놓고 생각하는 건 의미가 없지.
당신 없인 못 살아!
질량은 관성의 세기를 가늠하는 척도거든.
거꾸로 관성의 세기를
관성
질량
질량이라고 할 수 있지.

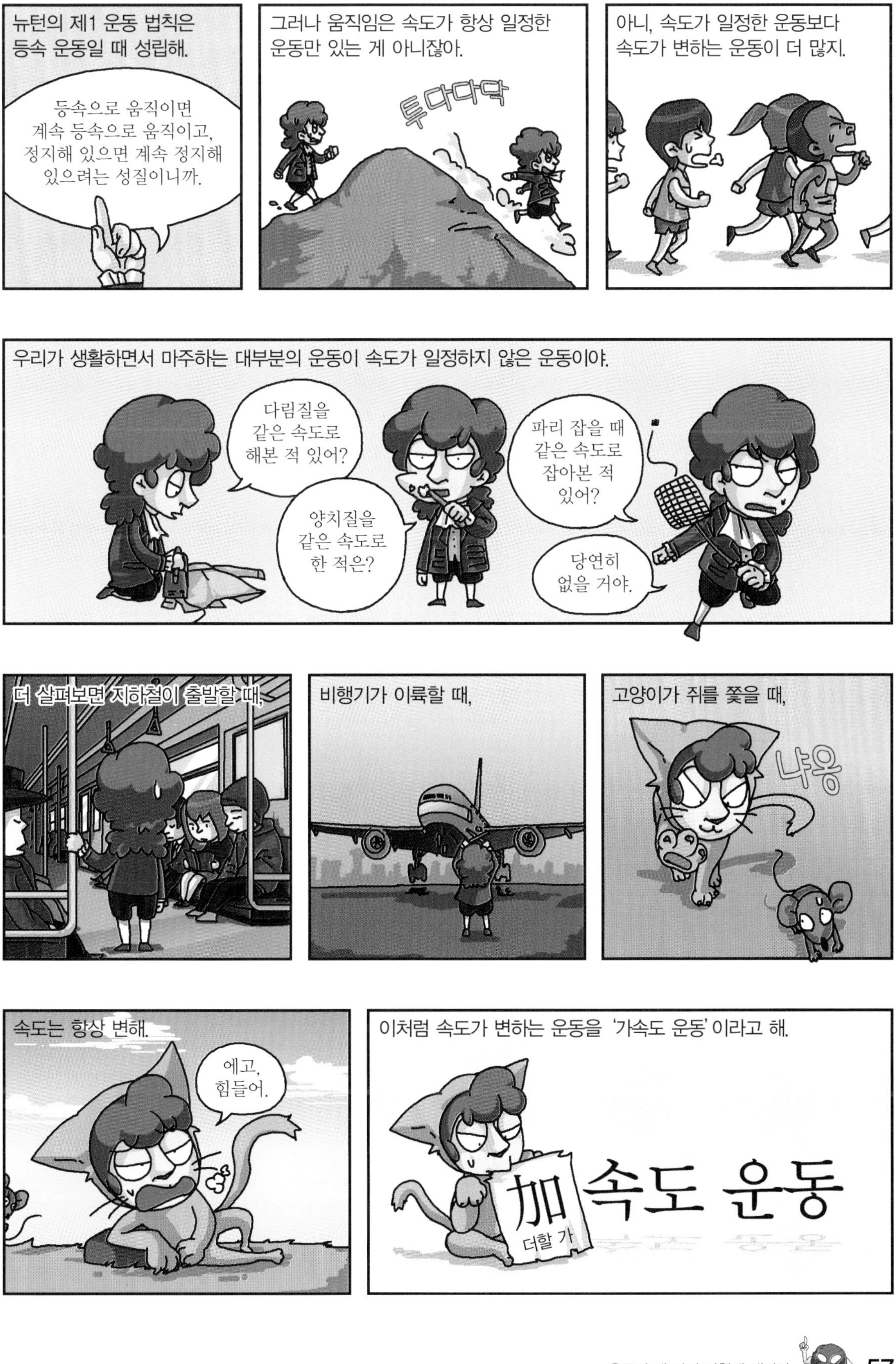
뉴턴의 제1 운동 법칙은
등속 운동일 때 성립해.
등속으로 움직이면 계속 등속으로 움직이고, 정지해 있으면 계속 정지해 있으려는 성질이니까.
그러나 움직임은 속도가 항상 일정한
운동만 있는 게 아니잖아.
투다다닥
아니, 속도가 일정한 운동보다
속도가 변하는 운동이 더 많지.
우리가 생활하면서 마주하는 대부분의 운동이 속도가 일정하지 않은 운동이야.
다리미질을 같은 속도로 해본 적 있어?
양치질을 같은 속도로 한 적은?
파리 잡을 때 같은 속도로 잡아본 적 있어?
당연히 없을 거야.
더 살펴보면 지하철이 출발할 때,
비행기가 이륙할 때,
고양이가 쥐를 쫓을 때,
냐옹
속도는 항상 변해.
에고, 힘들어.
이처럼 속도가 변하는 운동을 '가속도 운동'이라고 해.
加
더할 가
속도 운동

완벽한 몸짱이라면 가슴, 배, 허리, 팔, 다리가 조화를 이루어야 해.
다리는 매끈하고 날씬한데
배가 볼록 튀어나왔다거나
팔이 나무처럼 굵다면 몸짱이라고 하기 어렵겠지.
각선미만 완벽하네…
뭔가 이상해.
운동 법칙도 마찬가지야.
운동 법칙
완벽한 운동 법칙이라면 등속 운동뿐만 아니라, 속도가 변하는 운동, 즉 가속도 운동도 설명할 수 있어야 해.
그래서 뉴턴은 등속 운동을 넘어 가속도 운동까지 설명할 수 있는 법칙을 이끌어 내려고 노력했어.
여기서 뉴턴의 제2 운동 법칙이 탄생한 거야.
하하하!

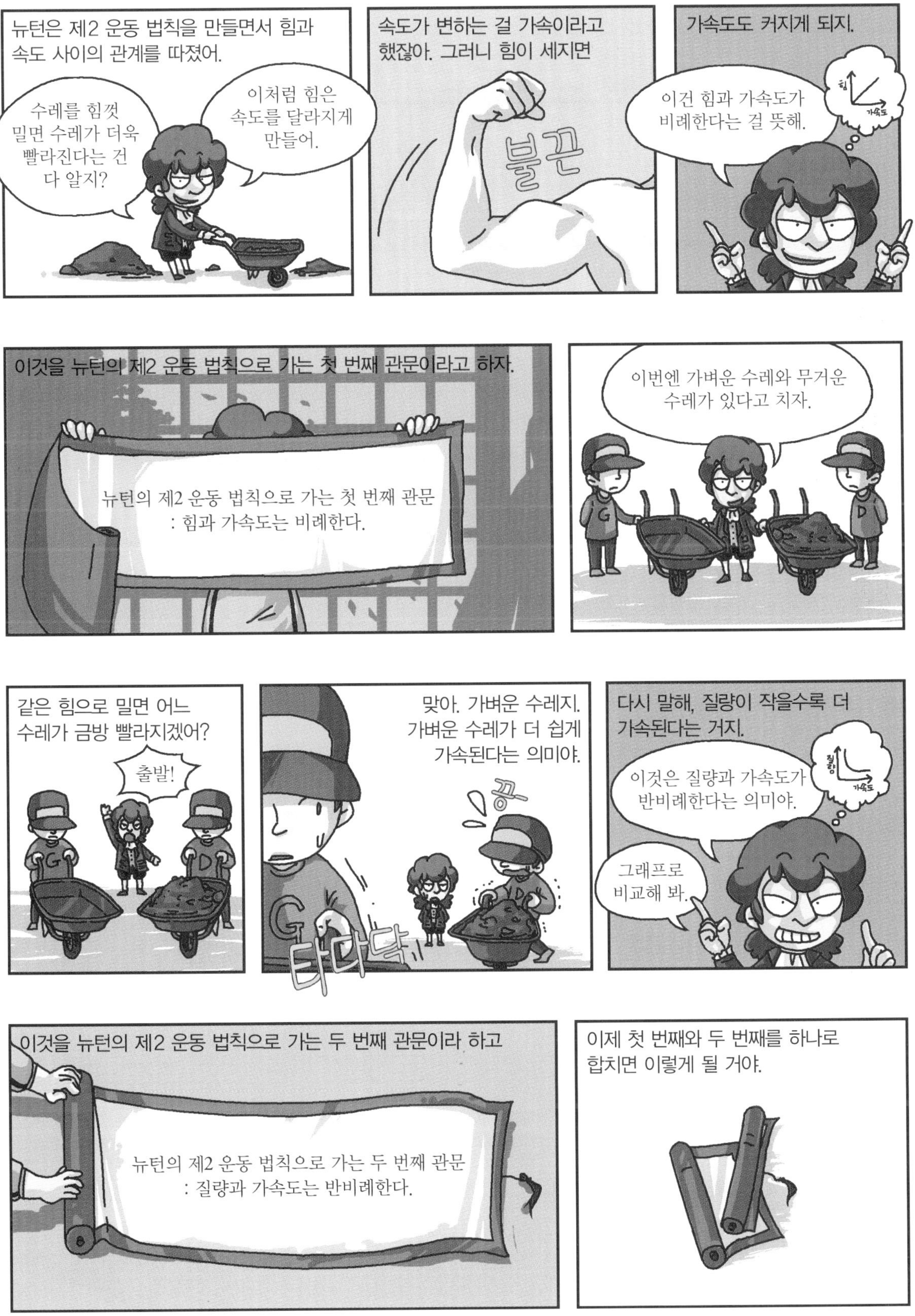
뉴턴은 제2 운동 법칙을 만들면서 힘과 속도 사이의 관계를 따졌어.
수레를 힘껏 밀면 수레가 더욱 빨라진다는 건 다 알지?
이처럼 힘은 속도를 달라지게 만들어.
속도가 변하는 걸 가속이라고 했잖아. 그러니 힘이 세지면
불끈
가속도도 커지게 되지.
이건 힘과 가속도가 비례한다는 걸 뜻해.
힘
가속도
이것을 뉴턴의 제2 운동 법칙으로 가는 첫 번째 관문이라고 하자.
뉴턴의 제2 운동 법칙으로 가는 첫 번째 관문
: 힘과 가속도는 비례한다.
이번엔 가벼운 수레와 무거운 수레가 있다고 치자.
같은 힘으로 밀면 어느 수레가 금방 빨라지겠어?
출발!
맞아. 가벼운 수레지. 가벼운 수레가 더 쉽게 가속된다는 의미야.
끙
타다닥
다시 말해, 질량이 작을수록 더 가속된다는 거지.
이것은 질량과 가속도가 반비례한다는 의미야.
질량
가속도
그래프로 비교해 봐.
이것을 뉴턴의 제2 운동 법칙으로 가는 두 번째 관문이라 하고
뉴턴의 제2 운동 법칙으로 가는 두 번째 관문
: 질량과 가속도는 반비례한다.
이제 첫 번째와 두 번째를 하나로 합치면 이렇게 될 거야.

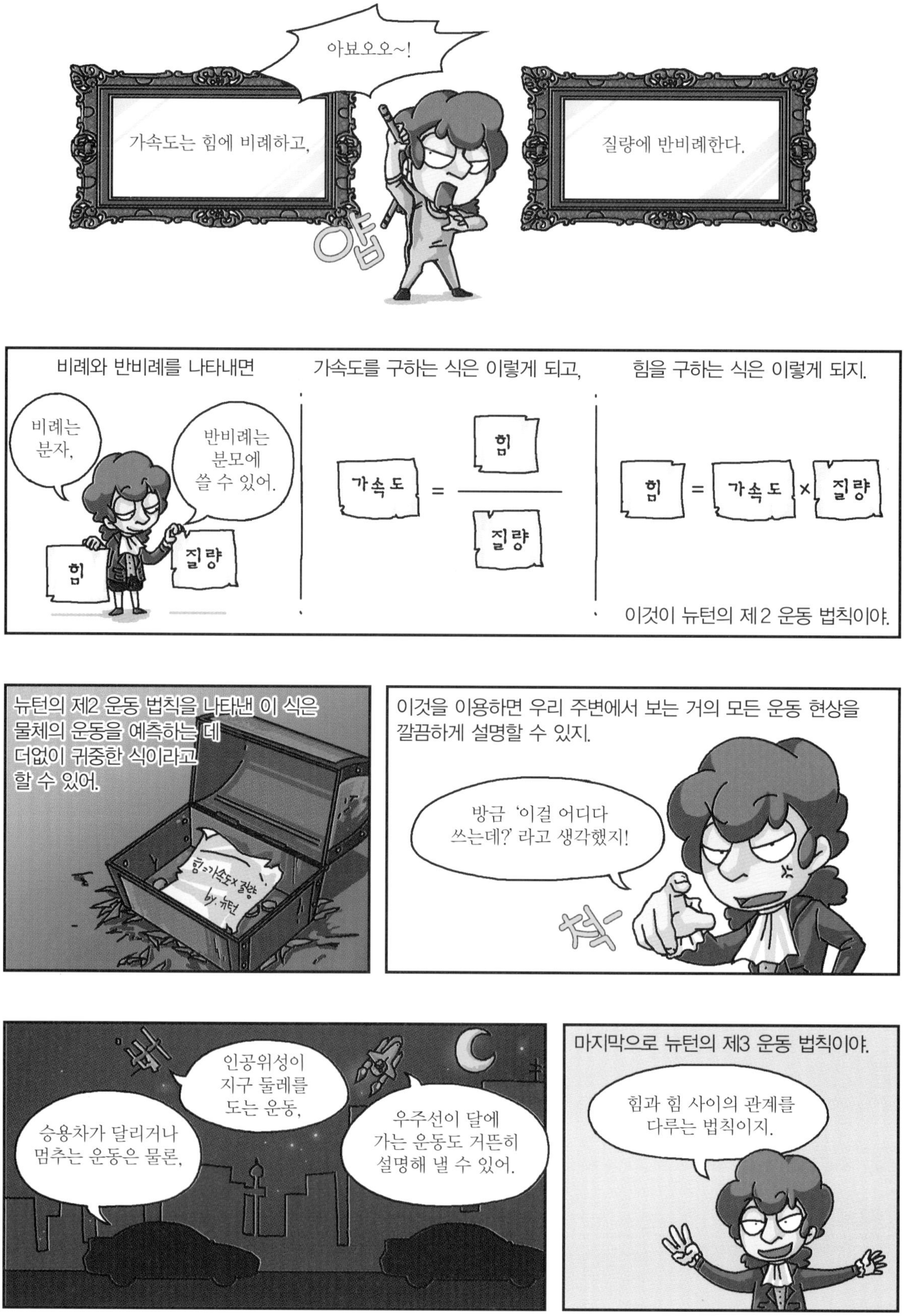
아뵤오오~!
가속도는 힘에 비례하고,
얍
질량에 반비례한다.
비례와 반비례를 나타내면
비례는 분자,
반비례는 분모에 쓸 수 있어.
힘
질량
가속도를 구하는 식은 이렇게 되고,
가속도 = 힘 / 질량
힘을 구하는 식은 이렇게 되지.
힘 = 가속도 × 질량
이것이 뉴턴의 제2 운동 법칙이야.
뉴턴의 제2 운동 법칙을 나타낸 이 식은 물체의 운동을 예측하는 데 더없이 귀중한 식이라고 할 수 있어.
힘=가속도×질량
by.뉴턴
이것을 이용하면 우리 주변에서 보는 거의 모든 운동 현상을 깔끔하게 설명할 수 있지.
방금 '이걸 어디다 쓰는데?' 라고 생각했지!
척
승용차가 달리거나 멈추는 운동은 물론,
인공위성이 지구 둘레를 도는 운동,
우주선이 달에 가는 운동도 거뜬히 설명해 낼 수 있어.
마지막으로 뉴턴의 제3 운동 법칙이야.
힘과 힘 사이의 관계를 다루는 법칙이지.

승현이랑 대성이랑 우주복을 입고 우주 공간을 떠다닌다고 해 봐.
승현이가 대성이를 밀면,
대성이가 밀리지만 승현이도 뒤로 밀려. 대성이가 밀린 만큼 똑같이.
둥
둥 둥
이렇게 생기는 두 힘 중 하나를 작용, 다른 하나를 반작용이라고 해.
작용과 반작용을 엄밀하게 구분하는 건 사실 의미가 없어.
한쪽을 작용으로 정하면, 다른 쪽은 자연히 반작용이 되기 때문이야.
승현이가 대성이를 민 것을 작용이라고 하면 승현이가 뒤로 밀리는 것은 반작용이 돼.
작용
반작용
반대로 대성이가 밀린 것을 작용, 승현이가 민 것을 반작용이라고 해도 되지.
작용과 반작용에서는 어느 쪽이 원인이고, 어느 쪽이 결과냐 하는 것은 중요하지 않아.
둘이 서로 힘을 교환하고, 그 결과가 동시에 일어난다는 것이 의미 있을 뿐이지.
이것이 바로 세 번째 운동 법칙인 작용과 반작용의 법칙이야.

제4장
구심력에 대하여
구심력?
구심력

언뜻 듣기에 말이 상당히 어렵지?
막상 풀어 보면 그렇지도 않아.
이번엔 처음부터 어려워!

구심력을 한자로 쓰면 이렇게 돼.
求心力
구 심 력
여기서 구(求)는 '오게 하다' 또는 '향하게 하다' 라는 뜻이야.

심(心)은 '가운데' 또는 '중심' 이란 뜻이고,
력(力)은 '힘' 이란 뜻이지.

그러니까 구심력이 어떤 의미겠어?

그래. '중심으로 향하게 하는 힘' 이란 뜻이 되지.

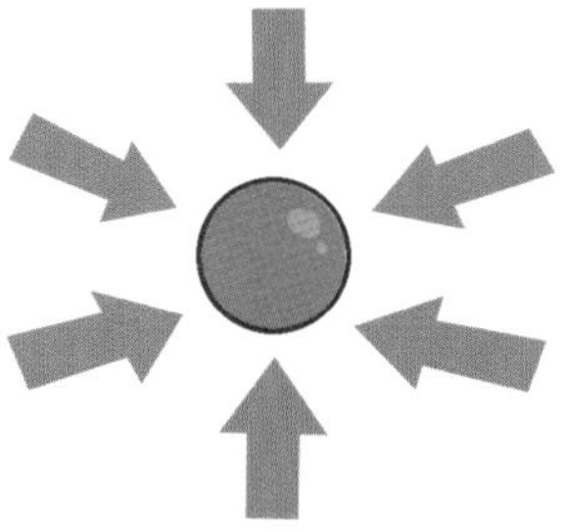

중심 하면 떠오르는 도형에는 뭐가 있을까?
정삼각형 이오!
정사각형 이오.
정오각형 이오.
원이오.
다 맞았어.
정삼각형이라고 해도 되고, 정사각형이라고 해도 되고, 정오각형, 더 나아가서 오각형, 육각형이라고 해도 문제없어.
어디 그뿐인가?
?
도형이라고 말하기 어려울 만큼
울퉁불퉁 삐죽삐죽한 선인장이나
?
나뭇가지에도 중심이 있지.
물론 사람한테도 중심이 있어.
그걸 특히 무게 중심이라고 해.
사람의 무게 중심은 배꼽 부근에 있어.
그럼 손가락, 발가락, 머리끝, 등허리, 엉덩이에서, 배꼽 언저리에 있는 무게 중심까지의 길이가 모두 똑같을까?
아니지. 달라도 많이 달라.
삼각형이나 사각형, 오각형은 물론이고
변의 길이가 똑같은 정삼각형이나 정사각형, 정오각형도 마찬가지야.
꼭짓점, 모서리, 변에서 중심까지의 거리가 각기 다르지.
모서리
변
꼭지점

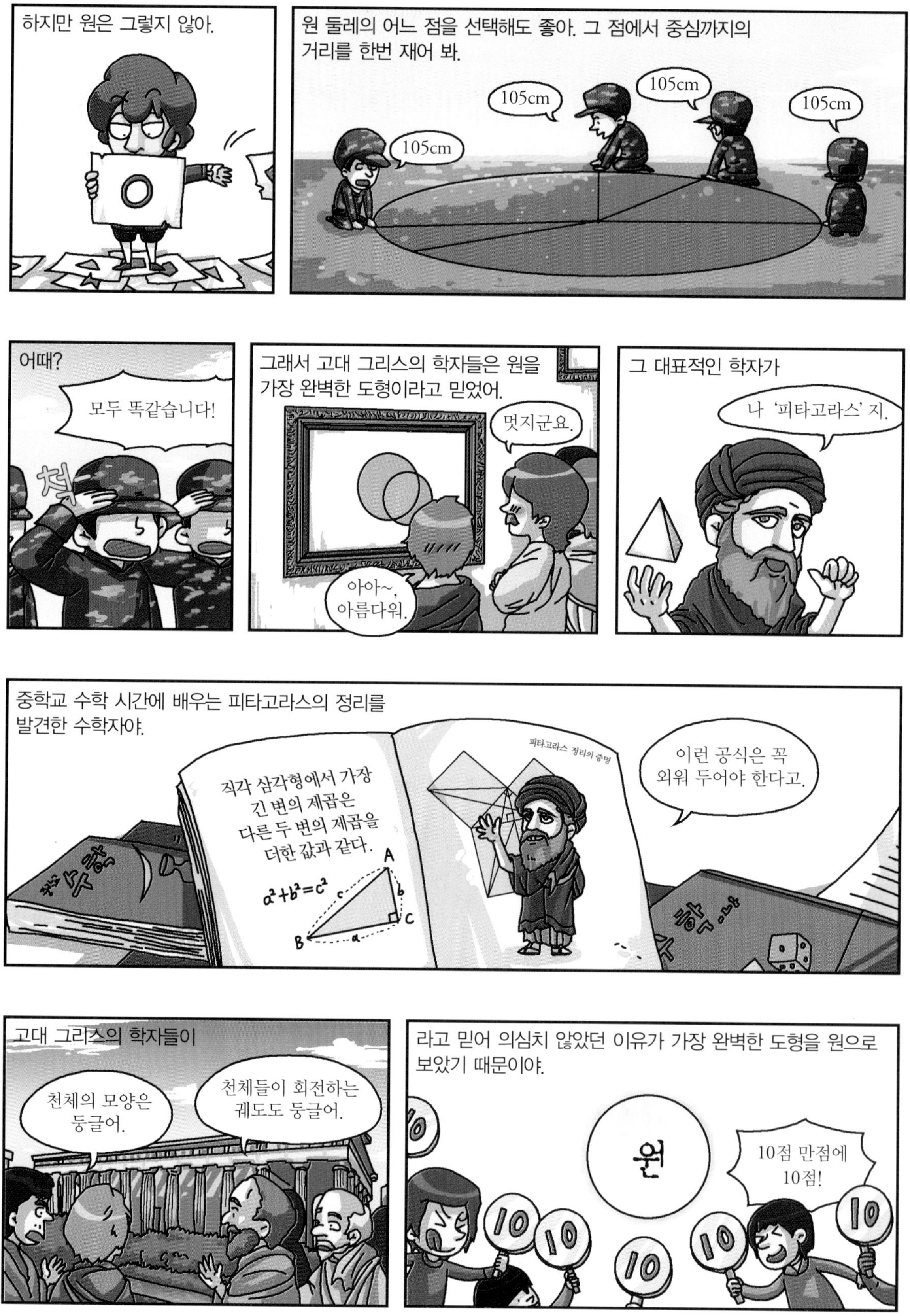
하지만 원은 그렇지 않아.
원 둘레의 어느 점을 선택해도 좋아. 그 점에서 중심까지의 거리를 한번 재어 봐.
105cm
105cm
105cm
105cm
어때?
모두 똑같습니다!
척
그래서 고대 그리스의 학자들은 원을 가장 완벽한 도형이라고 믿었어.
멋지군요.
아아~, 아름다워.
그 대표적인 학자가
나 '피타고라스' 지.
중학교 수학 시간에 배우는 피타고라스의 정리를 발견한 수학자야.
직각 삼각형에서 가장 긴 변의 제곱은 다른 두 변의 제곱을 더한 값과 같다.
$a^2+b^2=c^2$
A
B
C
a
b
c
피타고라스 정리의 증명
이런 공식은 꼭 외워 두어야 한다고.
고대 그리스의 학자들이
천체의 모양은 둥글어.
천체들이 회전하는 궤도도 둥글어.
라고 믿어 의심치 않았던 이유가 가장 완벽한 도형을 원으로 보았기 때문이야.
원
10점 만점에 10점!

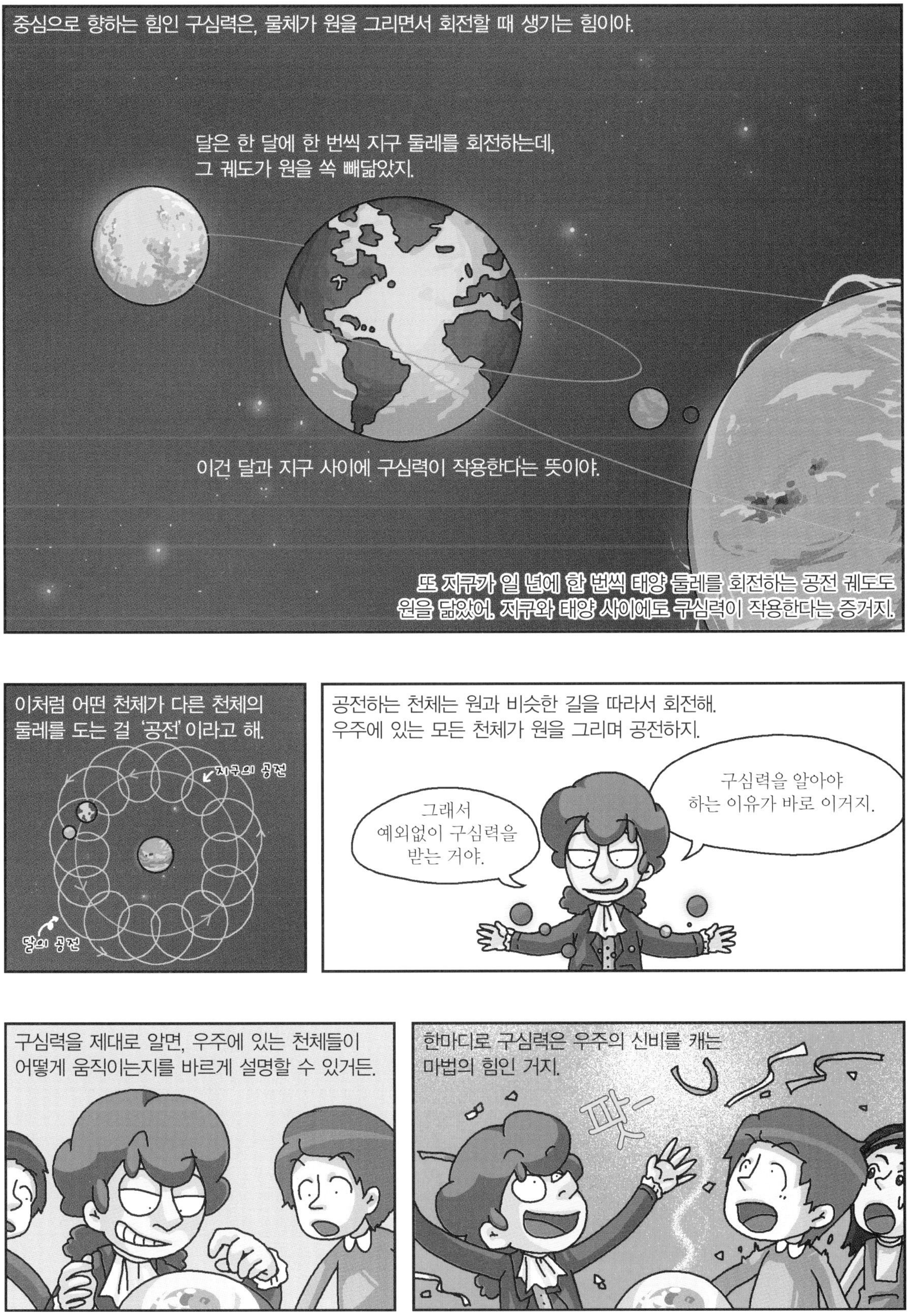
중심으로 향하는 힘인 구심력은, 물체가 원을 그리면서 회전할 때 생기는 힘이야.
달은 한 달에 한 번씩 지구 둘레를 회전하는데, 그 궤도가 원을 쏙 빼닮았지.
이건 달과 지구 사이에 구심력이 작용한다는 뜻이야.
또 지구가 일 년에 한 번씩 태양 둘레를 회전하는 공전 궤도도 원을 닮았어. 지구와 태양 사이에도 구심력이 작용한다는 증거지.
이처럼 어떤 천체가 다른 천체의 둘레를 도는 걸 '공전'이라고 해.
지구의 공전
달의 공전
공전하는 천체는 원과 비슷한 길을 따라서 회전해. 우주에 있는 모든 천체가 원을 그리며 공전하지.
그래서 예외없이 구심력을 받는 거야.
구심력을 알아야 하는 이유가 바로 이거지.
구심력을 제대로 알면, 우주에 있는 천체들이 어떻게 움직이는지를 바르게 설명할 수 있거든.
한마디로 구심력은 우주의 신비를 캐는 마법의 힘인 거지.
팍-

이쯤 되면 구심력을 처음으로 알아낸 사람이 누군지 말 안 해 줘도 짐작하겠지?
웅성
웅성
웅성
맞아. 바로 뉴턴이야.
하하하.
이놈의 인기는….
뉴턴은 《프린키피아》에서 구심력을 이렇게 정의했어.
물체를 끌어당겨서 중심으로 향하게 하는 힘이 구심력이다.
중력이 바로 구심력의 특징을 보이는 힘이야.
중력이 어떤 힘이지?
정확히 알고 있어?
중
력
맞아. 지구가 잡아당기는 힘이지.
지구의 중심 쪽으로 말이야.
다시 말해서 지구의 중심으로 향하는 힘, 그것이 바로 중력이지.
그런데 중심으로 향하는 힘을 구심력이라고 했으니, 중력도 구심력인 거지.
뉴턴은 《프린키피아》에서 투석기를 이용해 구심력을 좀 더 자세히 설명했어.
저것도 투석기지만 이 투석기로 설명할 거야.

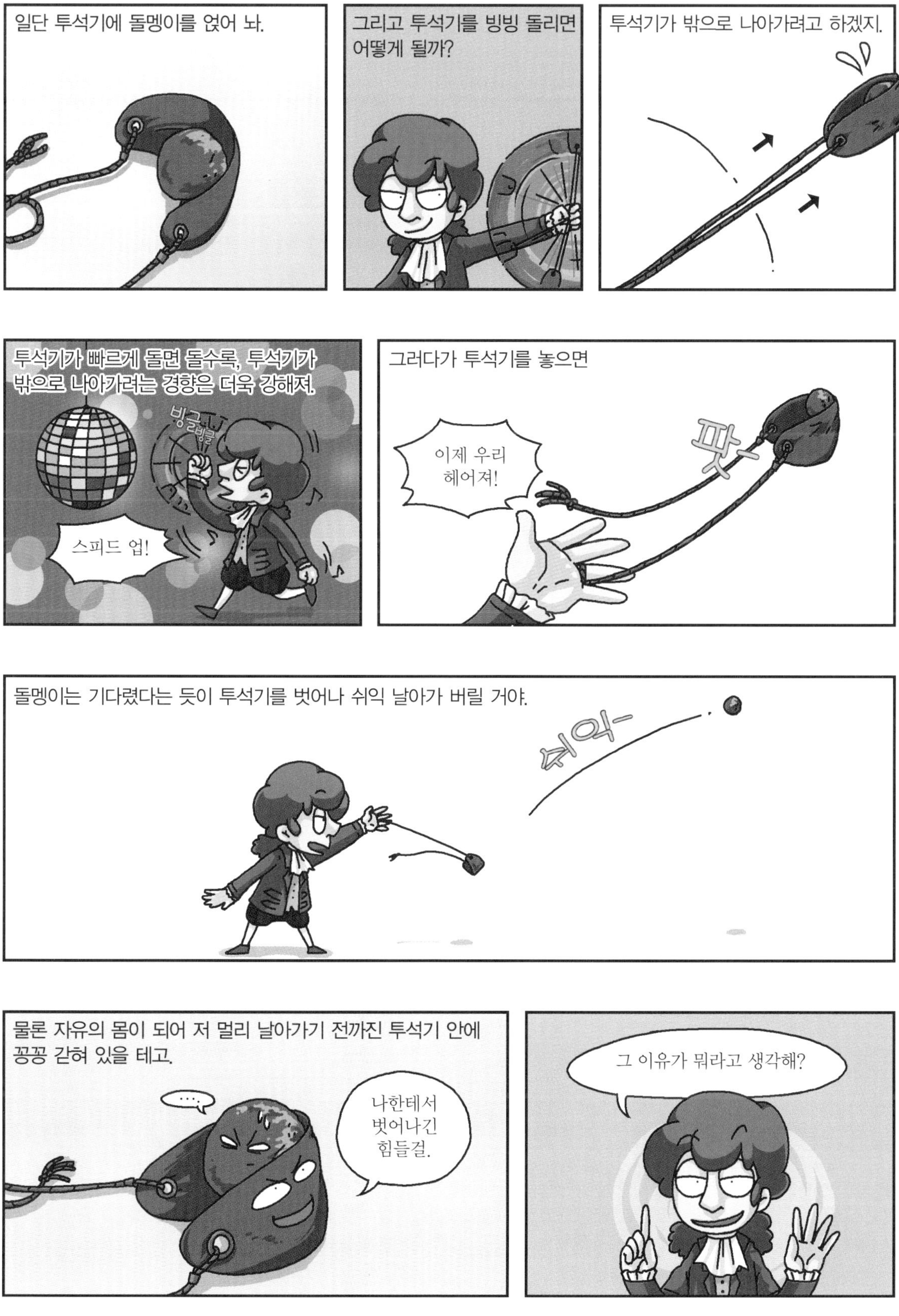
일단 투석기에 돌멩이를 얹어 놔.
그리고 투석기를 빙빙 돌리면 어떻게 될까?
투석기가 밖으로 나아가려고 하겠지.
투석기가 빠르게 돌면 돌수록, 투석기가 밖으로 나아가려는 경향은 더욱 강해져.
빙글빙글
스피드 업!
그러다가 투석기를 놓으면
이제 우리 헤어져!
팟~
돌멩이는 기다렸다는 듯이 투석기를 벗어나 쉬익 날아가 버릴 거야.
쉬익~
물론 자유의 몸이 되어 저 멀리 날아가기 전까진 투석기 안에 꽁꽁 갇혀 있을 테고.
……
나한테서 벗어나긴 힘들걸.
그 이유가 뭐라고 생각해?

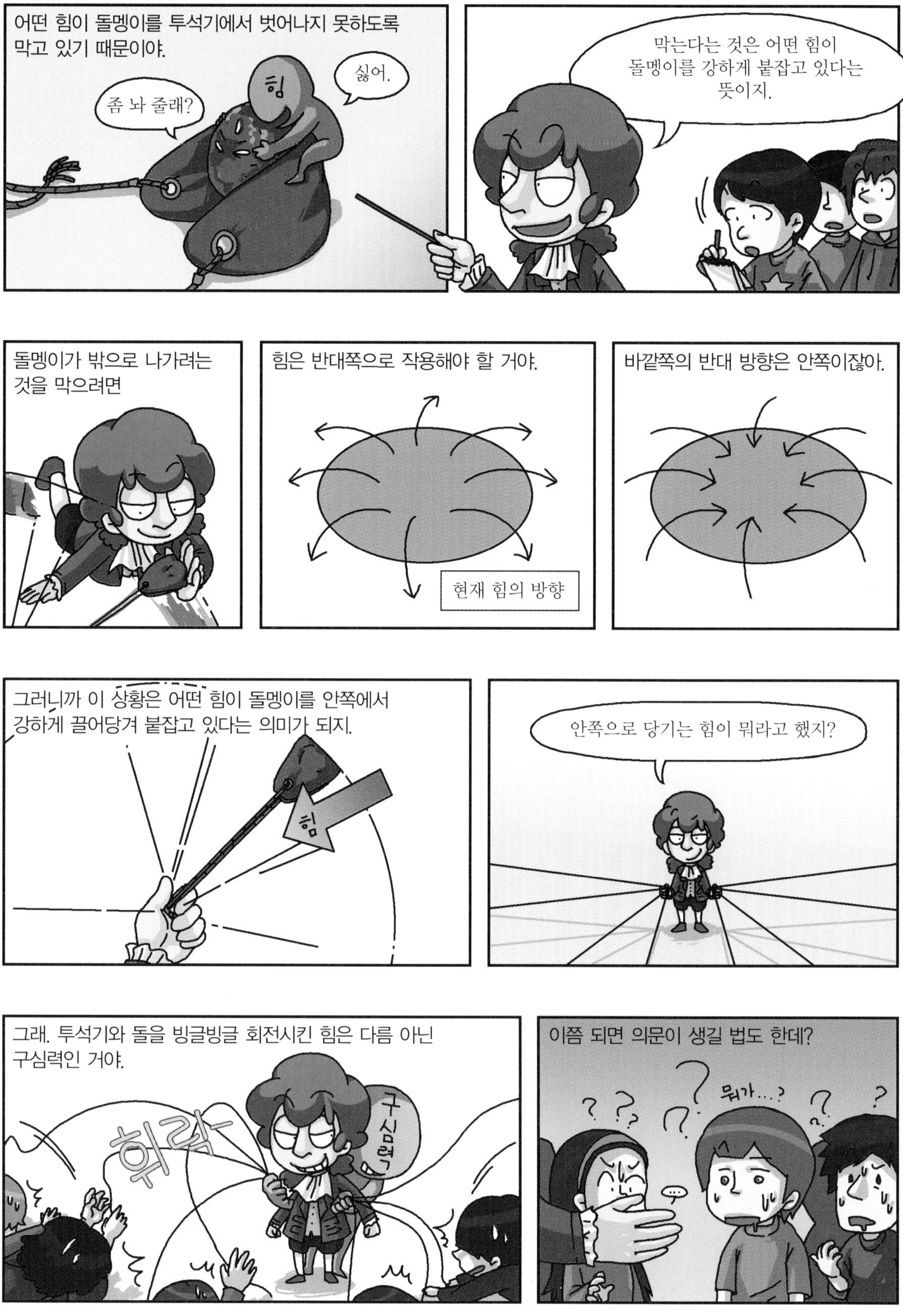
어떤 힘이 돌멩이를 투석기에서 벗어나지 못하도록 막고 있기 때문이야.
힘
좀 놔 줄래?
싫어.
막는다는 것은 어떤 힘이 돌멩이를 강하게 붙잡고 있다는 뜻이지.
돌멩이가 밖으로 나가려는 것을 막으려면
힘은 반대쪽으로 작용해야 할 거야.
현재 힘의 방향
바깥쪽의 반대 방향은 안쪽이잖아.
그러니까 이 상황은 어떤 힘이 돌멩이를 안쪽에서 강하게 끌어당겨 붙잡고 있다는 의미가 되지.
힘
안쪽으로 당기는 힘이 뭐라고 했지?
그래. 투석기와 돌을 빙글빙글 회전시킨 힘은 다름 아닌 구심력인 거야.
휘릭~
구심력
이쯤 되면 의문이 생길 법도 한데?
뭐가…?
…

응? 의문이 안 생긴다고?
…
좋아. 찬찬히 생각해 보자고.
투석기와 돌멩이에는 구심력이 작용하고 구심력은 안쪽으로 잡아당기는 힘이잖아.
다시 말하면, 구심력이 투석기와 돌멩이를 안쪽으로 잡아당기고 있다는 뜻이지.
투석기를 안쪽으로 잡아당기면 어떤 일이 벌어지겠어?
질문이 너무 쉬운가?
그래. 투석기와 돌멩이는 안쪽으로 끌려 들어가야 할 거야.
그러면 투석기와 돌멩이가 실제로 그렇게 되었어?
아니지. 절대 아니야. 투석기와 돌멩이는 아무 일도 없었다는 듯 여전히 제자리에서 빙글빙글 회전하고 있을 뿐이지.
빙글빙글
왜 이런 일이 일어났을까?
잡아당기면 당연히 끌려가야 해. 그게 자연의 이치거든.
낑낑
그런데 그렇지 않았다는 건 무엇을 의미할까?
어라?
팽팽-
또 다른 힘이 그렇게 하지 못하도록 강력히 막고 있다는 뜻이지.
NO
구심력이 아닌 새로운 어떤 힘이 말이야.
그 힘이 생겨나서 투석기와 돌멩이가 안쪽으로 끌려가지 않았던 거지.
구심력

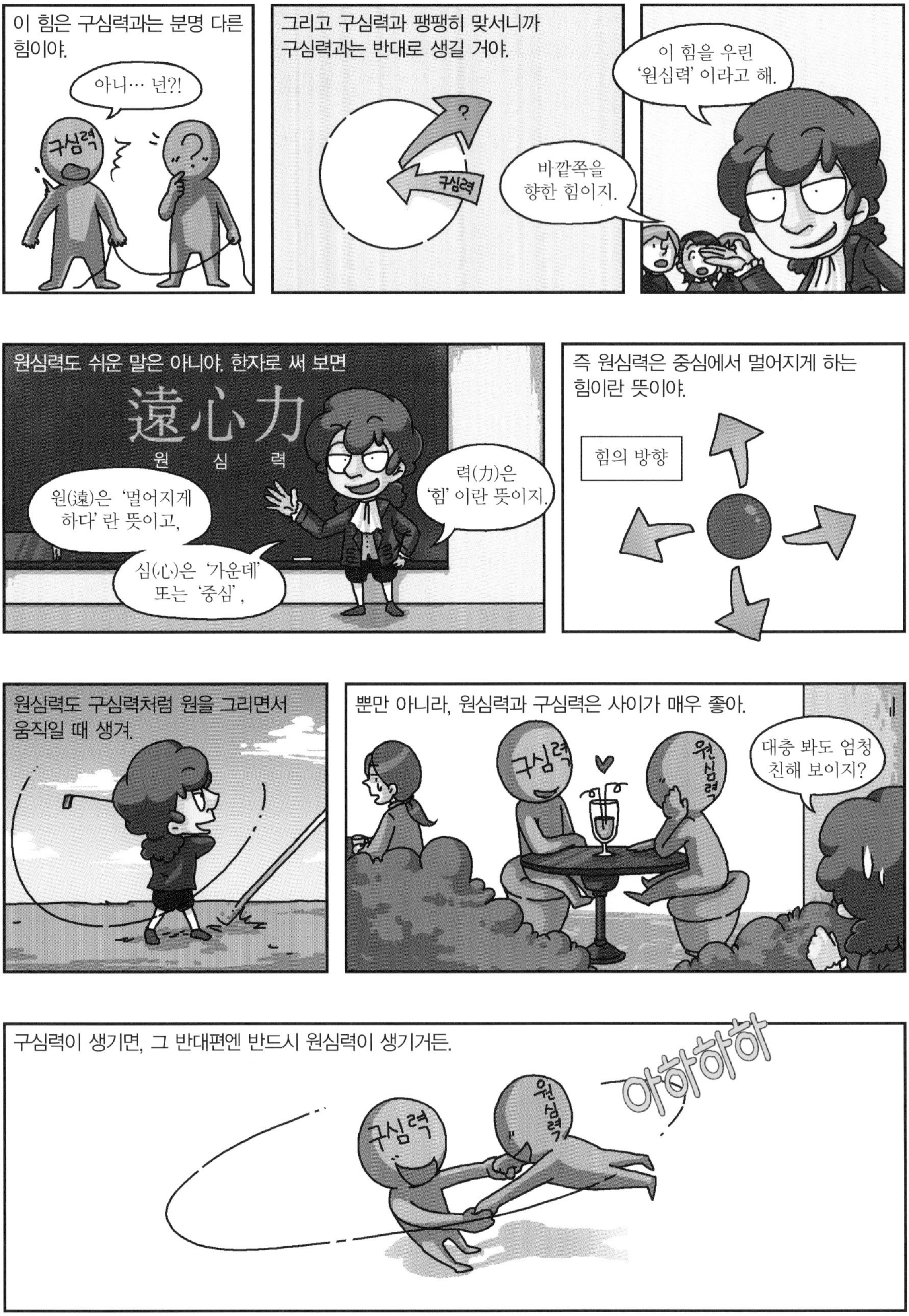
이 힘은 구심력과는 분명 다른 힘이야.
아니… 넌?!
구심력
?
그리고 구심력과 팽팽히 맞서니까 구심력과는 반대로 생길 거야.
?
구심력
이 힘을 우린 '원심력' 이라고 해.
바깥쪽을 향한 힘이지.
원심력도 쉬운 말은 아니야. 한자로 써 보면
遠心力
원 심 력
원(遠)은 '멀어지게 하다' 란 뜻이고,
심(心)은 '가운데' 또는 '중심',
력(力)은 '힘' 이란 뜻이지.
즉 원심력은 중심에서 멀어지게 하는 힘이란 뜻이야.
힘의 방향
원심력도 구심력처럼 원을 그리면서 움직일 때 생겨.
뿐만 아니라, 원심력과 구심력은 사이가 매우 좋아.
구심력
원심력
대충 봐도 엄청 친해 보이지?
구심력이 생기면, 그 반대편엔 반드시 원심력이 생기거든.
아하하하
구심력
원심력

그럼 원심력을 처음 정의한 사람은 누굴까?
누워서 떡 먹기잖아요.
…
뒹굴
무슨 그런 쉬운 문제를 내느냐고?
'나' 라고 대답하고 싶은 거야?
?
그런데 어떡하지. 아쉽게도 뉴턴이 아니야.
미안하지만 나 아니야.
정말요!
원심력을 깊이 있게 연구한 사람은 호이겐스라는 네덜란드의 물리학자야.
접니다.
호이겐스는 뉴턴이 구심력에 대해 심도 있게 고민하기 몇 년 전에 이미 원심력에 대해 체계적으로 연구했지.
원심력이란 이름을 붙인 사람도 저랍니다.
호이겐스란 이름이 좀 생소하지?
별로 못 들어 봤는데….
너 알아?
?
?
아인슈타인이나 갈릴레이만큼 사람들에게 널리 알려지진 않았지만 변변치 않은 물리학자는 절대 아니야.
호이겐스가 이룬 발견 중에서 가장 잘 알려진 것은 토성의 고리야.
그렇지!
토성 주위에 둥근 고리가 있다는 걸 최초로 밝힌 사람이 호이겐스군요!
그 밖에도 물체의 운동과 빛의 움직임 그리고 천체에 이르기까지 다양한 연구를 훌륭하게 해냈어.
그래, 알아.
나도 꽤 했다고….
토닥 토닥
광학론
진자 시계
토성의 고리
호이겐스 원리

다시 구심력으로 돌아와 보자. 구심력이 어떤 힘이고, 구심력이 언제 생기는지를 밝힌 뉴턴은 구심력을 우주에 적용하기 위해 흥미로운 상상을 했어.
포탄을 발사하면 어떻게 되지?
활처럼 휘어지면서 떨어질 거야.
쿵-
그런 곡선을 포물선이라고 해.
포물선도 뉴턴이 처음으로 알아냈나요?
아니, 갈릴레이야.
그렇군요.
지구에서 발사한 포탄이 왜 포물선을 그리면서 떨어질까?
중력이 아래로 끌어당기기 때문이죠.
딩동댕!
포탄은 발사한 방향으로 직진하고 싶은데,
직구!
중력이 잡아당기니까 밑으로 조금씩 떨어지면서 포물선을 그리는 거지.
그리고 여기서 중력은 포탄을 아래로 끌어당기는 구심력이 되는 거고.

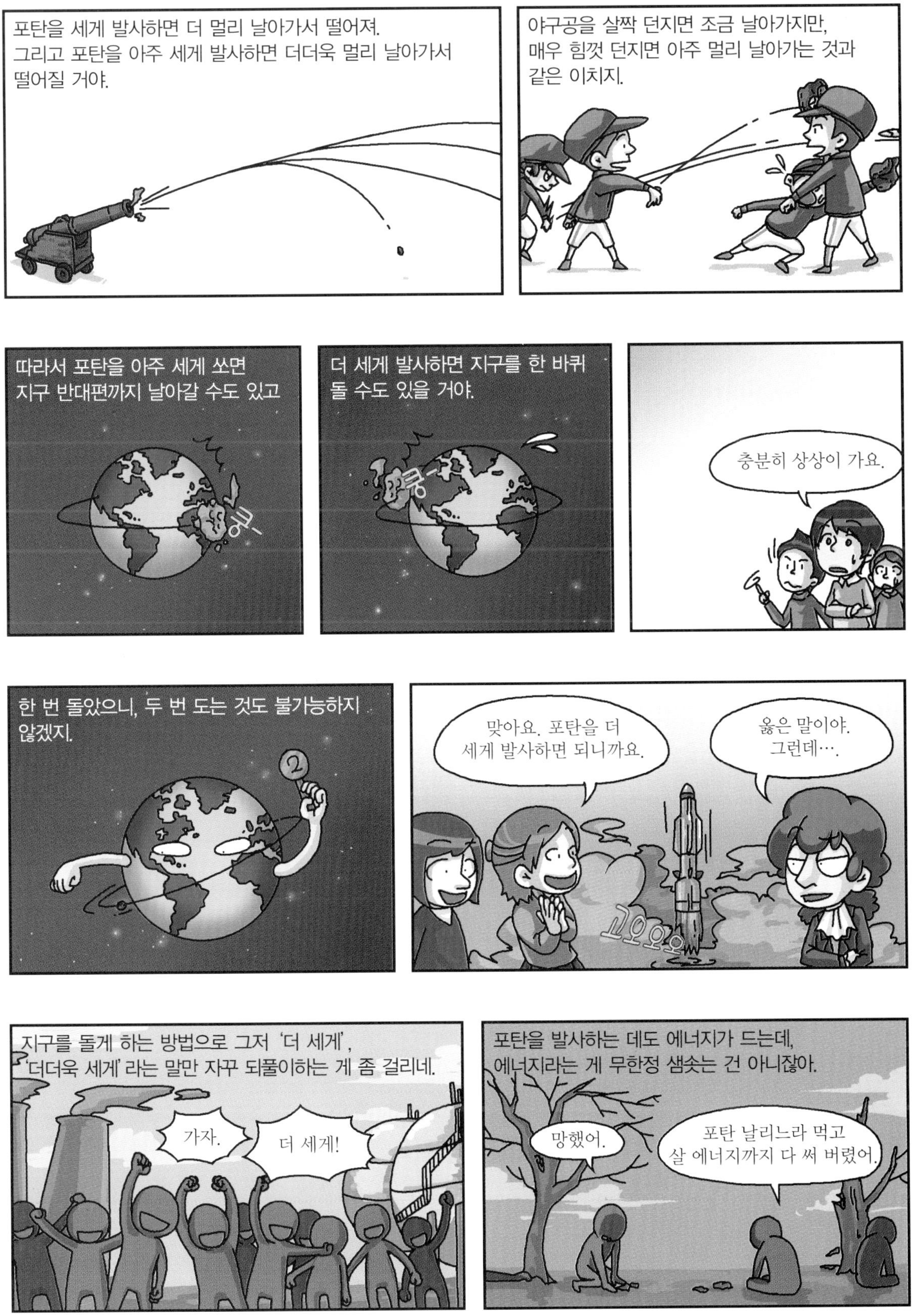

포탄을 세게 발사하면 더 멀리 날아가서 떨어져.
그리고 포탄을 아주 세게 발사하면 더더욱 멀리 날아가서 떨어질 거야.
야구공을 살짝 던지면 조금 날아가지만, 매우 힘껏 던지면 아주 멀리 날아가는 것과 같은 이치지.
따라서 포탄을 아주 세게 쏘면 지구 반대편까지 날아갈 수도 있고
더 세게 발사하면 지구를 한 바퀴 돌 수도 있을 거야.
충분히 상상이 가요.
한 번 돌았으니, 두 번 도는 것도 불가능하지 않겠지.
맞아요. 포탄을 더 세게 발사하면 되니까요.
옳은 말이야. 그런데….
고오오오
지구를 돌게 하는 방법으로 그저 '더 세게', '더더욱 세게' 라는 말만 자꾸 되풀이하는 게 좀 걸리네.
가자.
더 세게!
포탄을 발사하는 데도 에너지가 드는데, 에너지라는 게 무한정 샘솟는 건 아니잖아.
망했어.
포탄 날리느라 먹고 살 에너지까지 다 써 버렸어.

요즘 석유가 고갈되다 보니 석유 값이 하루가 다르게 하늘 높은 줄 모르고 치솟고 있잖아.
그럼 지구를 한바퀴 돈 포탄을 에너지 걱정 없이 계속 돌게 할 수는 없을까?
무한 백만돌이는 없는 걸까?
땅 위에 가장 많이 존재하는 게 뭐지?
음… 새요.
실망인걸.
아니, 공기요.
그래. 당연히 공기지!
공기는 물체의 운동을 방해해.
저항
스포츠 선수들이 공기의 저항을 되도록 줄이려고 온갖 노력을 다 기울이잖아.
단거리 육상 선수들은 몸에 착 달라붙는 운동복을 착용하고,
사이클 선수들은 몸에 꽉 끼는 옷을 입고 유선형 헬멧까지 착용하거든.
유선형이 물고기의 앞머리 같은 모양이라는 건 다 알지?
이런 모양은 공기 저항을 줄여 주는 일을 해. F1 경주에 나오는 자동차도 유선형이잖아.
88
HASO
포탄에도 물론 같은 원리를 적용하지. 포탄의 앞쪽을 보면 예외없이 유선형으로 이루어져 있어.

그런데 지구를 한 번 돈 포탄이 계속 돌 수 없는 이유가 바로 여기 있어.
지표 근처에 있는 공기가 포탄의 운동을 방해하거든.
따라서 반대로 생각하면, 공기 저항이 없으면 포탄이 지구 둘레를 계속 회전할 수 있다는 뜻이 되지.
공기
저항
공기 저항이 없는 곳이라면?
퍽
그런 곳이 어딜까?
우주 공간이오.
정답이야.
우주 공간에서는 포탄이 지구 둘레를 한 번 돌기만 하면 그 다음부터는 멈추지 않고 끝없이 돌 수 있어.
그럼 포탄을 더 무겁게 만들어 보면 어떨까? 수백 킬로그램 이상으로 말이야.
엄청난 무게네!
그 정도 무게도 우주 공간에선 그다지 걱정할 필요가 없어.
일단 한 번만 무사히 발사하면 공기의 저항이 없기 때문에 무게에 상관없이 지구 둘레를 계속 돌 수 있거든.
공기 저항이 없으니 살 것 같네….
이쯤 되면 떠오르는 게 있을 텐데?
지구 둘레를 회전하는 수백 킬로그램 이상 되는 물체가 뭐냐는 뜻인가요?
그렇지.

인공위성!
인공위성을 최초로 생각해 낸 사람이 뉴턴이었구나.
오호!
맞았어. 하지만 알고 넘어가야 할 사실이 있어.
뭔데요?
뉴턴이 인공위성에 대한 아이디어를 제공하긴 했지만, 인공위성이 실제로 가능하리라 생각하진 않았다는 거야.
왜요?
무게가 수백 킬로그램이 넘는 포탄이 지구를 한 바퀴 돌려면 에너지도 상당히 많이 들겠지. 엄청나게 빠른 속도로 발사해야 할 테니까.
에너지
에너지
에너지
에너지
에너지
뉴턴은 그런 속도를 내는 게 불가능할 거라고 생각했어.
그럴듯하지만 힘들겠어….
그도 그럴 것이 당시의 기술력으로 그만한 속도를 내기란 불가능했거든.
덜컹
…
덜컹
음… 생각해 보니 충분히 그럴 만하네요.

뉴턴은 《프린키피아》에서 구심력에 대해 아주 상세하게 수학적으로 풀어 놓았어.
구심력에 대한 수학의 정석이라고 할 만큼, 빈틈 없이 완벽하게 말이야.
구심력의 정석
뉴턴
뉴턴이 구심력에 대해 이렇게 공을 들인 이유는 달과 행성 등 천체들을 자신의 운동 이론 안으로 끌어들이기 위해서였어.
쉽게 말하자면 달과 행성 같은 우주의 천체들이 움직이는 과정을
완벽하게 설명하고 싶었던 거야.
여기서 그 유명한 만유인력의 법칙이 등장하지. 다음 장에서 자세히 살펴볼 거니까 빨리 따라와.
휘익-

제5장 만유인력에 대하여

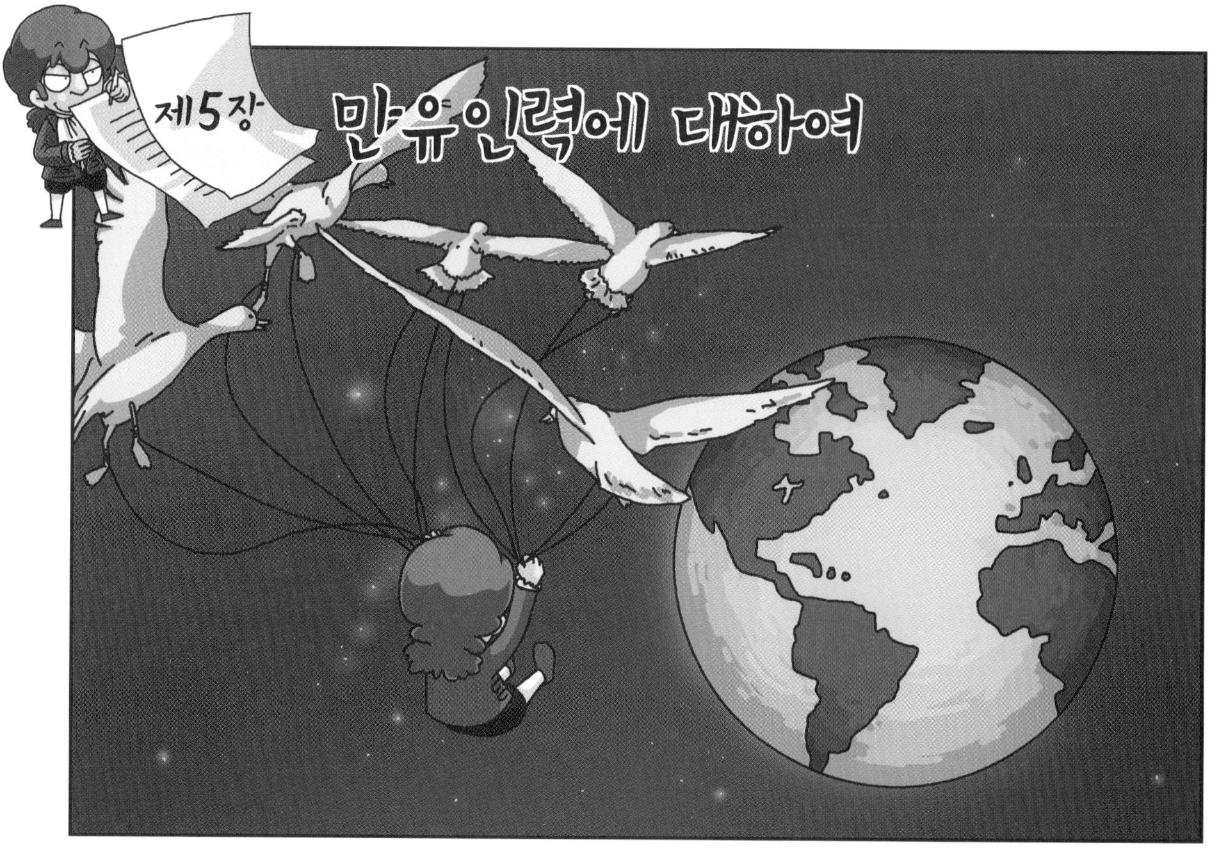

뉴턴이 쓴 《프린키피아》에는 많은 내용이 들어 있어.
프린키피아호

우리가 앞에서 얘기한 운동 법칙과 구심력 그리고 뒤에서 다룰 케플러의 법칙 등등!
혜성 운동
구심력
운동법칙
케플러의 법칙
조석

그러나 《프린키피아》 1권에서 3권까지의 핵심은 누가 뭐래도 만유인력이야.
만유 인력

만유인력이란 우주에 있는 모든 물체에 공통으로 적용할 수 있는 힘이지.
이름만 들어도 중요하겠다는 느낌이 팍 오지 않니?
끄덕
끄덕

이렇게 가치 있는 만유인력을 이끌어 내고, 그것을 다양한 자연 현상에 활용할 수 있다는 걸 보여 주기 위해서 뉴턴이 《프린키피아》를 썼다고 해도 과언이 아니지.

뉴턴은 만유인력을 이끌어 내기 위해서, 그가 그토록 공을 들인 구심력을 적극적으로 이용했어.
구심력
이리 와 봐.
뉴턴은 구심력이 거리와 밀접한 관계가 있을 거라고 확신했지.
거리가 멀수록 구심력은 약해진다는 거야.
구심력
거리
여기까진 누구나 쉽게 추리할 수 있지.
왜냐하면 구심력도 힘이고, 힘은 거리가 멀수록 약해지는 게 상식이니까.
구심력
맞아요. 야구공도 가까이서 받으면 손이 아프지만,
멀리 떨어져서 받으면 손이 별로 안 아파요.
아주 좋은 예를 들어 주었어.
뉴턴의 생각은 여기서 한 걸음 더 나아갔어.
폴짝
구심력이 거리에 따라 어떻게 약해지는가를 구체적으로 제시한 거야.
어떻게 변한다고 했나요?
뉴턴은 구심력이 '거리의 제곱에 반비례한다.' 고 주장했어.
거리의 제곱에 반비례한다고요?
#$$%*@~?
잘 모르겠어요.
구심력이 거리의 제곱에 반비례한다는 건 이런 의미야.
거리가 2배 멀어지면 구심력은 $\frac{1}{4}$
거리가 3배 멀어지면 구심력은 $\frac{1}{9}$
거리가 4배 멀어지면 구심력은 $\frac{1}{16}$
거리가 5배 멀어지면 구심력은 $\frac{1}{25}$
약해진다는 뜻이지.
구심력
0 거리 2 3 4 5

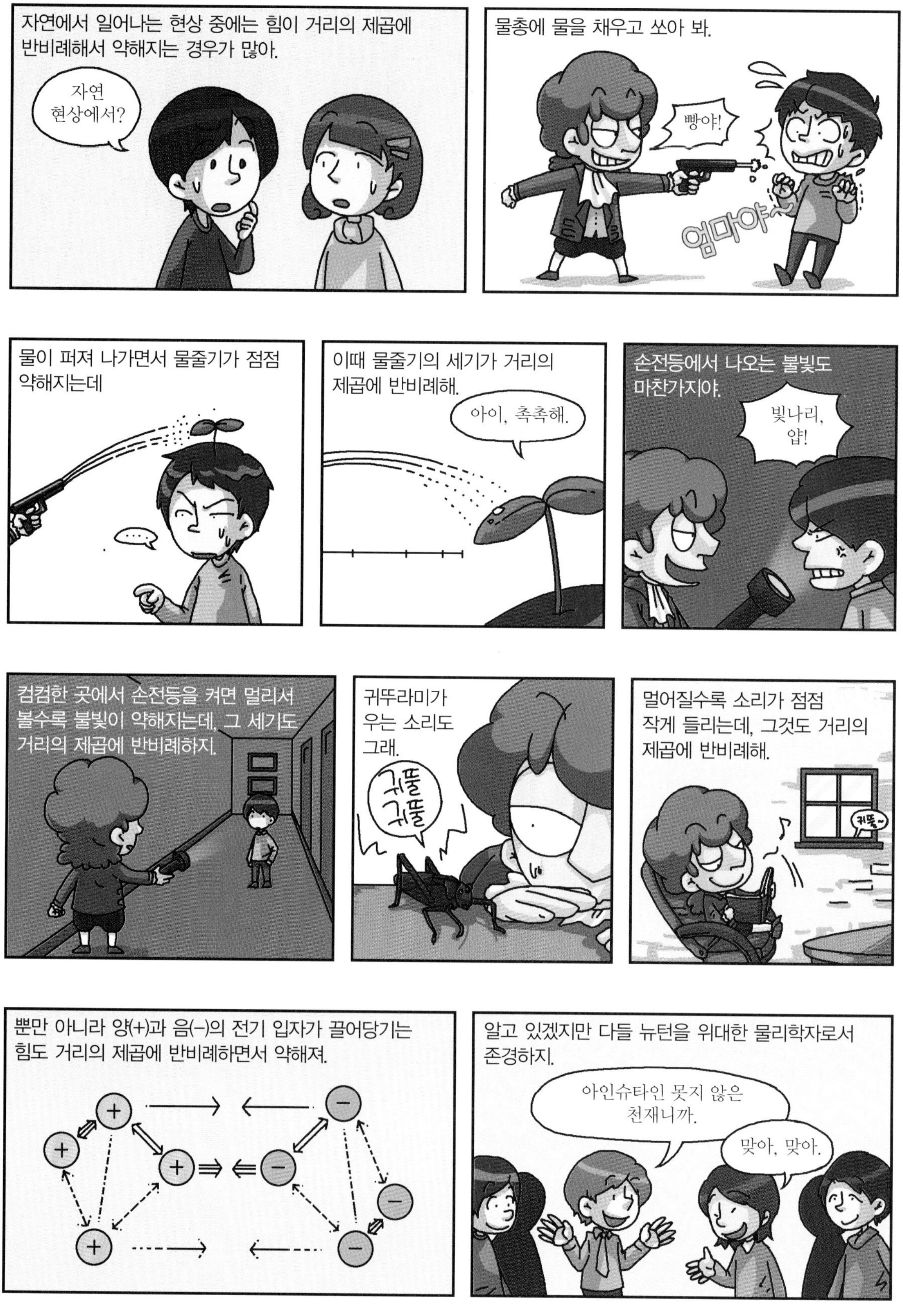
자연에서 일어나는 현상 중에는 힘이 거리의 제곱에 반비례해서 약해지는 경우가 많아.
자연 현상에서?
물총에 물을 채우고 쏘아 봐.
빵야!
엄마야~
물이 퍼져 나가면서 물줄기가 점점 약해지는데
…
이때 물줄기의 세기가 거리의 제곱에 반비례해.
아이, 촉촉해.
손전등에서 나오는 불빛도 마찬가지야.
빛나리, 얍!
컴컴한 곳에서 손전등을 켜면 멀리서 볼수록 불빛이 약해지는데, 그 세기도 거리의 제곱에 반비례하지.
귀뚜라미가 우는 소리도 그래.
귀뚤 귀뚤
멀어질수록 소리가 점점 작게 들리는데, 그것도 거리의 제곱에 반비례해.
귀뚤~
뿐만 아니라 양(+)과 음(−)의 전기 입자가 끌어당기는 힘도 거리의 제곱에 반비례하면서 약해져.
+
+
+
+
−
−
−
−
알고 있겠지만 다들 뉴턴을 위대한 물리학자로서 존경하지.
아인슈타인 못지 않은 천재니까.
맞아, 맞아.

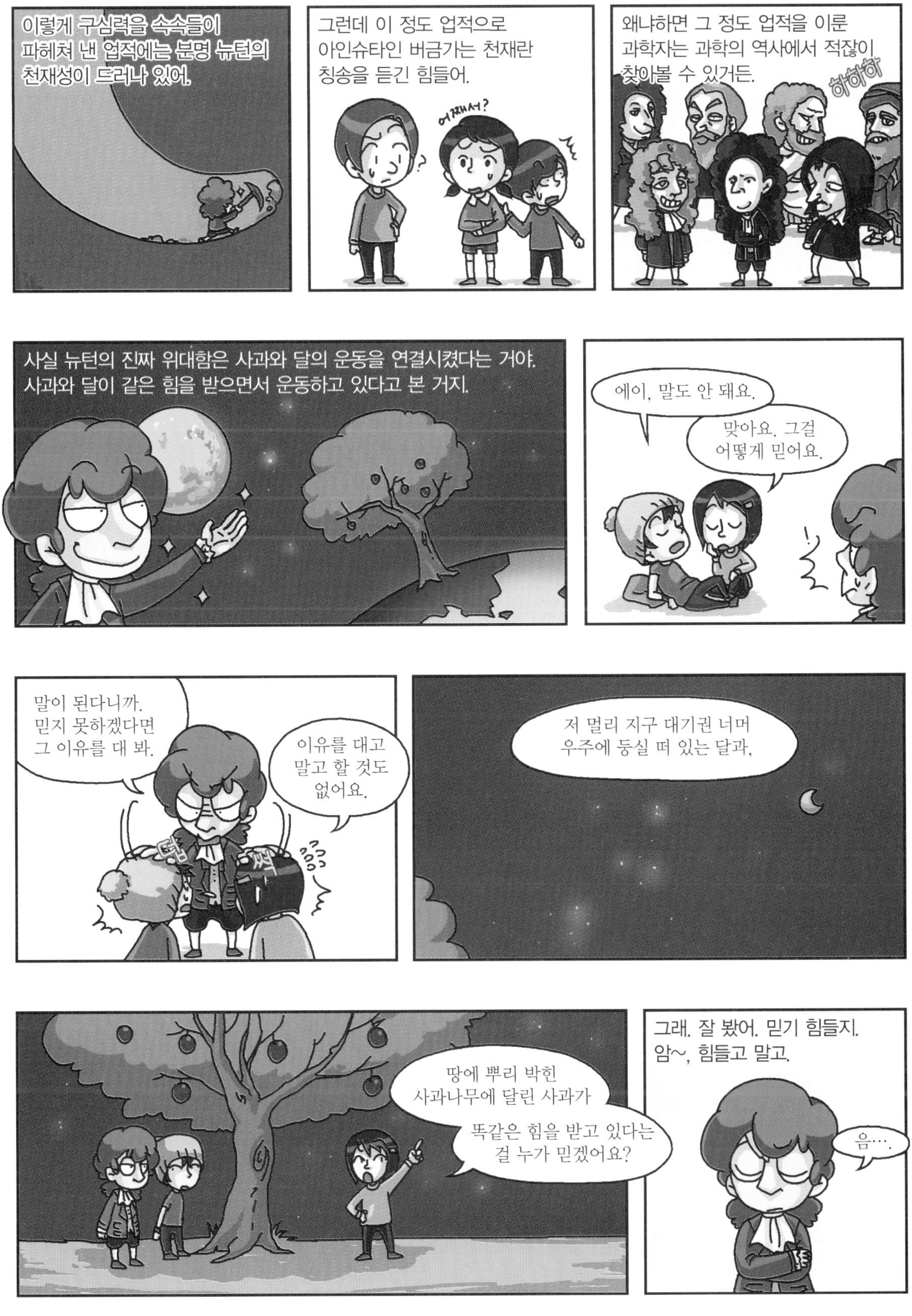
이렇게 구심력을 속속들이 파헤쳐 낸 업적에는 분명 뉴턴의 천재성이 드러나 있어.
그런데 이 정도 업적으로 아인슈타인 버금가는 천재란 칭송을 듣긴 힘들어.
어째서?
왜냐하면 그 정도 업적을 이룬 과학자는 과학의 역사에서 적잖이 찾아볼 수 있거든.
하하하
사실 뉴턴의 진짜 위대함은 사과와 달의 운동을 연결시켰다는 거야. 사과와 달이 같은 힘을 받으면서 운동하고 있다고 본 거지.
에이, 말도 안 돼요.
맞아요. 그걸 어떻게 믿어요.
말이 된다니까. 믿지 못하겠다면 그 이유를 대 봐.
이유를 대고 말고 할 것도 없어요.
저 멀리 지구 대기권 너머 우주에 둥실 떠 있는 달과,
땅에 뿌리 박힌 사과나무에 달린 사과가
똑같은 힘을 받고 있다는 걸 누가 믿겠어요?
그래. 잘 봤어. 믿기 힘들지. 암~, 힘들고 말고.
음….

하지만 뉴턴이 밝혀냈는걸.
뉴턴! 여기도 봐 주세요.
뉴턴!
찰칵
이처럼 뉴턴은 남들이 상상하지 못한 것을 이루어 냈어. 그래서 우리가 뉴턴을 위대하다고 보는 거지.
또한 아인슈타인에 버금가는 대천재로 칭송하고, 역사에 길이길이 남는 걸출한 학자로 기억하는 거야.
사람들은 자연의 진짜 숨은 진실을 잘 믿으려 하지 않는다니까.
알았으니까 어서 설명해 줘요.
…
좋아. 내 생각이 왜 옳은지를 설명해 줄게.
뉴턴과 중력의 일화는 다들 알고 있지?
뉴턴이 사과나무 아래 앉아 생각에 잠겨 있다가 뚝 떨어진 사과를 보고 중력을 떠올렸다는 얘기잖아요.
잘 알고 있네.
사과가 땅으로 떨어진 건, 지구의 중력이 사과를 잡아당겼기 때문이지.
중력
뉴턴은 이 간단한 현상을 무심코 넘겨 버리지 않았어.
중력이구나!
거기에 남들이 생각하지 못한 의문을 품은 거야.

사과를 끌어당긴 지구의 중력이 달도 끌어당기고 있는 건 아닐까?
당시에는 이런 상상을 한다는 게 매우 조심스러운 일이었어.
쾅쾅
자칫 잘못하다간 큰 화를 당할 수도 있었거든. 왜냐고?
스윽
고대 그리스의 대학자 아리스토텔레스는 물체의 운동을 둘로 나누었어.
물체의 운동은 하늘에서 일어나는 운동과
땅에서 일어나는 운동으로 이루어져 있다.
또 아리스토텔레스는 이렇게 말했지.
하늘에서 일어나는 운동과 땅에서 일어나는 운동은
본질적으로 달라.
운동을 두 가지로 구분한 이상,
하늘
땅
하늘과 땅에서의 운동이 같지 않다는 주장은 당연한 거였지.
....
하늘과 땅에서의 운동이 같다면,
굳이 운동을 둘로 나눌 필요가 없을 테니까.
하늘
땅
아리스토텔레스가 주장한 하늘과 땅의 운동은 각각 다음과 같아.

'하늘은 고귀한 신이 사는 곳이니, 그곳에서 일어나는 운동은 신성할 뿐만 아니라, 영원히 계속되어야 한다.
반면 땅은 미천한 동식물이 사는 곳이니, 그곳에서 일어나는 운동은 천할 뿐만 아니라, 오래 지속되어서는 안 된다.'
그러면서 아리스토텔레스는 하늘에선 원운동, 땅에선 직선 운동을 해야 한다고 주장했어.
하늘
땅
아리스토텔레스가 이렇게 주장한 근거는 다음과 같아.
영원히 이어지려면 끊어져선 안 되겠지?
척
물론~.
원은 절대 끊어지는 법이 없어.
맞아요.
원을 따라 돌면
한없이 빙글빙글 회전할 수 있어요.
원을 따라서 도는 운동이 무슨 운동이겠어?
원운동이죠.
맞아. 그래서 하늘에서 일어나는 운동은 원운동이어야 한다고 주장하는 거야.

반면 오래 지속되지 않으려면 어느 순간 어딘가에선 반드시 끊어져야 해.
싹둑
직선은 반드시 시작과 끝이 있잖아. 시작과 끝이 같지도 않고.
이 열차는 00역에서 출발하여 11역에 종착합니다.
시작과 끝이 다르면 이어질 수가 있을까?
아니요. 이어질 수 없어요.
그래. 이어질 수 없다는 건, 어딘가에서는 반드시 끊어진다는 뜻이지.
그럼 시작과 끝이 있는, 직선을 따라 움직이는 운동이 무슨 운동이겠어?
알겠다. 직선 운동이오!
그래서 아리스토텔레스가 땅에서 일어나는 운동은 직선 운동이어야 한다고 주장한 거지.
뉴턴이 사과와 달에 대한 상상을 하기 이전까지, 아리스토텔레스의 주장은 거의 불변의 법칙이나 마찬가지였어. 돈과 권력을 가진, 그야말로 힘 있는 사람들은 모두 아리스토텔레스를 따랐지.
그래서 땅에서 일어나는 운동은 지상의 법칙으로, 하늘에서 일어나는 운동은 하늘의 법칙으로 따로 구분해서 다루었어. 그런데…
지상의 법칙
하늘의 법칙
뉴턴이 그걸 뒤집겠다고 한 거야!
휘릭

그건 자칫하다간 불경죄로 심한 고초를 당할 수도 있는 행동이었어.
갈릴레이가 지구가 돈다는 생각을 펼쳤다가 말년에 종교 재판을 받고,
주거지 제한을 받는 등 적잖은 마음 고생을 한 것처럼 말이야.
뉴턴은 아리스토텔레스와는 달리, 물체의 운동을 굳이 하늘과 땅의 운동으로 나눌 필요가 없다고 보았어.
그래서 사과를 잡아당긴 지구의 중력이 달에게도 영향을 주고 있다고 생각한 거야.
여기서 뉴턴은 또 한 번 혁명적인 발상을 내놓는단다.
그게 뭐냐 하면, 달이 떨어진다는 거야.
…?
달이 떨어진다고요?!
끄덕 끄덕
달이 회전하는 게 아니라
떨어지다니. 도대체 뭐가 뭔지….

지구의 중력이 사과에 작용한 결과가 어땠지?
사과가 떨어졌어요.
그렇지.
그럼 지구의 중력이 달에 작용한다면 어떤 결과가 나와야겠어?
사과와 마찬가지로, 달도 떨어져야겠지요.
바로 그거야.
뉴턴이 도달한 의문의 끝이 바로, '달이 떨어진다.'는 거였지.
쿵
자, 이제 논리적으로 이끌어 낸 이 생각이 맞는지 틀리는지 검증하는 일만 남은 셈이네.
그래요. 어떻게 검증할 거죠?
GD
구심력이 거리에 따라 어떻게 변한다고 했지?
거리의 제곱에 반비례해 약해진다고 했어요.
구심력
사과와 달에 작용하는 구심력은 중력이라고 했지.
네.
변했다...
팟-
중력
지구의 중력은 지구의 중심에 모여 있어.
이것은 수학적으로 증명할 수 있단다.
수학적으로 증명?
아이고, 머리 아파~!
뉴턴은 《프린키피아》에 이 증명을 자세히 실어 놓았어.
자세히 살펴보자고.

지구 중심에서 달까지는 사과나무까지보다 60배쯤 멀리 떨어져 있어.
60의 '제곱의 반비례'는 얼마지?
어~?
갑자기 물으시면….
$\frac{1}{60\times60}$
맞았어.
60×60은 3600이니까.
$\frac{1}{3600}$ 이란 얘기지.
다시 말해서 달에 작용하는 지구 중력의 세기는 사과에 작용하는 지구 중력 세기의 $\frac{1}{3600}$ 밖에 안 된다는 얘기야.
1일 때,
$\frac{1}{3600}$ 이란 소리.
이제 달에 작용하는 중력의 세기가 정말 그 정도인지 아닌지를 확인해 보면,
뉴턴의 생각이 거짓인지 진실인지 판가름나지.
정말…
확인할 수 있는 건가요?
물론이지!
지구 중력이 사과를 끌어당기면 사과는 1초 동안에 4.9m 떨어져.
휙
이것은 그리 어렵지 않게 구할 수 있어.
떨어진 거리 = 4.9m × 시간의 제곱
이거든.

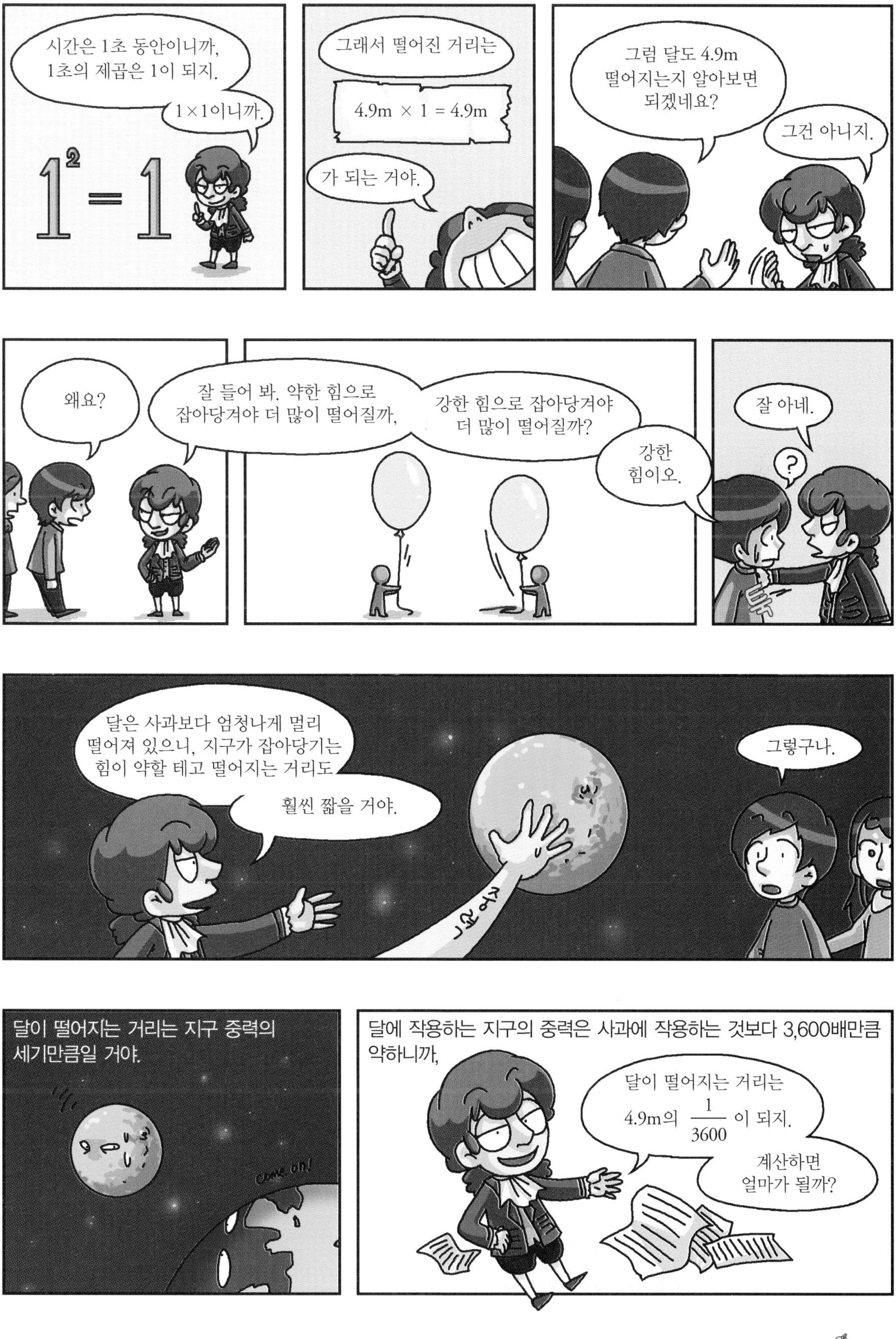

시간은 1초 동안이니까, 1초의 제곱은 1이 되지.
1×1이니까.
$1^2=1$
그래서 떨어진 거리는
4.9m × 1 = 4.9m
가 되는 거야.
그럼 달도 4.9m 떨어지는지 알아보면 되겠네요?
그건 아니지.
왜요?
잘 들어 봐. 약한 힘으로 잡아당겨야 더 많이 떨어질까,
강한 힘으로 잡아당겨야 더 많이 떨어질까?
강한 힘이오.
잘 아네.
?
달은 사과보다 엄청나게 멀리 떨어져 있으니, 지구가 잡아당기는 힘이 약할 테고 떨어지는 거리도
훨씬 짧을 거야.
그렇구나.
달이 떨어지는 거리는 지구 중력의 세기만큼일 거야.
Come on!
달에 작용하는 지구의 중력은 사과에 작용하는 것보다 3,600배만큼 약하니까,
달이 떨어지는 거리는 4.9m의 $\frac{1}{3600}$ 이 되지.
계산하면 얼마가 될까?

4.9m ÷ 3600 하면 대략 1.36mm가 나오네요.
4.9m = 4900mm
1.36…
3600 | 4900
36
130
108
220
216
4…
잘 맞혔어.
달이 떨어진 거리가 1.36mm쯤인지 아닌지는 천문 관측 자료로 확인하면 돼.
뉴턴은 달의 움직임을 측정한 자료를 모았어.
최신 것이든, 오래된 것이든 구할 수 있는 대로 구해서 확인해 보았지.
결과는 예측한 그대로였어.
그것이 끝이 아니었어. 뉴턴은 여기서 한 걸음 더 나아가,
폴짝
제3 운동 법칙을 이 결과에 적용했지.
제3 운동 법칙은 작용과 반작용의 법칙이란 거 기억나지?
작용이 있으면, 그에 대응하는 같은 세기의 반작용이
반대쪽으로 나타난다는 법칙이잖아.
우주 공간에서 실험한 예를 떠올려 봐.
이걸 앞의 결과에 적용하면 다음과 같은 결과가 나와.
지구가 달에 구심력을 작용했으니
달도 그와 똑같은 세기의 구심력을 지구에 작용한다.
이것을 만유인력의 법칙이라고 해.
어떻게 이런 생각을!
정말 대단해요.

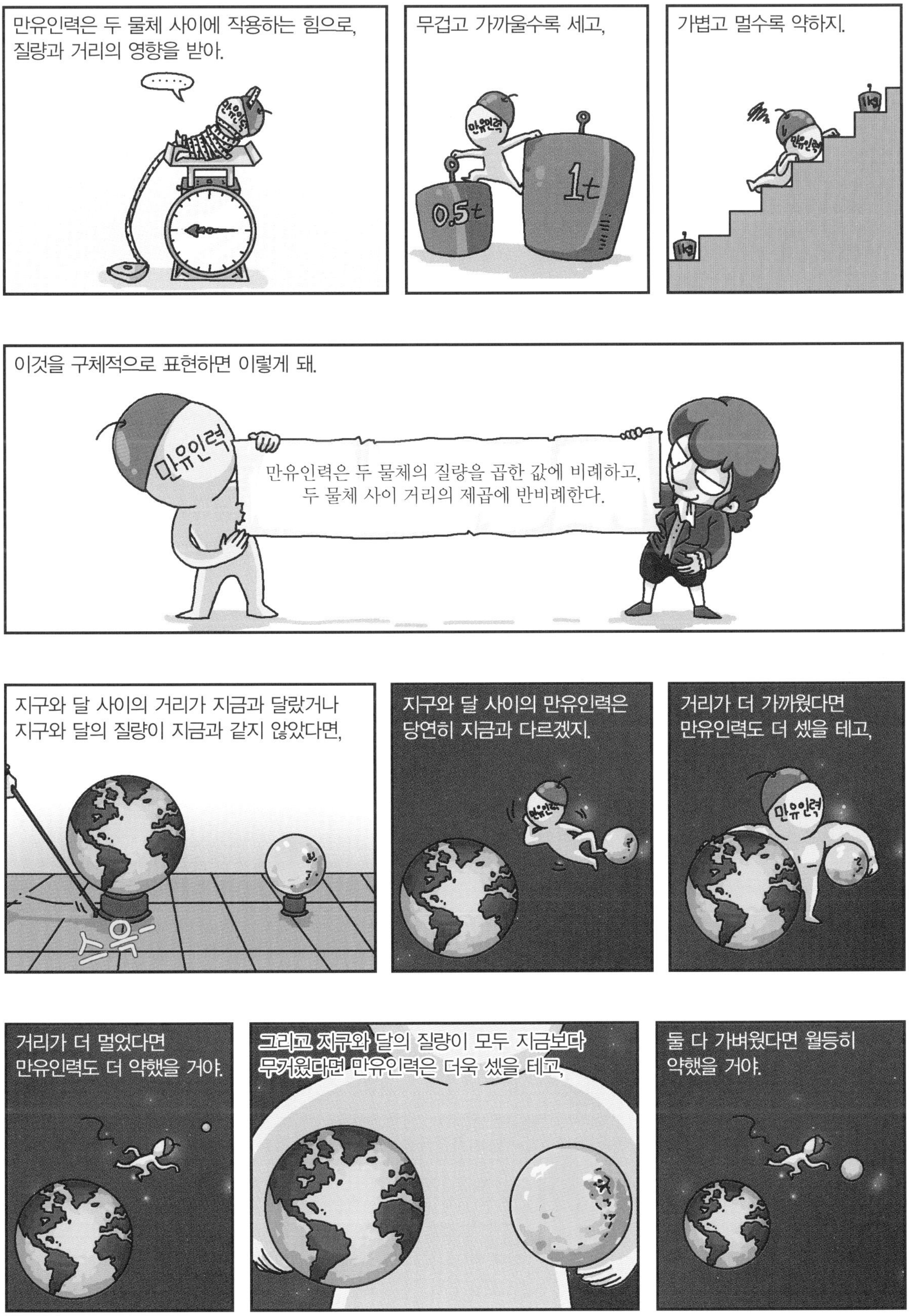
만유인력은 두 물체 사이에 작용하는 힘으로,
질량과 거리의 영향을 받아.
……
만유인력
무겁고 가까울수록 세고,
만유인력
0.5t
1t
가볍고 멀수록 약하지.
만유인력
1kg
1kg
이것을 구체적으로 표현하면 이렇게 돼.
만유인력
만유인력은 두 물체의 질량을 곱한 값에 비례하고,
두 물체 사이 거리의 제곱에 반비례한다.
지구와 달 사이의 거리가 지금과 달랐거나
지구와 달의 질량이 지금과 같지 않았다면,
스윽-
지구와 달 사이의 만유인력은
당연히 지금과 다르겠지.
만유인력
거리가 더 가까웠다면
만유인력도 더 셌을 테고,
만유인력
거리가 더 멀었다면
만유인력도 더 약했을 거야.
그리고 지구와 달의 질량이 모두 지금보다
무거웠다면 만유인력은 더욱 셌을 테고,
둘 다 가벼웠다면 월등히
약했을 거야.

만유인력은 한쪽에서 일방적으로 작용하는 힘이 아니야.
서로 동등하게 작용하는 힘이란 말이지.
우르르
만유인력은 지구에 있는 모든 물체와 지구 사이에도 작용하고 있어.
BB
뿐만 아니라, 우주에 있는 모든 물체 사이에도 작용하지.
지구와 사과뿐 아니라,
지구와 지구 둘레를 도는 인공위성, 지구와 달,
지구와 태양, 태양과 화성, 토성과 목성, 천왕성과 해왕성,
북극성과 북두칠성, 은하와 은하,
별과 블랙홀 사이에도 작용하고 있어.
이처럼 만유인력은 우주에 존재하는 모든 천체를 아우르는 보편타당 한 법칙이지.

*보편타당 – 특별하지 않고 사리에 맞아 마땅함.

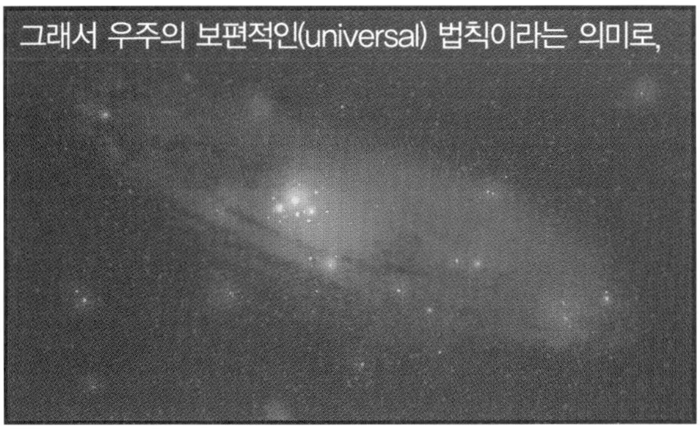
그래서 우주의 보편적인(universal) 법칙이라는 의미로,

만유(우주의 온갖 물체에 있는) 인력의 법칙이라고 부르는 거야.
萬 有 引 力
일만 만 있을 유 끌 인 힘 력
universal gravitation

뉴턴의 만유인력은 중력을 지구에만 국한시키지 않고, 우주로 멋지게 확장시켜서 얻은 뿌듯한 결과야.
만유인력
만유인력
만유인력
지상의 법칙을 우주에 적용해서 인류가 얻어 낸 최초의 값진 선물이라는 말이지.

이렇게 훌륭한 만유인력의 법칙을 이끌어 냈으니,
만유인력

이제 멋지게 활용해 봐야겠지?

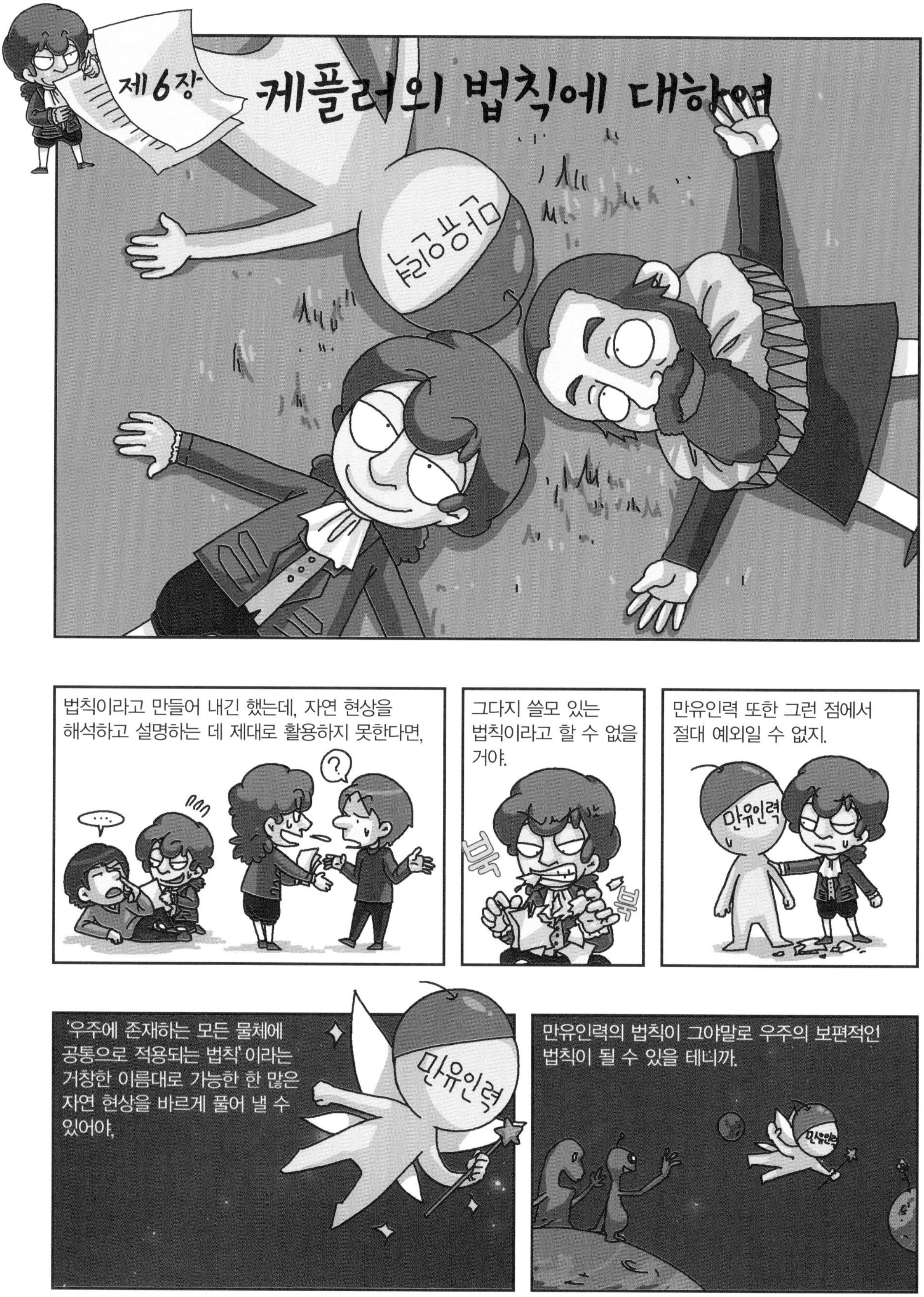
제6장 케플러의 법칙에 대하여
만유인력
법칙이라고 만들어 내긴 했는데, 자연 현상을 해석하고 설명하는 데 제대로 활용하지 못한다면,
…
?
그다지 쓸모 있는 법칙이라고 할 수 없을 거야.
북
북
만유인력 또한 그런 점에서 절대 예외일 수 없지.
만유인력
'우주에 존재하는 모든 물체에 공통으로 적용되는 법칙'이라는 거창한 이름대로 가능한 한 많은 자연 현상을 바르게 풀어 낼 수 있어야,
만유인력
만유인력의 법칙이 그야말로 우주의 보편적인 법칙이 될 수 있을 테니까.

그 첫걸음으로 케플러의 법칙을 살펴볼 예정이야.
빼꼼
케플러의 법칙
뉴턴이 이끌어 낸 만유인력의 법칙으로
케플러의 법칙을 증명할 수 있다는 얘기네요?
바로 그거야.
그런데 케플러의 법칙이 뭔가요?
케플러의 법칙은 천체들의 운동을 규정한 법칙이야.
케플러의 법칙
천체라면 어떤 천체를 말하는 건가요?
케플러가 살던 시대에는 천체를 규정하는 범위가 요즘과 달랐어.
나 기억해?
Hi, 케플러.
요즘은 천체라면 우주에 있는 모든 천체를 말해.
태양은 물론이고,
우주 저 끝에서 움직이고 있는 자그마한 별까지
모두 천체라고 부르지.
하지만 케플러가 살던 시대에는 천체라고 하면, 태양계에 속한 식구들에 한정했어.
그 당시엔 천체 망원경이 흔치 않았던 데다가,
동네에 나 하나.
그나마 있는 것도 배율이 높지 않아서 태양계를 넘어서는 범위는 자세히 관찰하기 어려웠거든.
그렇다면 여기서 얘기하는 천체란
태양, 지구, 달, 화성, 목성 같은 천체를 말하는 거겠네요?
그렇지.

케플러는 태양계 안에 있는 천체들의 움직임을 꼼꼼하게 조사했어.
그리고 천체들이 일정한 법칙에 따라 운동한다는 사실을 발견했지.
그것이 바로 케플러의 법칙이군요.
맞았어.
하지만 케플러의 법칙은 만유인력의 법칙처럼 하나가 아니야.
쪼로록-
케플러의 법칙
케플러의 법칙은 세 가지로 이루어져 있어.
타원 궤도의 법칙.
면적 속도 일정의 법칙.
조화의 법칙이지.
타원 궤도의 법칙은 케플러의 제1법칙이라고 해.
지구와 화성, 목성 같은 행성들이 태양의 둘레를 공전하는 궤도가 원이 아니라 타원이라는 사실을 알아낸 법칙이야.
그리고 면적 속도 일정의 법칙은 케플러의 제2법칙이야.
태양계 행성이 같은 시간 동안 움직인 면적이 같다는 것을 밝힌 법칙이지.
조화의 법칙은 케플러의 제3법칙이라고 하는데,
공전 주기의 제곱은 행성 궤도의 장 반지름의 세제곱에 비례한다는 내용이지.
$p^2=a^3$
p
a

....
뭔 말이래요?
말이 좀 어렵긴 하지?
어려운 게 아니라, 도무지 뭐가 뭔지?
걱정 마! 자세히 설명해 줄 테니까!
케플러의 세 가지 법칙이 어떻게 나오게 되었는지, 그것이 담고 있는 내용은 무엇인지 알아보자고.
케플러가 세 가지 법칙을 알아내는 데는 티코 브라헤라는 천문학자와의 인연이 결정적이었어.
이름 티코 브라헤
국적 덴마크(1546~1601)
활동 분야 천문학
주요 저서 《신성(新星)》(1573)
망원경이 발명되기 전까지는 티코 브라헤의 관측이 가장 정밀했다. 그 방대한 관측 자료는 케플러에게 넘어가 행성 운동의 세 법칙을 확립하는 기반이 되었다.
브라헤는 코펜하겐 근처의 벤 섬에 천문대를 세우고 관측을 시작했어.
그러나 브라헤의 전폭적인 후원자였던 덴마크의 왕 프레데리크 2세가 사망하자,
왕위 계승자는 브라헤를 거들떠보지도 않았어.
브라헤는 프라하로 가서 루돌프 2세의 도움을 받으며 연구를 계속했지.
그리고 이듬해 케플러가 브라헤의 제자로 들어왔어.
이름 요하네스 케플러
국적 독일(1571~1630)
활동 분야 천문학
주요 저서 《신(新)천문학》(1609)
《우주의 조화》(1619)

케플러는 제자 겸 조수로서 브라헤의 연구를 도왔어.
오늘도 달려 보자고요.
그런데 브라헤와 케플러의 연구 성향은 정반대여서 종종 부딪히곤 했지.
쾅
브라헤는 하늘에서 일어나는 천문 현상을 눈으로 직접 관찰하는 것을 좋아했어.
실험이 중요해.
반면, 케플러는 정반대였지. 시력이 좋지 않은 탓도 있었지만,
그보다는 수학을 무척 좋아해서 관찰보다는 책상 앞에 앉아 이론적으로 해석하는 연구를 선호했어.
이론을 중시하는 편이야.
그런데 케플러를 제자로 맞은 이듬해인 1601년, 브라헤가 세상을 떠났어.
관측의 천재였던 브라헤는 눈을 감으면서 케플러에게 당부했어.
내 평생의 연구가 헛되지 않도록 해 주게나.
케플러는 스승이 수십 년 동안 하늘을 관측해 모은 정밀한 천문 자료를 받아 들며 다짐했지.
꼭 명심하겠습니다. 스승님.
케플러는 스승의 유언이 헛되지 않도록 연구에 매진했어.
스승 브라헤에 못지 않은 열정을 쏟아부으며 천문 관측 자료를 분석하고 해석했어.
정확한 공전 궤도를 알아낼 수만 있다면 수백 번이고 다시 그릴 거야!
그러던 중 케플러는 한 가지 중요한 사실을 알게 되었지.
깜짝

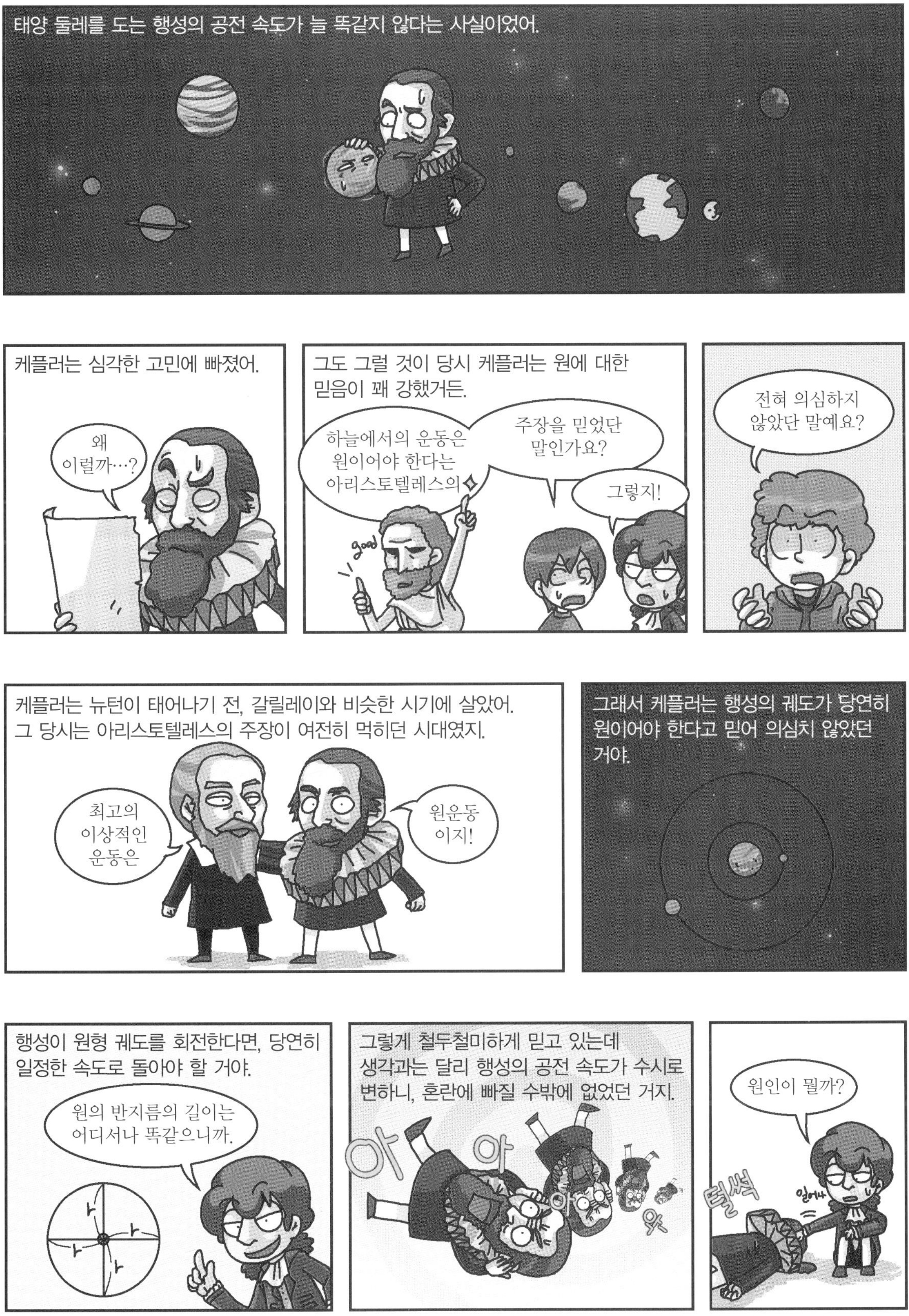
태양 둘레를 도는 행성의 공전 속도가 늘 똑같지 않다는 사실이었어.
케플러는 심각한 고민에 빠졌어.
왜 이럴까…?
그도 그럴 것이 당시 케플러는 원에 대한 믿음이 꽤 강했거든.
하늘에서의 운동은 원이어야 한다는 아리스토텔레스의
주장을 믿었단 말인가요?
그렇지!
good
전혀 의심하지 않았단 말예요?
케플러는 뉴턴이 태어나기 전, 갈릴레이와 비슷한 시기에 살았어. 그 당시는 아리스토텔레스의 주장이 여전히 먹히던 시대였지.
최고의 이상적인 운동은
원운동이지!
그래서 케플러는 행성의 궤도가 당연히 원이어야 한다고 믿어 의심치 않았던 거야.
행성이 원형 궤도를 회전한다면, 당연히 일정한 속도로 돌아야 할 거야.
원의 반지름의 길이는 어디서나 똑같으니까.
그렇게 철두철미하게 믿고 있는데 생각과는 달리 행성의 공전 속도가 수시로 변하니, 혼란에 빠질 수밖에 없었던 거지.
아 아
원인이 뭘까?
털썩

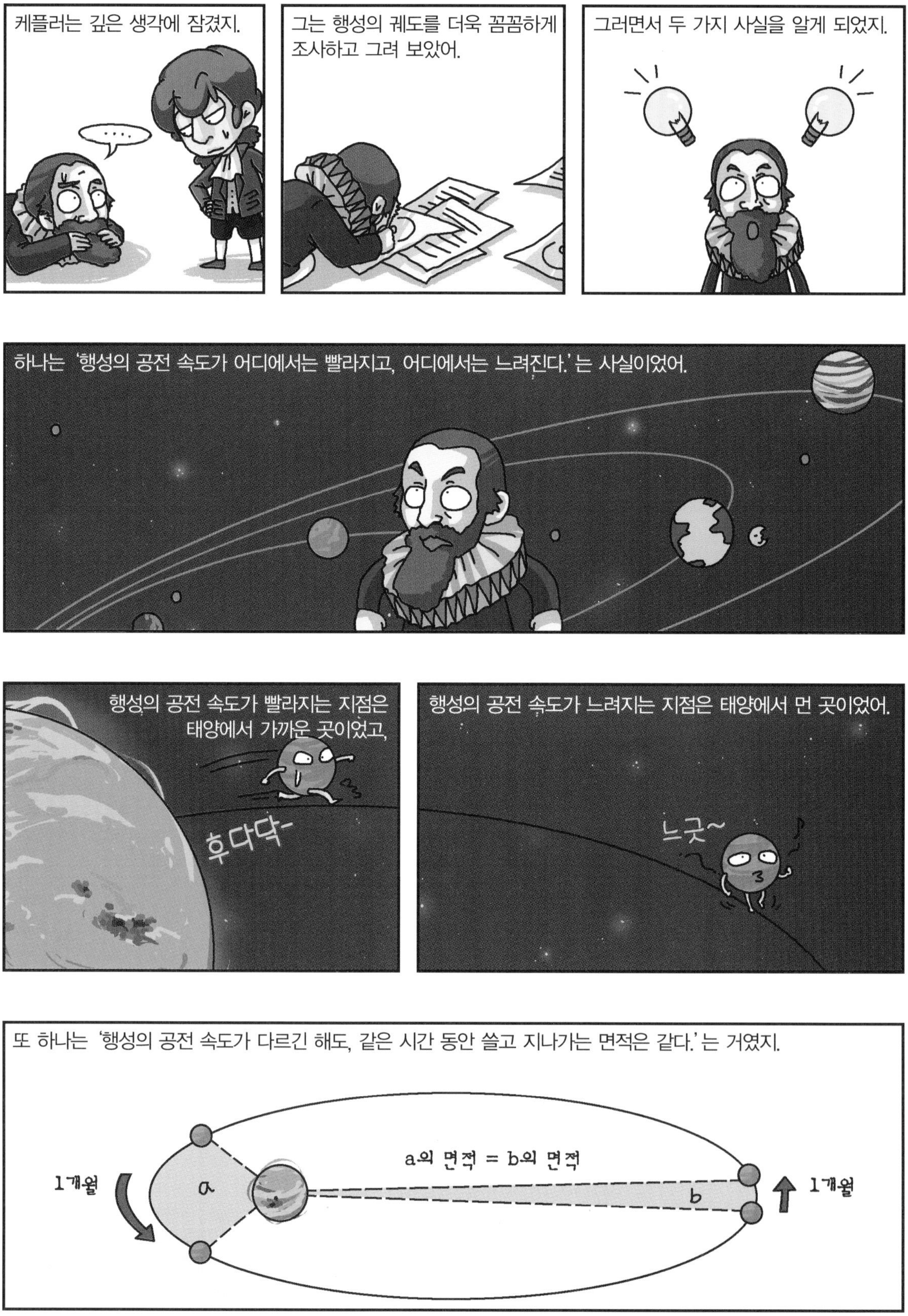
케플러는 깊은 생각에 잠겼지.
그는 행성의 궤도를 더욱 꼼꼼하게 조사하고 그려 보았어.
그러면서 두 가지 사실을 알게 되었지.
하나는 '행성의 공전 속도가 어디에서는 빨라지고, 어디에서는 느려진다.' 는 사실이었어.
행성의 공전 속도가 빨라지는 지점은 태양에서 가까운 곳이었고,
후다닥-
행성의 공전 속도가 느려지는 지점은 태양에서 먼 곳이었어.
느긋~
또 하나는 '행성의 공전 속도가 다르긴 해도, 같은 시간 동안 쓸고 지나가는 면적은 같다.' 는 거였지.
a의 면적 = b의 면적
1개월
a
b
1개월

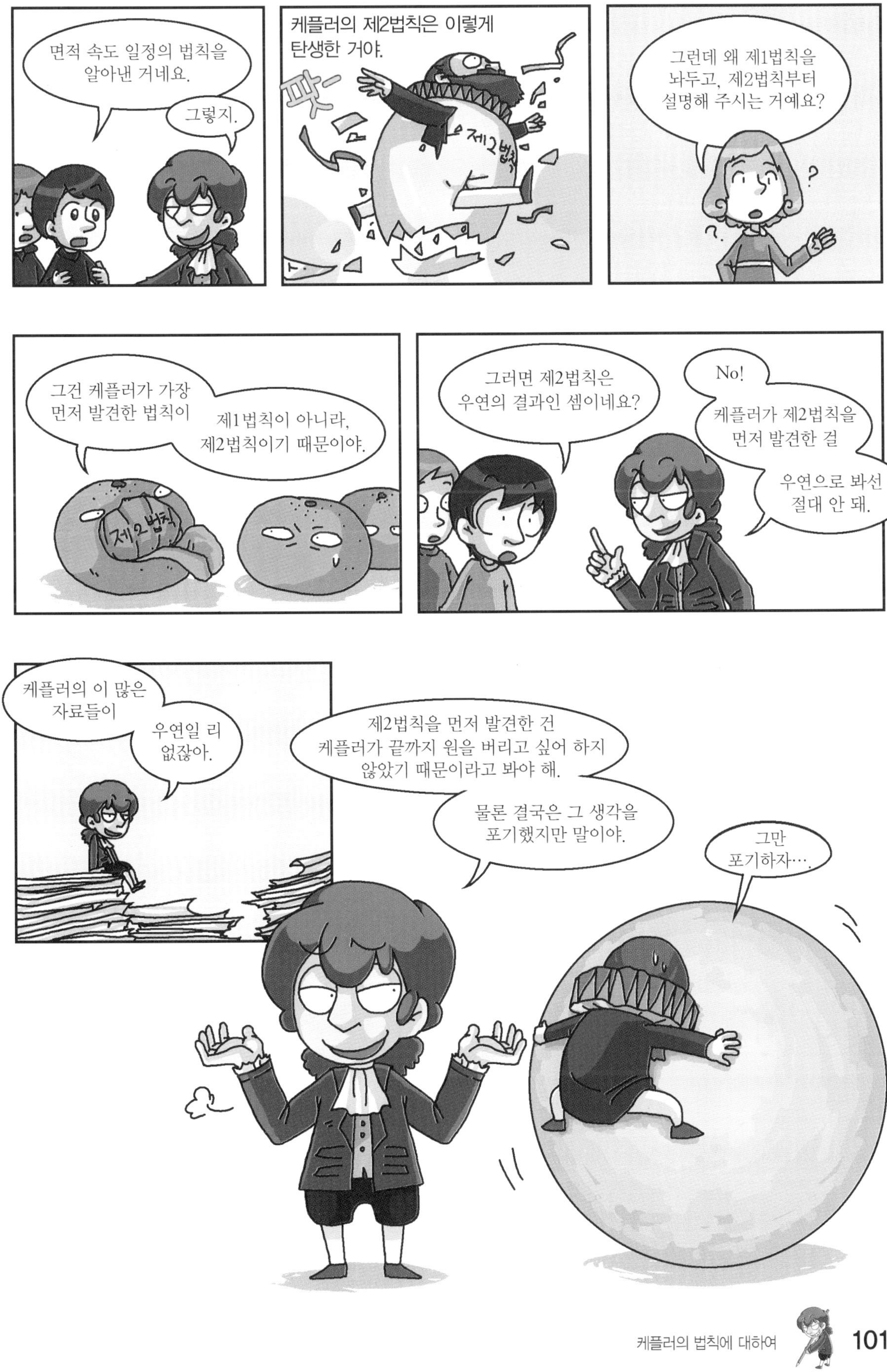
면적 속도 일정의 법칙을 알아낸 거네요.
그렇지.
케플러의 제2법칙은 이렇게 탄생한 거야.
팍
제2법칙
그런데 왜 제1법칙을 놔두고, 제2법칙부터 설명해 주시는 거예요?
그건 케플러가 가장 먼저 발견한 법칙이
제1법칙이 아니라, 제2법칙이기 때문이야.
제2법칙
그러면 제2법칙은 우연의 결과인 셈이네요?
No!
케플러가 제2법칙을 먼저 발견한 걸
우연으로 봐선 절대 안 돼.
케플러의 이 많은 자료들이
우연일 리 없잖아.
제2법칙을 먼저 발견한 건 케플러가 끝까지 원을 버리고 싶어 하지 않았기 때문이라고 봐야 해.
물론 결국은 그 생각을 포기했지만 말이야.
그만 포기하자….

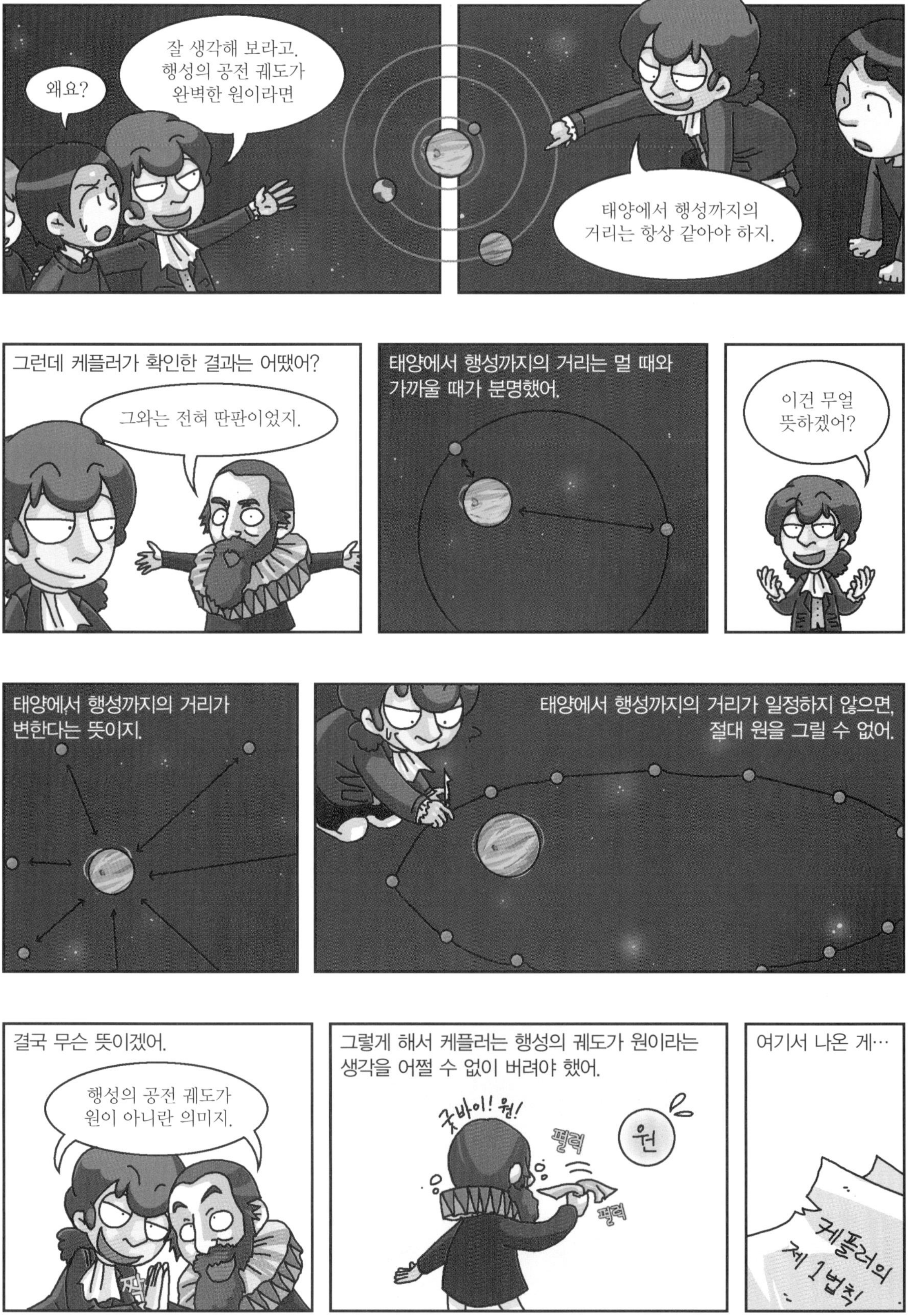
왜요?
잘 생각해 보라고. 행성의 공전 궤도가 완벽한 원이라면
태양에서 행성까지의 거리는 항상 같아야 하지.
그런데 케플러가 확인한 결과는 어땠어?
그와는 전혀 딴판이었지.
태양에서 행성까지의 거리는 멀 때와 가까울 때가 분명했어.
이건 무얼 뜻하겠어?
태양에서 행성까지의 거리가 변한다는 뜻이지.
태양에서 행성까지의 거리가 일정하지 않으면, 절대 원을 그릴 수 없어.
결국 무슨 뜻이겠어.
행성의 공전 궤도가 원이 아니란 의미지.
그렇게 해서 케플러는 행성의 궤도가 원이라는 생각을 어쩔 수 없이 버려야 했어.
굿바이! 원!
펄럭
원
펄럭
여기서 나온 게…
케플러의 제 1법칙

'행성의 공전 궤도는 타원이다.' 라는 케플러의 제1법칙이지.
타원은 원의 양옆이 약간 튀어나온 모양이야.
꾹꾹
둥근 풍선을 누르면 양옆이 튀어나오지? 이런 모양이 타원이야.
찌부러진 원이란 말이군요.
쉽게 럭비공 같은 모양을 생각하면 돼.
케플러는 제2법칙 → 제1법칙 → 제3법칙의 순서로 천체의 법칙을 발견한 셈이지.
제2법칙
제1법칙
제3법칙
케플러는 제3법칙에 도전하면서 무엇보다도 조화로움을 중요시했어.
調 和
고를 조 화목할 화
: 서로 잘 어울림
태양계 행성의 공전 주기와 행성 궤도의 장 반지름 사이에는
공전 주기?
장 반지름?
BB
G
D
Jin
guk
반드시 조화로움이 깃들어 있을 거라고 확신했지.
조화
조화
조화
김장 김치

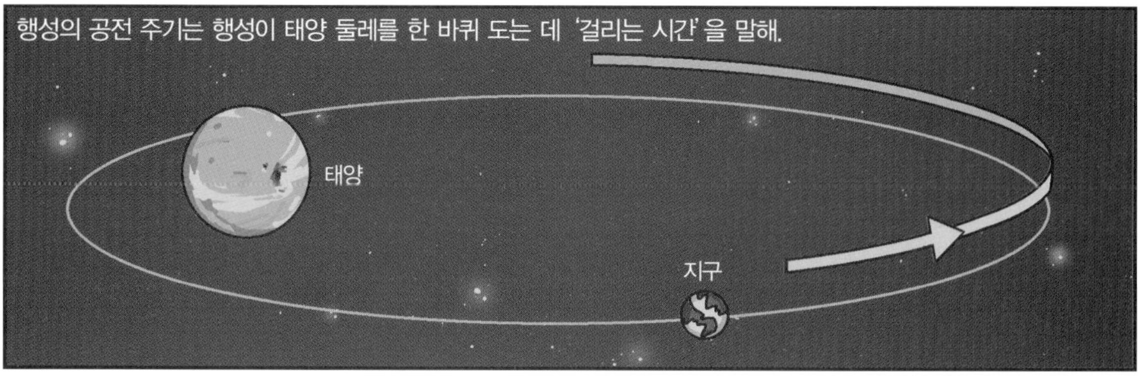
행성의 공전 주기는 행성이 태양 둘레를 한 바퀴 도는 데 '걸리는 시간'을 말해.
태양
지구

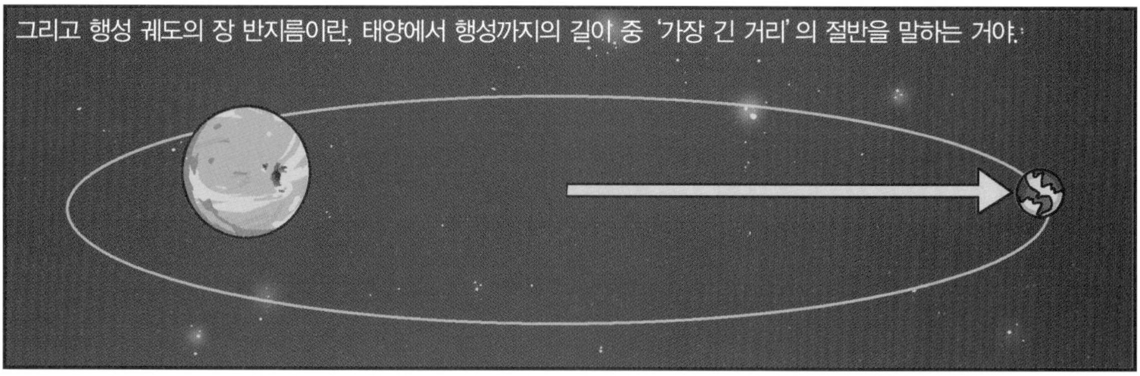
그리고 행성 궤도의 장 반지름이란, 태양에서 행성까지의 길이 중 '가장 긴 거리'의 절반을 말하는 거야.

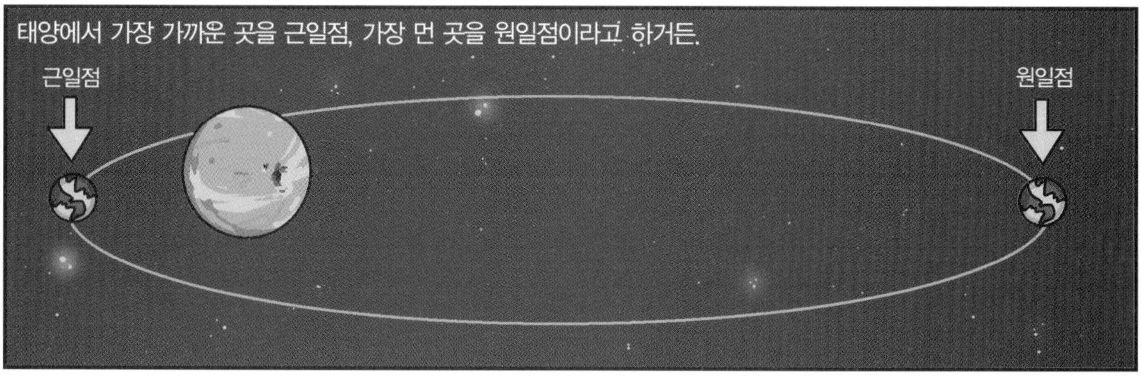
태양에서 가장 가까운 곳을 근일점, 가장 먼 곳을 원일점이라고 하거든.
근일점
원일점

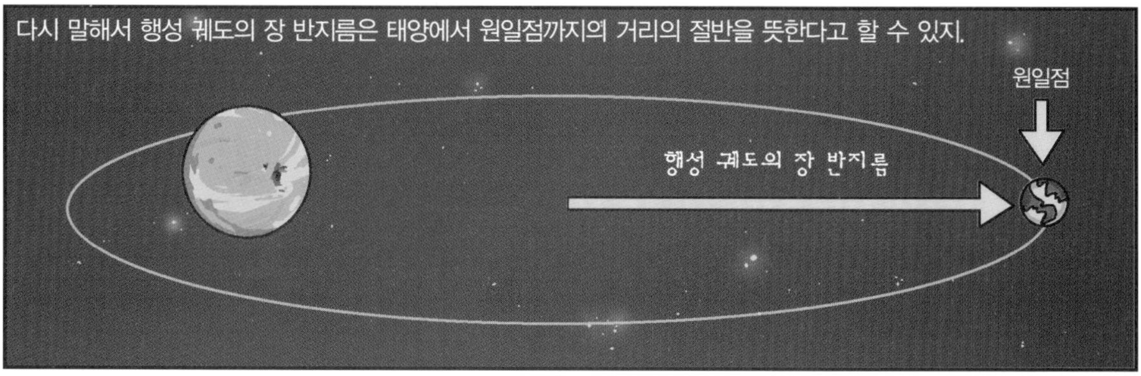
다시 말해서 행성 궤도의 장 반지름은 태양에서 원일점까지의 거리의 절반을 뜻한다고 할 수 있지.
원일점
행성 궤도의 장 반지름

케플러는 그 조화로움을 찾기 위해서 태양계 행성의 공전 주기와
공전 궤도의 장 반지름을 면밀히 검토했어.

태양계 행성의 공전 주기
공전 궤도의 장 반지름

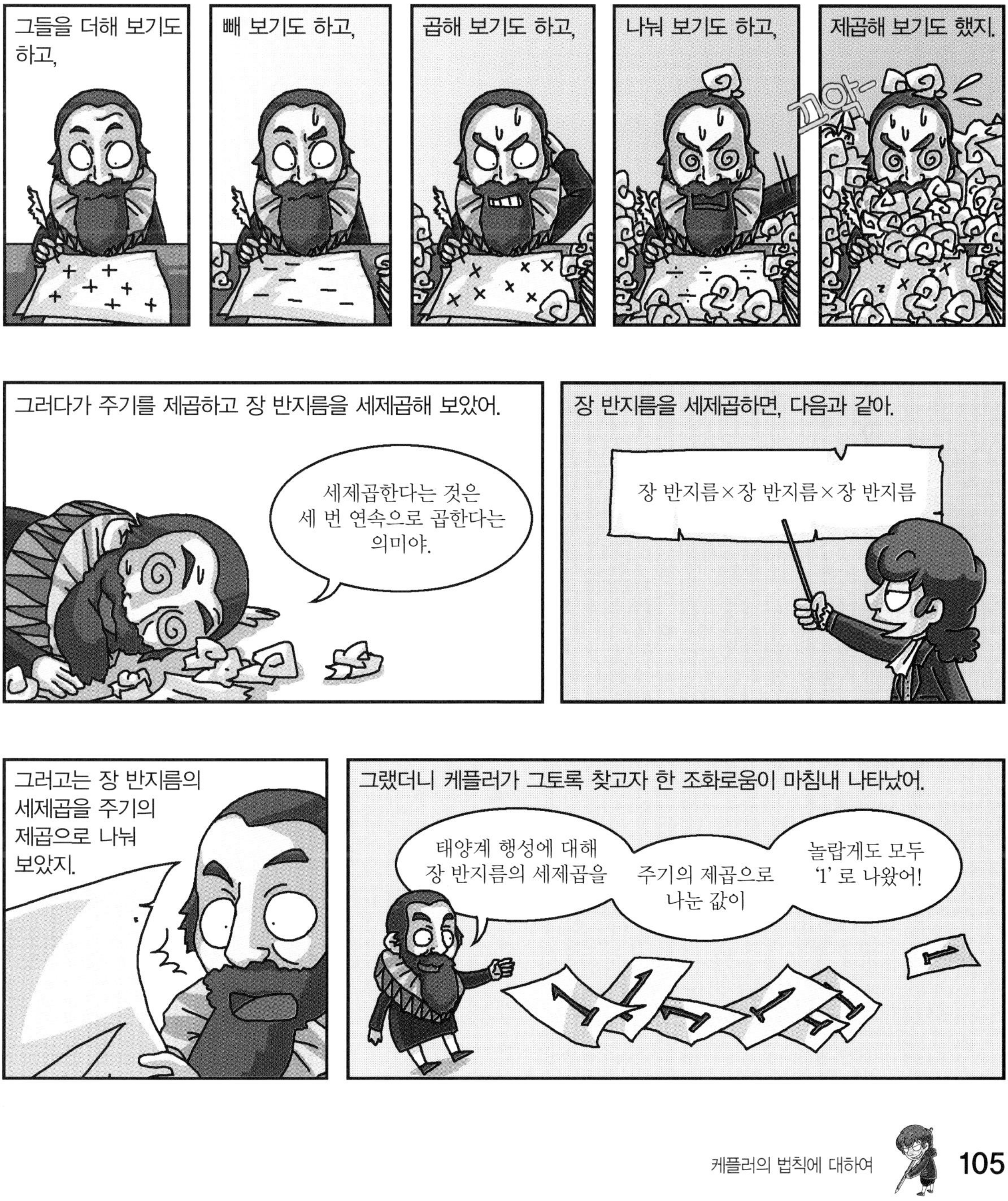
그들을 더해 보기도 하고,
빼 보기도 하고,
곱해 보기도 하고,
나눠 보기도 하고,
제곱해 보기도 했지.
끄악-
그러다가 주기를 제곱하고 장 반지름을 세제곱해 보았어.
세제곱한다는 것은 세 번 연속으로 곱한다는 의미야.
장 반지름을 세제곱하면, 다음과 같아.
장 반지름×장 반지름×장 반지름
그러고는 장 반지름의 세제곱을 주기의 제곱으로 나눠 보았지.
그랬더니 케플러가 그토록 찾고자 한 조화로움이 마침내 나타났어.
태양계 행성에 대해 장 반지름의 세제곱을
주기의 제곱으로 나눈 값이
놀랍게도 모두 '1' 로 나왔어!

$$\frac{\text{수성 공전 궤도의 장 반지름}\times\text{수성 공전 궤도의 장 반지름}\times\text{수성 공전 궤도의 장 반지름}}{\text{수성의 공전 주기}\times\text{수성의 공전 주기}}=1$$

$$\frac{\text{금성 공전 궤도의 장 반지름}\times\text{금성 공전 궤도의 장 반지름}\times\text{금성 공전 궤도의 장 반지름}}{\text{금성의 공전 주기}\times\text{금성의 공전 주기}}=1$$

$$\frac{\text{지구 공전 궤도의 장 반지름}\times\text{지구 공전 궤도의 장 반지름}\times\text{지구 공전 궤도의 장 반지름}}{\text{지구의 공전 주기}\times\text{지구의 공전 주기}}=1$$

$$\frac{\text{화성 공전 궤도의 장 반지름}\times\text{화성 공전 궤도의 장 반지름}\times\text{화성 공전 궤도의 장 반지름}}{\text{화성의 공전 주기}\times\text{화성의 공전 주기}}=1$$

$$\frac{\text{목성 공전 궤도의 장 반지름}\times\text{목성 공전 궤도의 장 반지름}\times\text{목성 공전 궤도의 장 반지름}}{\text{목성의 공전 주기}\times\text{목성의 공전 주기}}=1$$

$$\frac{\text{토성 공전 궤도의 장 반지름}\times\text{토성 공전 궤도의 장 반지름}\times\text{토성 공전 궤도의 장 반지름}}{\text{토성의 공전 주기}\times\text{토성의 공전 주기}}=1$$

이 얼마나 아름다운 조화로움인가!

물론 결과가 1이라서 조화롭다는 뜻은 아니야. 각기 다른 행성에 적용한 결과가 하나로 통일 되었다는 게 중요하지.

그래서 케플러의 제3법칙을 조화의 법칙이라고 부르게 되었어.
조화롭네, 조화로워!
값이 1로 통일되다니!

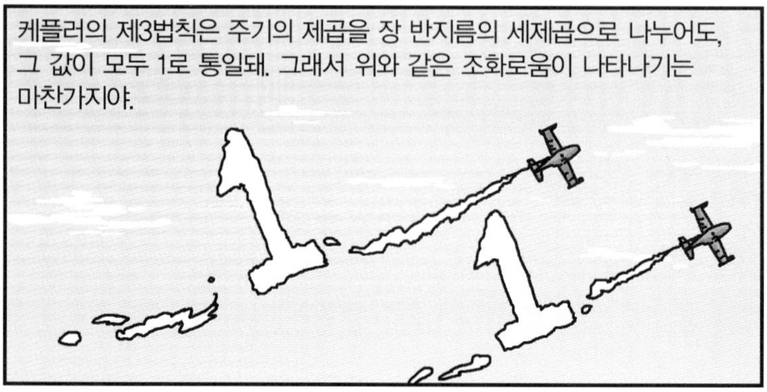
케플러의 제3법칙은 주기의 제곱을 장 반지름의 세제곱으로 나누어도, 그 값이 모두 1로 통일돼. 그래서 위와 같은 조화로움이 나타나기는 마찬가지야.

뉴턴은 《프린키피아》에서 케플러의 이 세 가지 법칙을 언급했어.
프린키피아

태양계의 행성은 타원을 그리며 공전한다.
이것은 케플러의 제1법칙인 타원 궤도의 법칙이야.
그리고 또 이렇게 썼어.
행성과 태양 사이에 그은 반지름은 시간에 비례하는 넓이를 그린다.
이것은 면적 속도 일정의 법칙인 케플러의 제2법칙이지.
a=b
마지막은 이거야.
행성 궤도의 장 반지름의 세제곱은 그 주기의 제곱에 비례한다.
이것은 조화의 법칙인 케플러의 제3법칙을 말해.
그러고는 각각의 주장을 보란 듯이 수학으로 증명해 냈지.
케플러의 제1법칙과 제2법칙에 대한 증명은 《프린키피아》 제1권 법칙 11과 법칙 68, 그에 딸린 보조 법칙에 나와 있어.
뉴턴을 사면 '케플러'도!!
1+1 행사
그럼 《프린키피아》 1권의 법칙 11을 한번 들여다볼까?
풀썩

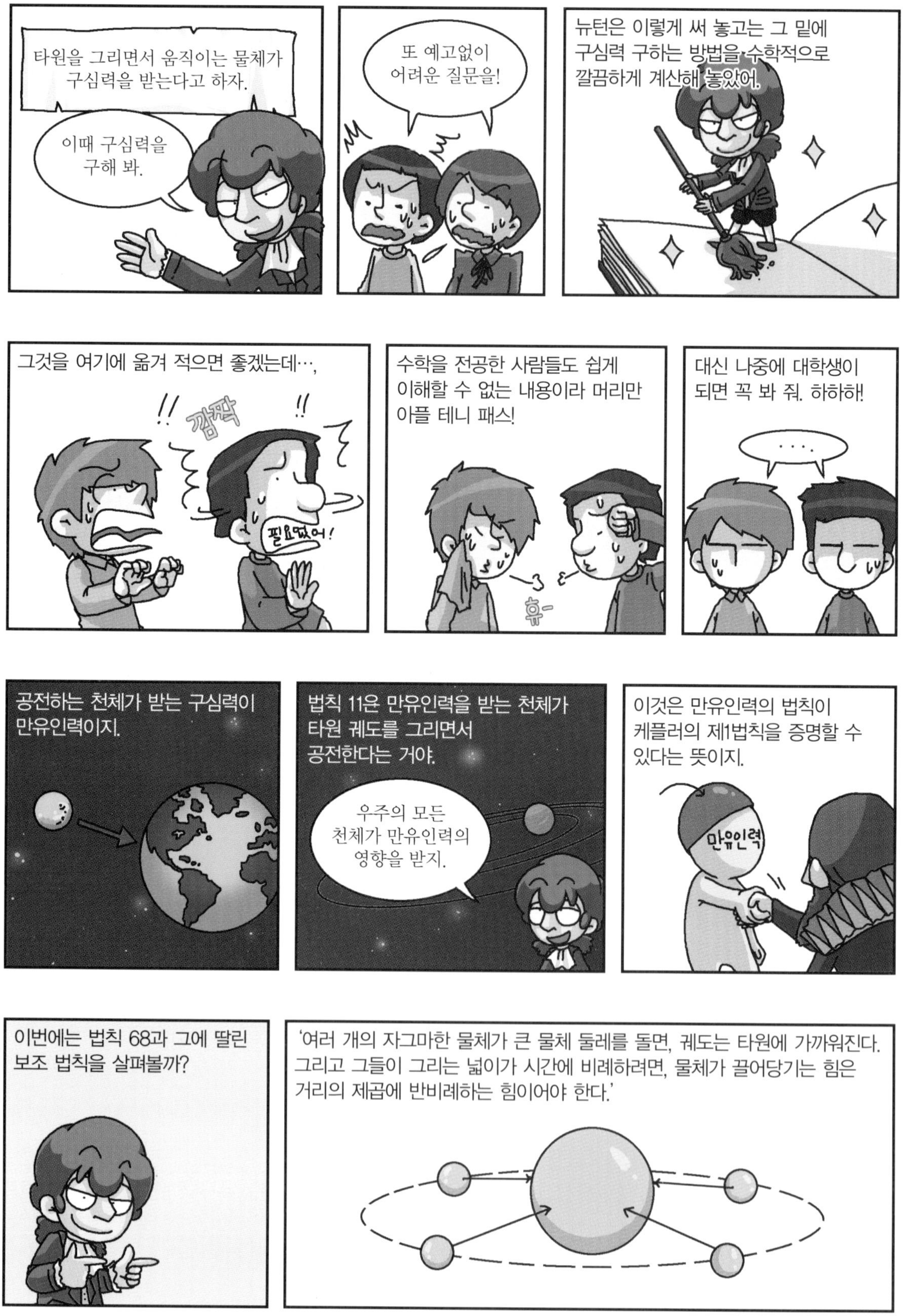
타원을 그리면서 움직이는 물체가 구심력을 받는다고 하자.
이때 구심력을 구해 봐.
또 예고없이 어려운 질문을!
뉴턴은 이렇게 써 놓고는 그 밑에 구심력 구하는 방법을 수학적으로 깔끔하게 계산해 놓았어.
그것을 여기에 옮겨 적으면 좋겠는데···,
!!
깜짝
!!
필요없어!
수학을 전공한 사람들도 쉽게 이해할 수 없는 내용이라 머리만 아플 테니 패스!
휴-
대신 나중에 대학생이 되면 꼭 봐 줘. 하하하!
....
공전하는 천체가 받는 구심력이 만유인력이지.
법칙 11은 만유인력을 받는 천체가 타원 궤도를 그리면서 공전한다는 거야.
우주의 모든 천체가 만유인력의 영향을 받지.
이것은 만유인력의 법칙이 케플러의 제1법칙을 증명할 수 있다는 뜻이지.
만유인력
이번에는 법칙 68과 그에 딸린 보조 법칙을 살펴볼까?
'여러 개의 자그마한 물체가 큰 물체 둘레를 돌면, 궤도는 타원에 가까워진다. 그리고 그들이 그리는 넓이가 시간에 비례하려면, 물체가 끌어당기는 힘은 거리의 제곱에 반비례하는 힘이어야 한다.'

뉴턴은 이렇게 써 놓고 그 아래에 역시 자세한 설명을 덧붙여 놓았어.
너무 어…려워….
끄응~
그 설명도 여기선 그냥 넘어가자고.
탁
여기서 여러 개의 작은 물체는 태양계의 행성, 큰 물체는 태양, 거리의 제곱에 반비례하는 힘은 만유인력을 뜻해.
만유인력
그러니까 법칙 68과 그에 딸린 보조 법칙은 태양계의 행성은 만유인력을 받으면서,
같은 시간 동안 같은 면적을 그리면서 공전한다는 말이 되는 거야.
이것은 만유인력의 법칙이 케플러의 제2법칙을 증명할 수 있다는 뜻이지.
만유인력
뉴턴은 케플러의 제3법칙에 대한 증명은 《프린키피아》 제1권의 법칙 15를 보라고 했어.
법칙 15는 간단명료하지.
15

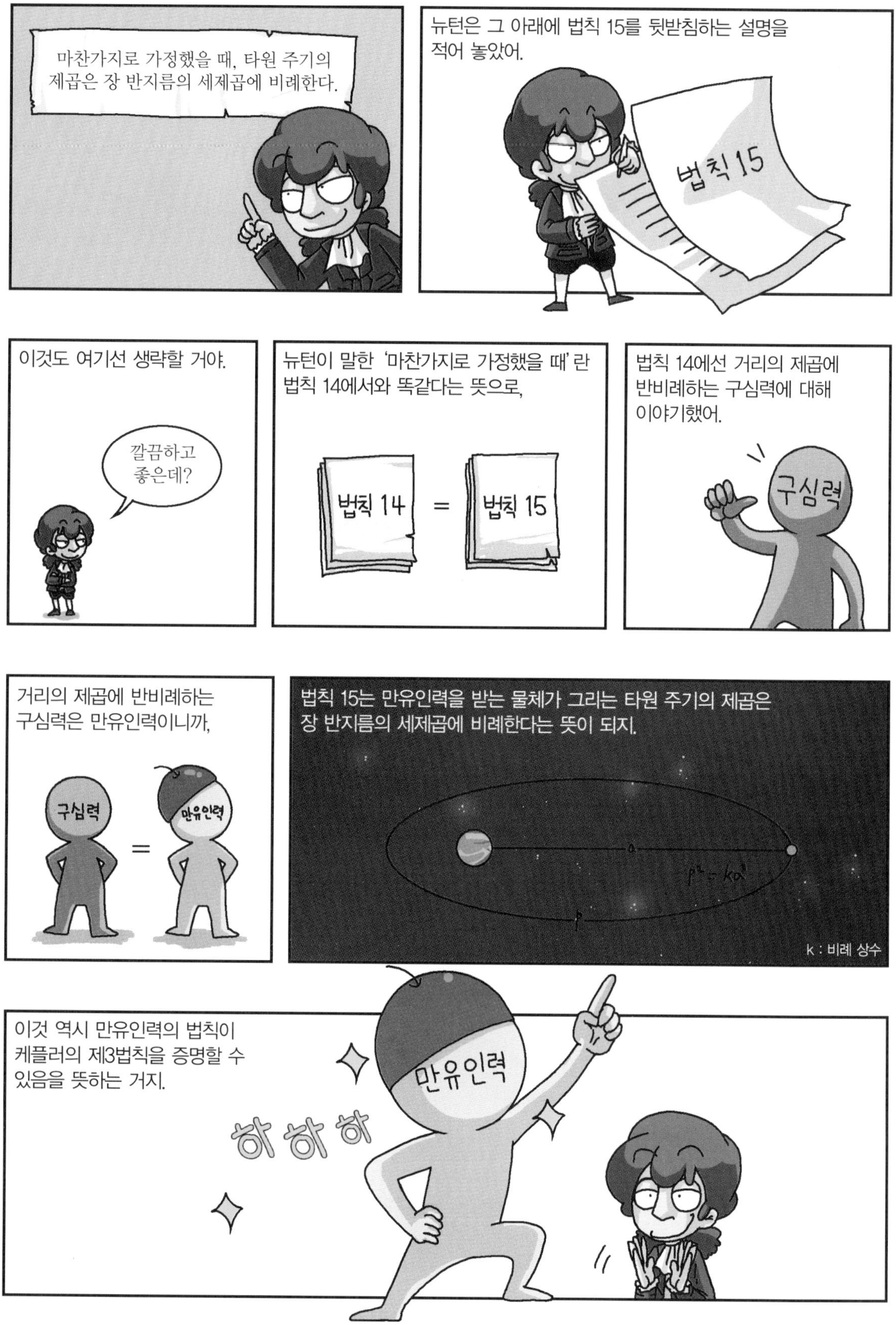
마찬가지로 가정했을 때, 타원 주기의 제곱은 장 반지름의 세제곱에 비례한다.
뉴턴은 그 아래에 법칙 15를 뒷받침하는 설명을 적어 놓았어.
법칙 15
이것도 여기선 생략할 거야.
깔끔하고 좋은데?
뉴턴이 말한 '마찬가지로 가정했을 때'란 법칙 14에서와 똑같다는 뜻으로,
법칙 14
=
법칙 15
법칙 14에선 거리의 제곱에 반비례하는 구심력에 대해 이야기했어.
구심력
거리의 제곱에 반비례하는 구심력은 만유인력이니까,
구심력
=
만유인력
법칙 15는 만유인력을 받는 물체가 그리는 타원 주기의 제곱은 장 반지름의 세제곱에 비례한다는 뜻이 되지.
k : 비례 상수
이것 역시 만유인력의 법칙이 케플러의 제3법칙을 증명할 수 있음을 뜻하는 거지.
하하하
만유인력

만유인력의 법칙은 이처럼 케플러의
세 가지 법칙을 산뜻하게 증명해.
만유인력
1법칙
2법칙
3법칙
케플러는 천체의 세 가지 법칙을
이끌어 내긴 했지만,
자,
간다~!
법칙
그것을 수학적으로 엄밀하게
증명해 내진 못했지.
증
명
퉁~
그런데 뉴턴은 그것을 증명해 낸 거야.
케플러의
법칙
리바운드!
만유인력
만유인력의 법칙 하나로
말이지.
만유인력
케플러의
법칙
철썩
그래, 난 뉴턴.
불가능을 모르는
남자야.
케플러의 법칙 하나하나가
지방 사또쯤 된다면,
만유인력의 법칙은 그들을
하나로 묶는
만유인력
나라의 왕이나
마찬가지인 셈이야.
왜 만유인력의 법칙이 위대한지,
하하
하하
만유인력
뉴턴이 얼마나 걸출한 물리학자인지 여기서도 알 수 있겠지?
구심력
만유인력

드넓은 우주를 관측하다!

천체 망원경

천체 망원경은 말 그대로 천체를 관측할 때 쓰는 망원경입니다. 갈릴레이 식, 케플러 식, 뉴턴 식 등이 있지요. 재료에 따라서는 광학 망원경, 전파 망원경 등으로 구분할 수 있습니다.

우리가 천문대에서 흔히 보는 망원경은 광학 망원경입니다. 렌즈를 사용하는 굴절식, 반사경을 사용하는 반사식, 반사경과 렌즈를 모두 사용하는 반사·굴절식으로 구분할 수 있지요. 갈릴레이가 은하수를 관찰할 때 사용한 망원경이나 허블이 은하를 관측할 때 썼던 망원경이 바로 광학 망원경입니다.

광학 망원경은 가시광선으로 물체를 확인합니다. 그런데 빛에는 그런 가시광선만 있는 게 아니지요. 전파도 있습니다. 이런 전파를 볼 수 있게 고안한 망원경이 전파 망원경입니다. 전파 망원경은 반사경이나 렌즈 대신 철사를 사용합니다. 얼기설기 얽어 맨 철사가 전파를 포착해 분석하지요. 전파는 가시광선보다 세기가 약해서 전파 망원경으로 잡은 영상은 광학 망원경에 비해 흐릿합니다. 이런 단점을 극복하려면 전파를 많이 모아야겠지요. 빛이 많을수록 선명해질 테니까요. 그래서 빛의 선명도를 높이려고 전파 망원경을 점점 대규모로 만듭니다. 하지만 크게 만드는 데에도 한계가 있지요. 그래서 세계 곳곳에 설치한 전파 망원경을 컴퓨터로 연결해 사용하고 있답니다.

빛에는 가시광선과 전파 외에 자외선, 적외선 등도 있습니다. 뿐만 아니라 자외선 너머에 X-선과 감마선이 있고, 적외선 너머에 마이크로파가 있지요. 우리의 눈은 가시광선만 볼 수 있지만 천체가 방출하는 빛에는 이런 빛들이 모두 들어 있습니다. 그런데 이 빛들은 광학 망원경이나 전파 망원경으로는 볼 수 없습니다. 과학자들이 적외선 망원경, 자외선 망원경, X-선 망원경, 감마선 망원경 등을 만드는 이유이지요.

천체에서 오는 적외선, 자외선, X-선, 감마선과 일부 전파는 지구의 대기를 잘 통과하지 못합니다. 그래서 천체 망원경은 되도록 우주 공간에 설치합니다. 허블 우주 망원경처럼 말이지요.

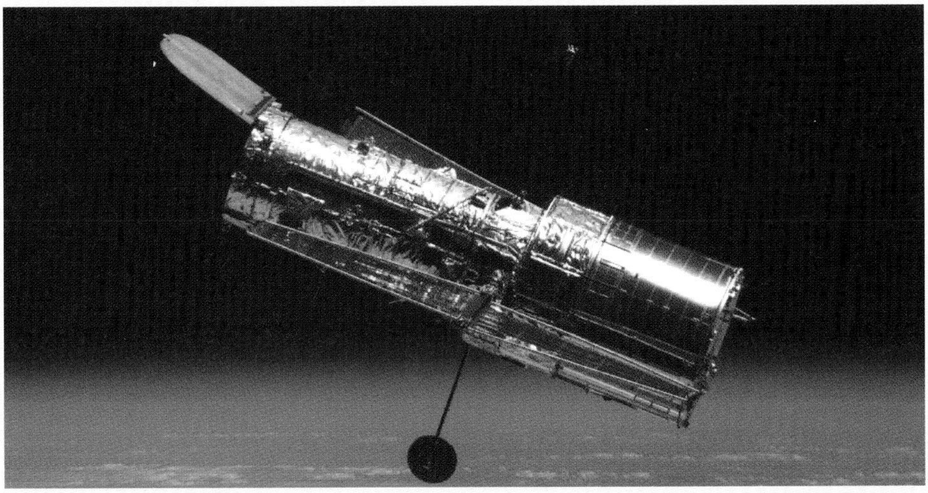

▲ 우주 왕복선 디스커버리 호에서 찍은 허블 우주 망원경

제7장 지구 타원체에 대하여

지구본은
타원이 아니네.

옛 사람들은 지구가 평평하다고 생각했어.
그래서 바다 저 끝이나, 땅 끝자락 저 너머엔 지옥으로 떨어지는 낭떠러지가 있을 거라고 믿어 의심치 않았지.
으악~
하지만 실제는 그렇지 않아.
지구는 둥글지.
그 사실은 마젤란*이 배를 타고 세계 일주를 함으로써 밝혀졌어.
잘 다녀와!
다녀올게!
지구가 둥글지 않다면, 지구를 한 바퀴 돌아서 출발 지점으로 되돌아올 수 없었을 테니까 말이야.
이게 얼마 만이야~.
어서 와!
다녀왔어!

***마젤란** – 포르투갈의 탐험가. 1519년 스페인을 출발해 남아메리카를 순항하면서 마젤란 해협을 발견하고 태평양을 횡단했다.

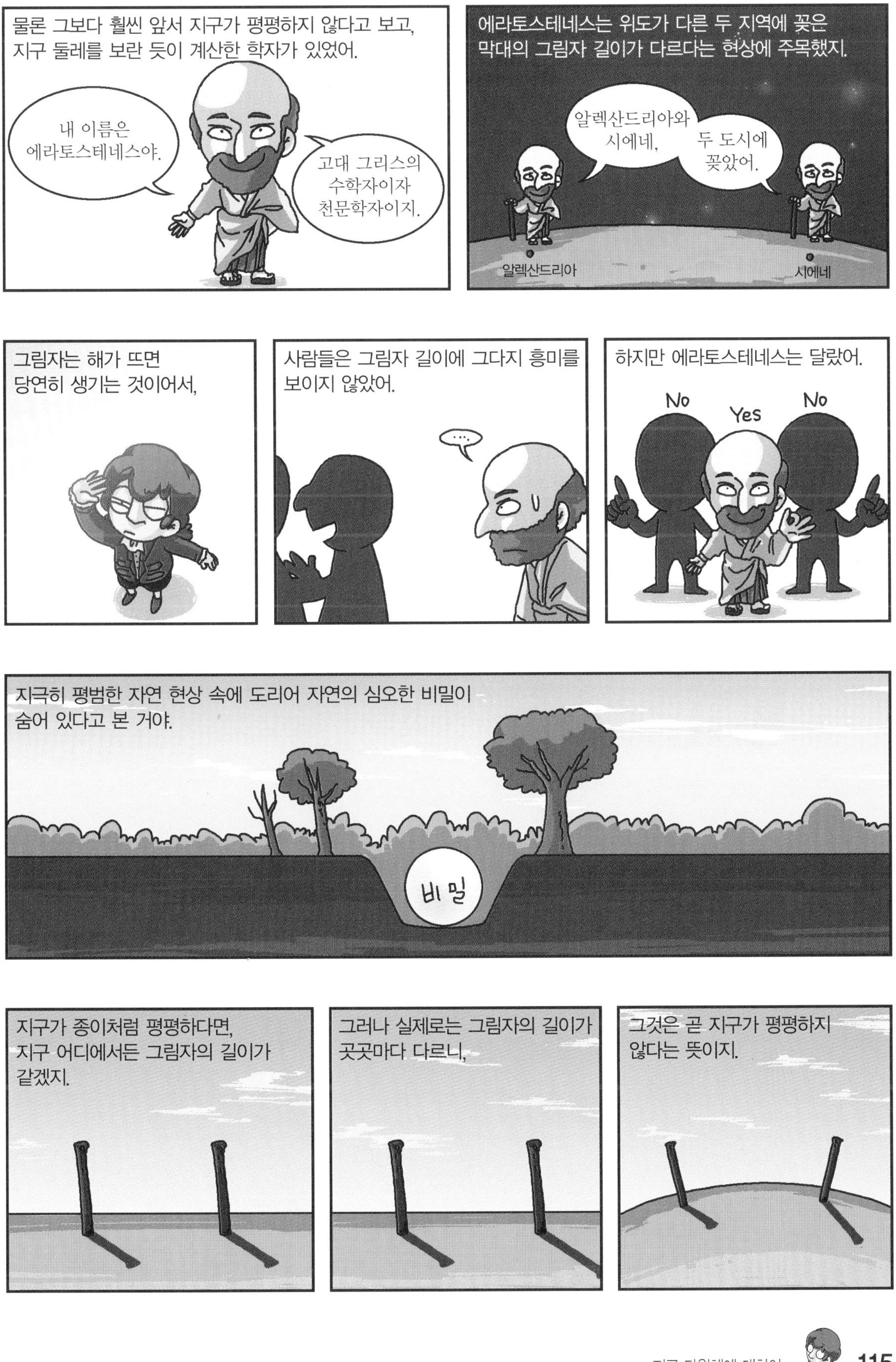

물론 그보다 훨씬 앞서 지구가 평평하지 않다고 보고,
지구 둘레를 보란 듯이 계산한 학자가 있었어.
내 이름은 에라토스테네스야.
고대 그리스의 수학자이자 천문학자이지.
에라토스테네스는 위도가 다른 두 지역에 꽂은
막대의 그림자 길이가 다르다는 현상에 주목했지.
알렉산드리아와 시에네,
두 도시에 꽂았어.
알렉산드리아
시에네
그림자는 해가 뜨면
당연히 생기는 것이어서,
사람들은 그림자 길이에 그다지 흥미를
보이지 않았어.
…
하지만 에라토스테네스는 달랐어.
No
Yes
No
지극히 평범한 자연 현상 속에 도리어 자연의 심오한 비밀이
숨어 있다고 본 거야.
비밀
지구가 종이처럼 평평하다면,
지구 어디에서든 그림자의 길이가
같겠지.
그러나 실제로는 그림자의 길이가
곳곳마다 다르니,
그것은 곧 지구가 평평하지
않다는 뜻이지.

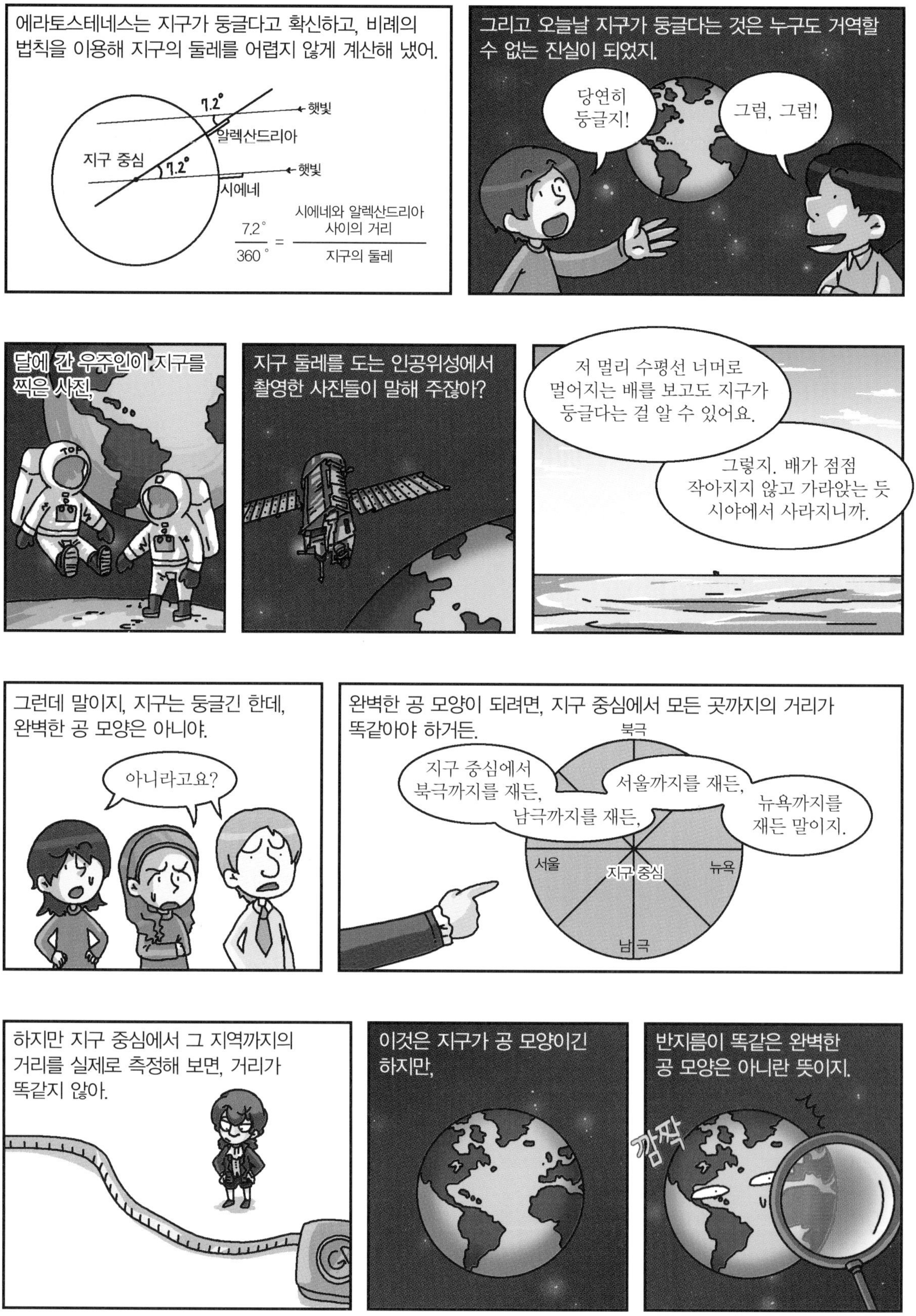
에라토스테네스는 지구가 둥글다고 확신하고, 비례의 법칙을 이용해 지구의 둘레를 어렵지 않게 계산해 냈어.
7.2°
햇빛
알렉산드리아
지구 중심
7.2°
햇빛
시에네
7.2° / 360° = 시에네와 알렉산드리아 사이의 거리 / 지구의 둘레
그리고 오늘날 지구가 둥글다는 것은 누구도 거역할 수 없는 진실이 되었지.
당연히 둥글지!
그럼, 그럼!
달에 간 우주인이 지구를 찍은 사진,
TOP
지구 둘레를 도는 인공위성에서 촬영한 사진들이 말해 주잖아?
저 멀리 수평선 너머로 멀어지는 배를 보고도 지구가 둥글다는 걸 알 수 있어요.
그렇지. 배가 점점 작아지지 않고 가라앉는 듯 시야에서 사라지니까.
그런데 말이지, 지구는 둥글긴 한데, 완벽한 공 모양은 아니야.
아니라고요?
완벽한 공 모양이 되려면, 지구 중심에서 모든 곳까지의 거리가 똑같아야 하거든.
북극
지구 중심에서 북극까지를 재든,
남극까지를 재든,
서울까지를 재든,
뉴욕까지를 재든 말이지.
서울
지구 중심
뉴욕
남극
하지만 지구 중심에서 그 지역까지의 거리를 실제로 측정해 보면, 거리가 똑같지 않아.
이것은 지구가 공 모양이긴 하지만,
반지름이 똑같은 완벽한 공 모양은 아니란 뜻이지.
깜짝

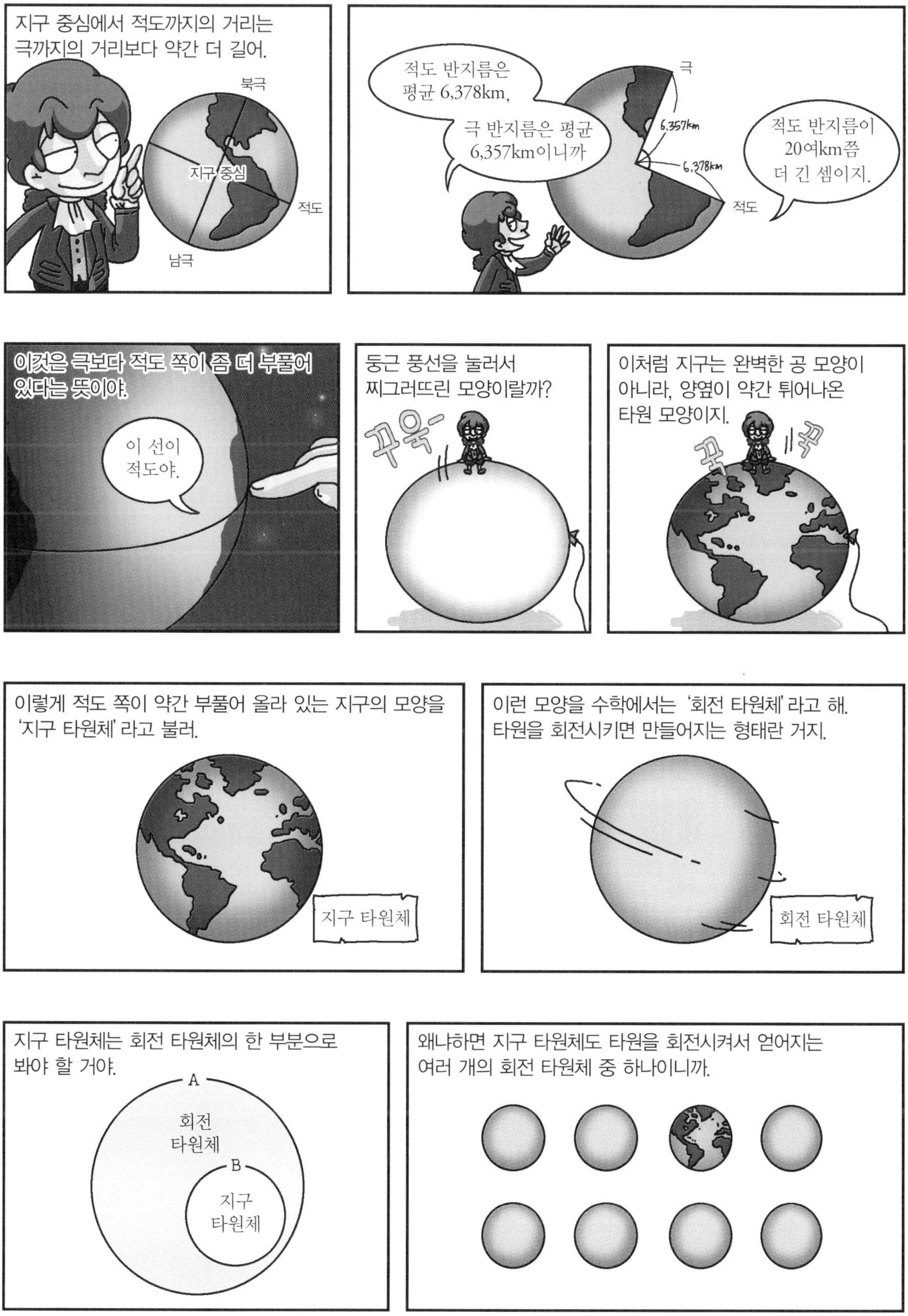
지구 중심에서 적도까지의 거리는
극까지의 거리보다 약간 더 길어.
북극
지구 중심
적도
남극
적도 반지름은
평균 6,378km,
극 반지름은 평균
6,357km이니까
극
6,357km
6,378km
적도
적도 반지름이
20여km쯤
더 긴 셈이지.
이것은 극보다 적도 쪽이 좀 더 부풀어
있다는 뜻이야.
이 선이
적도야.
둥근 풍선을 눌러서
찌그러뜨린 모양이랄까?
꾸욱-
이처럼 지구는 완벽한 공 모양이
아니라, 양옆이 약간 튀어나온
타원 모양이지.
꾹
꾹
이렇게 적도 쪽이 약간 부풀어 올라 있는 지구의 모양을
'지구 타원체' 라고 불러.
지구 타원체
이런 모양을 수학에서는 '회전 타원체' 라고 해.
타원을 회전시키면 만들어지는 형태란 거지.
회전 타원체
지구 타원체는 회전 타원체의 한 부분으로
봐야 할 거야.
A
회전
타원체
B
지구
타원체
왜냐하면 지구 타원체도 타원을 회전시켜서 얻어지는
여러 개의 회전 타원체 중 하나이니까.

예를 들어, 목성이 지구처럼 적도 근방이 튀어나온 모양을 하고 있다면,
지구 타원체라고 부르는 게 맞겠어,
회전 타원체라고 부르는 게 맞겠어?
목성이니까 지구 타원체는 아니지.
목성 타원체라고 부르는 게 알맞을 거야. 회전 타원체라고 불러도 되고.
그런데 지구는 왜 적도 쪽이 다소 부풀어 올라 있을까?
이것을 처음으로 고민한 학자가 누군지 알아?
에라토스테네스요.
자신있게 대답했는데, 미안하지만 아니거든.
답은 뉴턴이야.
그리고 그 원인을 처음으로 밝힌 사람도 바로 나야.
뉴턴은 《프린키피아》에 지구 타원체의 원인에 대해서도 밝혀 놓았어.
《프린키피아》에는 정말 많은 내용이 담겨 있구나!

그 원인은 다음과 같아.
지구가 자전하는 까닭에, 적도 쪽이 극보다 더 부풀어 있다.
지구가 타원체 모양인 이유를
지구의 자전에서 찾은 거네요.
그렇지.
누구보다 합리적이고 논리적인 뉴턴이 그냥 허투루 이런 말을 했을 리는 없겠죠?
어떤 근거를 댔나요?
지구는 회전축(지축)을 중심으로, 하루에 한 바퀴씩 도는 운동을 해.
그것이 지구의 자전이잖아요.
지구의 자전은 원운동이지.
원운동을 하면 원심력이 생기고,
원심력
원심력은 거리에 따라서 달라져.
원심력도 힘이니까.
거리
원심력이 거리에 따라서 어떻게 달라지는지 직접 경험해 보려면 놀이터에 가서 일명 '뺑뺑이'를 타 보면 돼.
원심력
뺑뺑이를 타면, 중심에 있을 땐 잘 느껴지지 않다가
휘릭-
원심력
중심에서 멀어질수록 바깥으로 밀려나려는 힘이 강하게 느껴져.
휘리릭-
원심력
그건 원심력이 중심에서 멀어질수록 더 강해진다는 뜻이지.

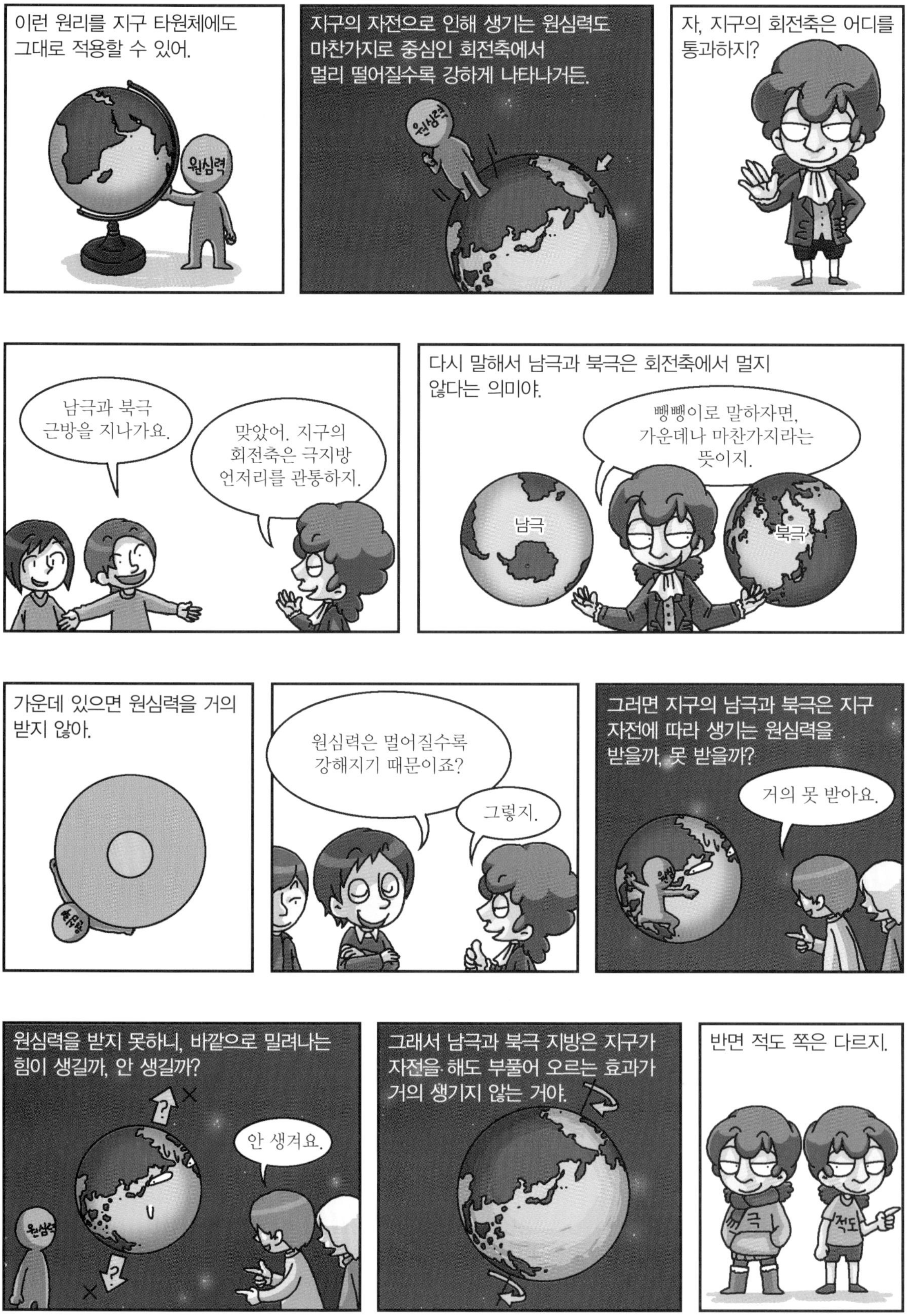

이런 원리를 지구 타원체에도 그대로 적용할 수 있어.
원심력
지구의 자전으로 인해 생기는 원심력도 마찬가지로 중심인 회전축에서 멀리 떨어질수록 강하게 나타나거든.
원심력
자, 지구의 회전축은 어디를 통과하지?
남극과 북극 근방을 지나가요.
맞았어. 지구의 회전축은 극지방 언저리를 관통하지.
다시 말해서 남극과 북극은 회전축에서 멀지 않다는 의미야.
빵빵이로 말하자면, 가운데나 마찬가지라는 뜻이지.
남극
북극
가운데 있으면 원심력을 거의 받지 않아.
원심력은 멀어질수록 강해지기 때문이죠?
그렇지.
그러면 지구의 남극과 북극은 지구 자전에 따라 생기는 원심력을 받을까, 못 받을까?
거의 못 받아요.
원심력을 받지 못하니, 바깥으로 밀려나는 힘이 생길까, 안 생길까?
안 생겨요.
원심력
그래서 남극과 북극 지방은 지구가 자전을 해도 부풀어 오르는 효과가 거의 생기지 않는 거야.
반면 적도 쪽은 다르지.
극
적도

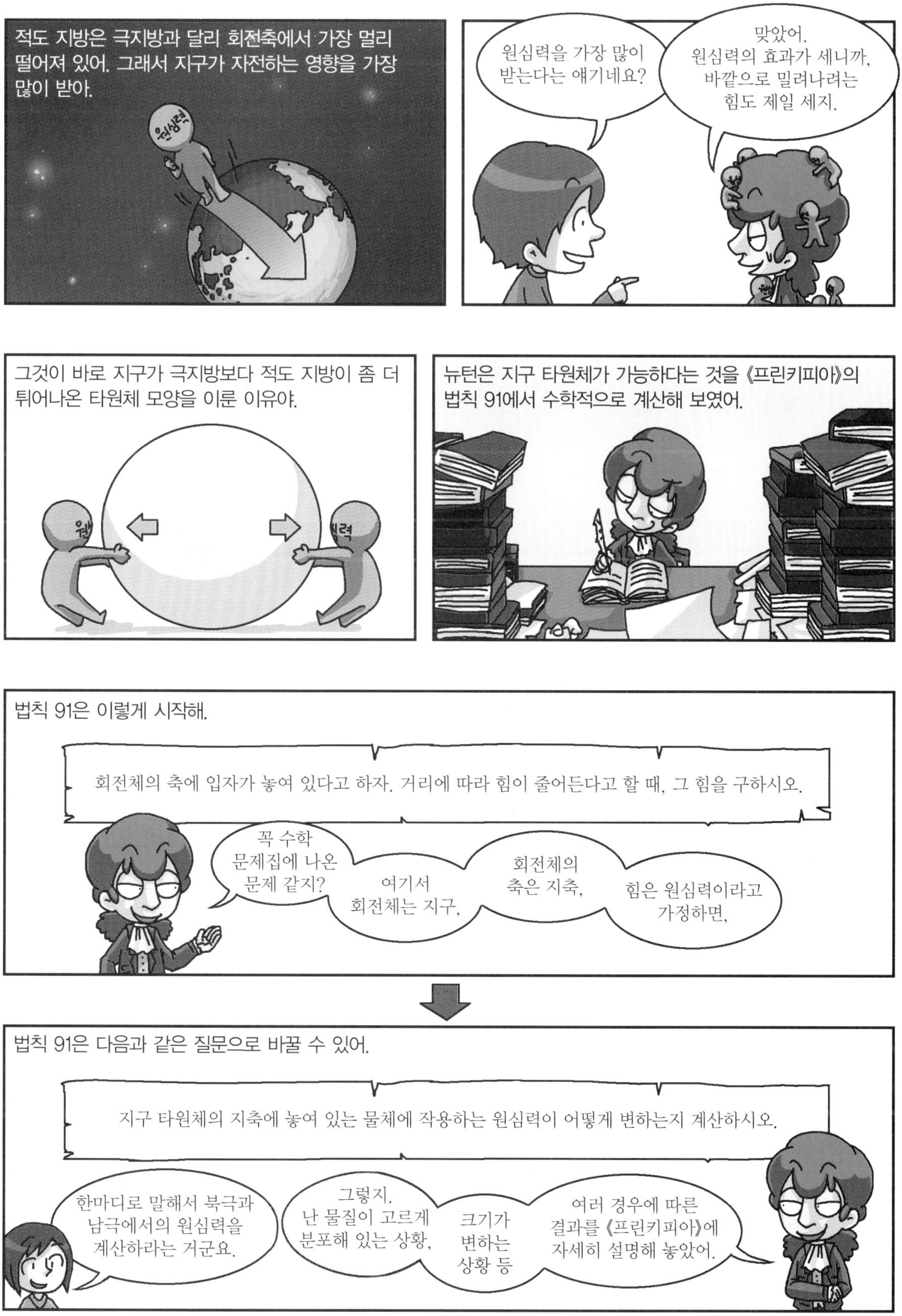
적도 지방은 극지방과 달리 회전축에서 가장 멀리 떨어져 있어. 그래서 지구가 자전하는 영향을 가장 많이 받아.
원심력을 가장 많이 받는다는 얘기네요?
맞았어. 원심력의 효과가 세니까, 바깥으로 밀려나려는 힘도 제일 세지.
그것이 바로 지구가 극지방보다 적도 지방이 좀 더 튀어나온 타원체 모양을 이룬 이유야.
뉴턴은 지구 타원체가 가능하다는 것을 《프린키피아》의 법칙 91에서 수학적으로 계산해 보였어.
법칙 91은 이렇게 시작해.
회전체의 축에 입자가 놓여 있다고 하자. 거리에 따라 힘이 줄어든다고 할 때, 그 힘을 구하시오.
꼭 수학 문제집에 나온 문제 같지?
여기서 회전체는 지구,
회전체의 축은 지축,
힘은 원심력이라고 가정하면,
법칙 91은 다음과 같은 질문으로 바꿀 수 있어.
지구 타원체의 지축에 놓여 있는 물체에 작용하는 원심력이 어떻게 변하는지 계산하시오.
한마디로 말해서 북극과 남극에서의 원심력을 계산하라는 거군요.
그렇지. 난 물질이 고르게 분포해 있는 상황,
크기가 변하는 상황 등
여러 경우에 따른 결과를 《프린키피아》에 자세히 설명해 놓았어.

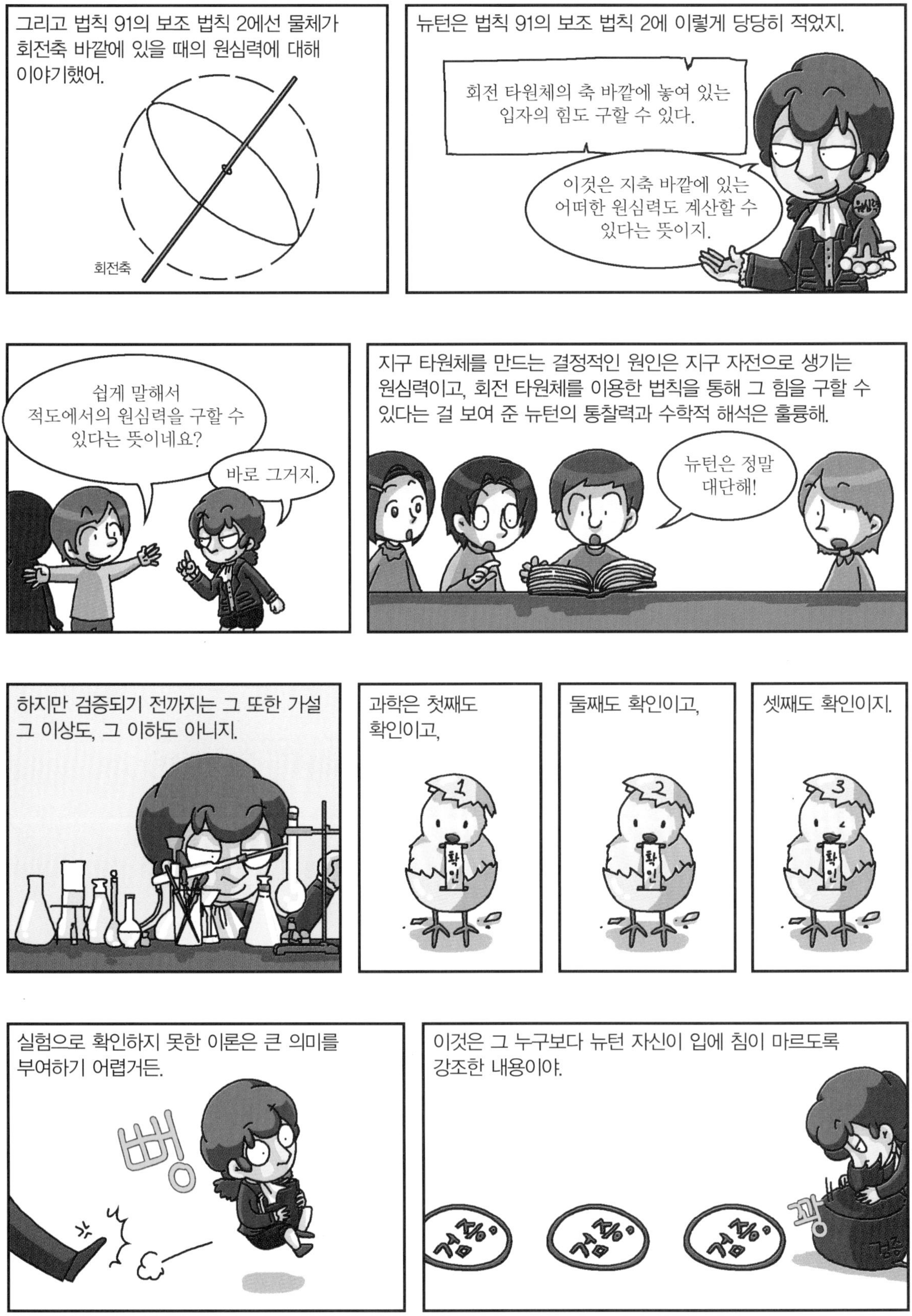
그리고 법칙 91의 보조 법칙 2에선 물체가 회전축 바깥에 있을 때의 원심력에 대해 이야기했어.
회전축
뉴턴은 법칙 91의 보조 법칙 2에 이렇게 당당히 적었지.
회전 타원체의 축 바깥에 놓여 있는 입자의 힘도 구할 수 있다.
이것은 지축 바깥에 있는 어떠한 원심력도 계산할 수 있다는 뜻이지.
원심력
쉽게 말해서 적도에서의 원심력을 구할 수 있다는 뜻이네요?
바로 그거지.
지구 타원체를 만드는 결정적인 원인은 지구 자전으로 생기는 원심력이고, 회전 타원체를 이용한 법칙을 통해 그 힘을 구할 수 있다는 걸 보여 준 뉴턴의 통찰력과 수학적 해석은 훌륭해.
뉴턴은 정말 대단해!
하지만 검증되기 전까지는 그 또한 가설 그 이상도, 그 이하도 아니지.
과학은 첫째도 확인이고,
1
확인
둘째도 확인이고,
2
확인
셋째도 확인이지.
3
확인
실험으로 확인하지 못한 이론은 큰 의미를 부여하기 어렵거든.
뻥
이것은 그 누구보다 뉴턴 자신이 입에 침이 마르도록 강조한 내용이야.
검증
검증
검증
쾅
검증

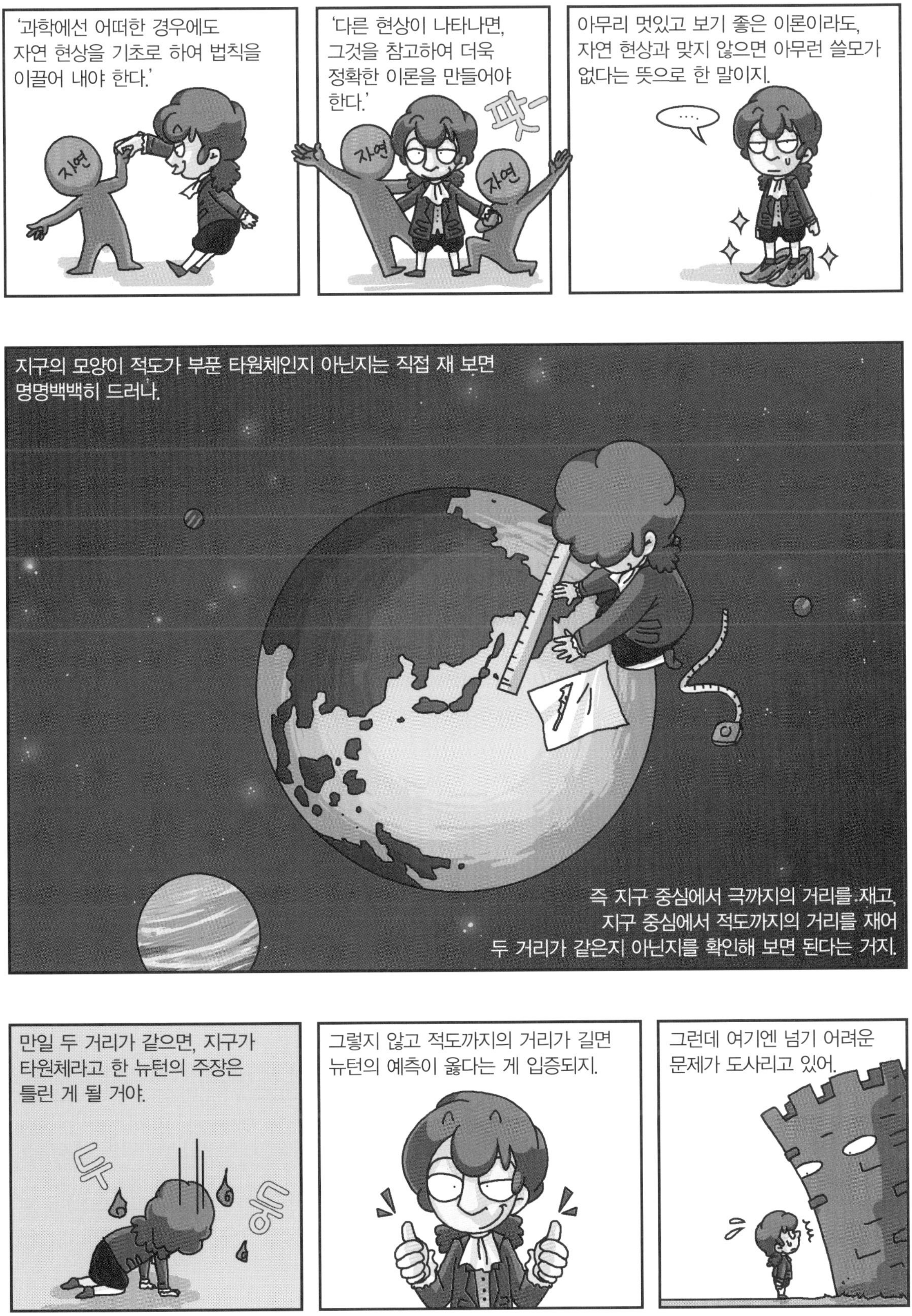
'과학에선 어떠한 경우에도
자연 현상을 기초로 하여 법칙을
이끌어 내야 한다.'
자연
'다른 현상이 나타나면,
그것을 참고하여 더욱
정확한 이론을 만들어야
한다.'
팍-
자연
자연
아무리 멋있고 보기 좋은 이론이라도,
자연 현상과 맞지 않으면 아무런 쓸모가
없다는 뜻으로 한 말이지.
....
지구의 모양이 적도가 부푼 타원체인지 아닌지는 직접 재 보면
명명백백히 드러나.
즉 지구 중심에서 극까지의 거리를 재고,
지구 중심에서 적도까지의 거리를 재어
두 거리가 같은지 아닌지를 확인해 보면 된다는 거지.
만일 두 거리가 같으면, 지구가
타원체라고 한 뉴턴의 주장은
틀린 게 될 거야.
두
둥
그렇지 않고 적도까지의 거리가 길면
뉴턴의 예측이 옳다는 게 입증되지.
그런데 여기엔 넘기 어려운
문제가 도사리고 있어.

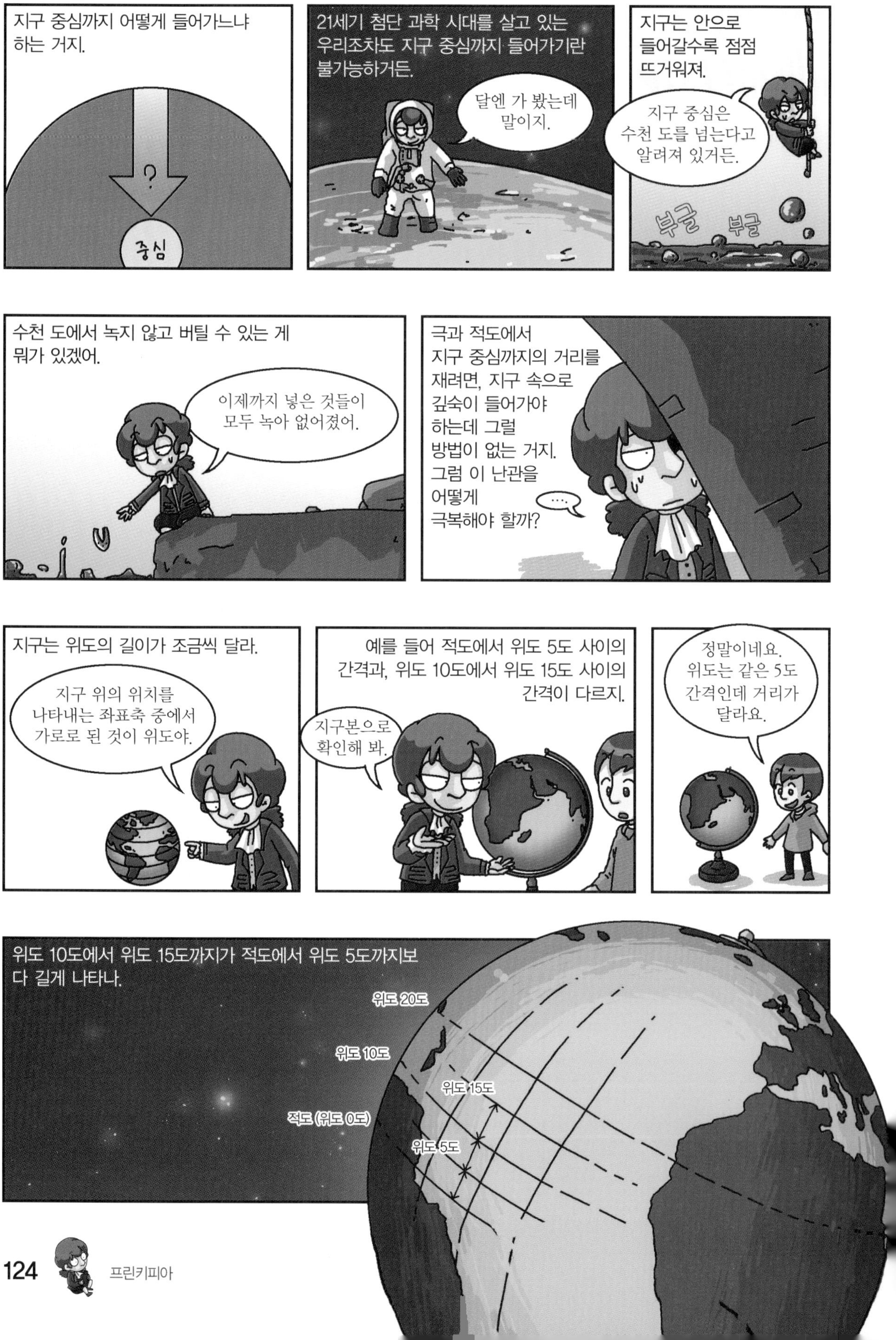

지구 중심까지 어떻게 들어가느냐 하는 거지.
?
중심
21세기 첨단 과학 시대를 살고 있는 우리조차도 지구 중심까지 들어가기란 불가능하거든.
달엔 가 봤는데 말이지.
지구는 안으로 들어갈수록 점점 뜨거워져.
지구 중심은 수천 도를 넘는다고 알려져 있거든.
부글 부글
수천 도에서 녹지 않고 버틸 수 있는 게 뭐가 있겠어.
이제까지 넣은 것들이 모두 녹아 없어졌어.
극과 적도에서 지구 중심까지의 거리를 재려면, 지구 속으로 깊숙이 들어가야 하는데 그럴 방법이 없는 거지. 그럼 이 난관을 어떻게 극복해야 할까?
....
지구는 위도의 길이가 조금씩 달라.
지구 위의 위치를 나타내는 좌표축 중에서 가로로 된 것이 위도야.
예를 들어 적도에서 위도 5도 사이의 간격과, 위도 10도에서 위도 15도 사이의 간격이 다르지.
지구본으로 확인해 봐.
정말이네요. 위도는 같은 5도 간격인데 거리가 달라요.
위도 10도에서 위도 15도까지가 적도에서 위도 5도까지보다 길게 나타나.
위도 20도
위도 10도
위도 15도
적도 (위도 0도)
위도 5도

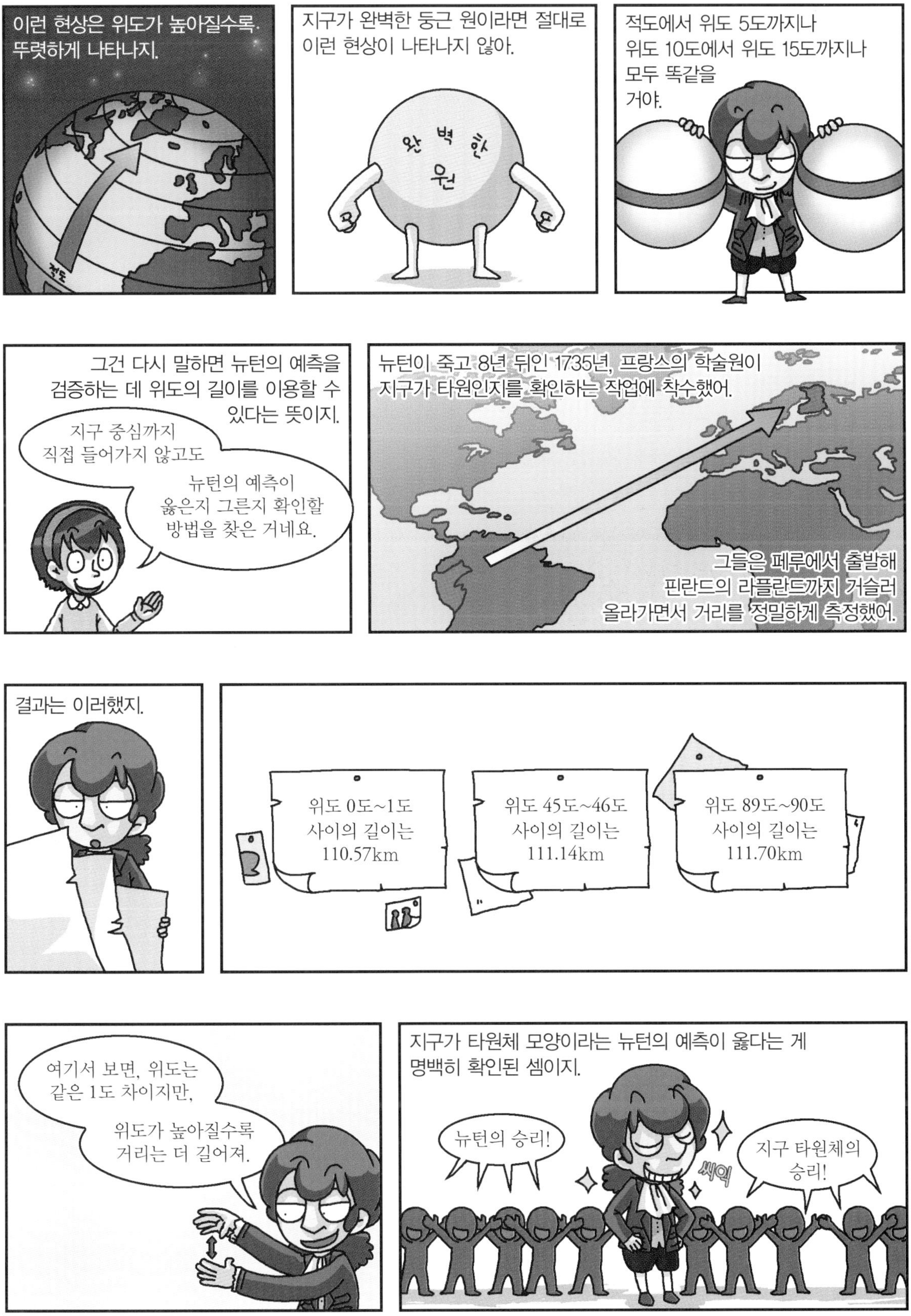
이런 현상은 위도가 높아질수록 뚜렷하게 나타나지.
적도
지구가 완벽한 둥근 원이라면 절대로 이런 현상이 나타나지 않아.
완벽한 원
적도에서 위도 5도까지나 위도 10도에서 위도 15도까지나 모두 똑같을 거야.
그건 다시 말하면 뉴턴의 예측을 검증하는 데 위도의 길이를 이용할 수 있다는 뜻이지.
지구 중심까지 직접 들어가지 않고도
뉴턴의 예측이 옳은지 그른지 확인할 방법을 찾은 거네요.
뉴턴이 죽고 8년 뒤인 1735년, 프랑스의 학술원이 지구가 타원인지를 확인하는 작업에 착수했어.
그들은 페루에서 출발해 핀란드의 라플란드까지 거슬러 올라가면서 거리를 정밀하게 측정했어.
결과는 이러했지.
위도 0도~1도 사이의 길이는 110.57km
위도 45도~46도 사이의 길이는 111.14km
위도 89도~90도 사이의 길이는 111.70km
여기서 보면, 위도는 같은 1도 차이지만,
위도가 높아질수록 거리는 더 길어져.
지구가 타원체 모양이라는 뉴턴의 예측이 옳다는 게 명백히 확인된 셈이지.
뉴턴의 승리!
씨익
지구 타원체의 승리!

지구 타원체는 다른 말로 '편평도'로 표현하곤 해.
편평도요?

편평도는 편평한 정도를 나타내는 수치라고 생각하면 돼.
편평도가 클수록 납작하고,
편평도가 작을수록 둥글어.

편평도 = (적도 반지름 − 극반지름) / 적도 반지름
이 식에 대입해서 지구의 편평도를 계산해 보자고.

지구 편평도 = (6,378km-6,357km) / 6,378km = 21km / 6,378km ≒ 0.0033km
0.0033은 작은 수야.
지구 편평도가 이처럼 작다는 건,
적도 쪽이 부풀어 있긴 하지만
그렇게 많이 부풀어 있는 건 아니라는 뜻이지.

지구를 둥근 공 모양으로 보아도 그리 문제 될 게 없다는 말이야.

뉴턴은 여기에 대해서도 이렇게 썼어.
짜잔-
지구의 위도 1도에 대응하는 길이의 차이는 매우 작다.
지리학에선 지구가 공과 같은 모양을 하고 있다고 보아도 괜찮다.

뉴턴은 《프린키피아》 제3권에서 목성을 예로 들면서 이렇게 말했어.
내가 뭐….

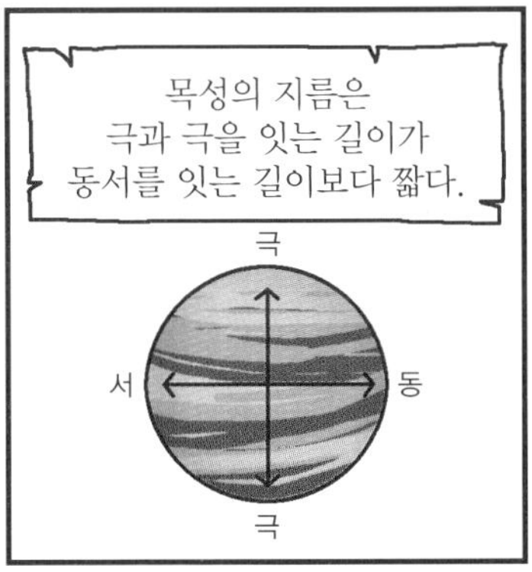
목성의 지름은 극과 극을 잇는 길이가 동서를 잇는 길이보다 짧다.
극
서
동
극

1719년에 매우 정교한 마이크로미터 를 사용해 측정한 목성의 지름은 다음과 같았어.
마이크로미터

*마이크로미터 – 100만분의 1미터 정도까지 잴 수 있는 기구의 하나.

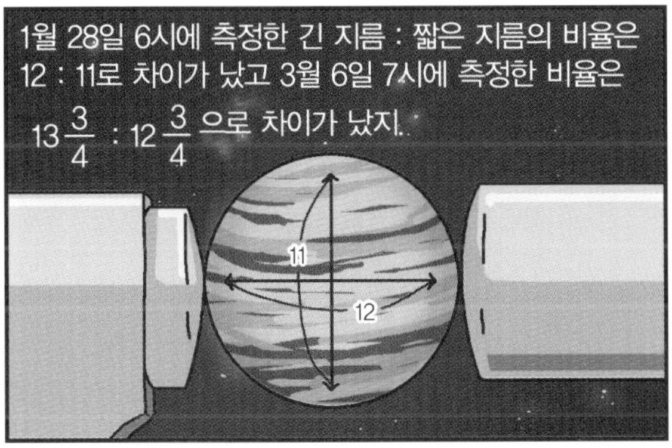
1월 28일 6시에 측정한 긴 지름 : 짧은 지름의 비율은 12 : 11로 차이가 났고 3월 6일 7시에 측정한 비율은 $13\frac{3}{4} : 12\frac{3}{4}$ 으로 차이가 났지.
11
12

뉴턴은 이 실험 이후 제3권 법칙 18에서 이렇게 결론 내렸어.

'행성이 원을 그리며 자전하는 운동이 없으면, 행성은 공 모양이 된다.

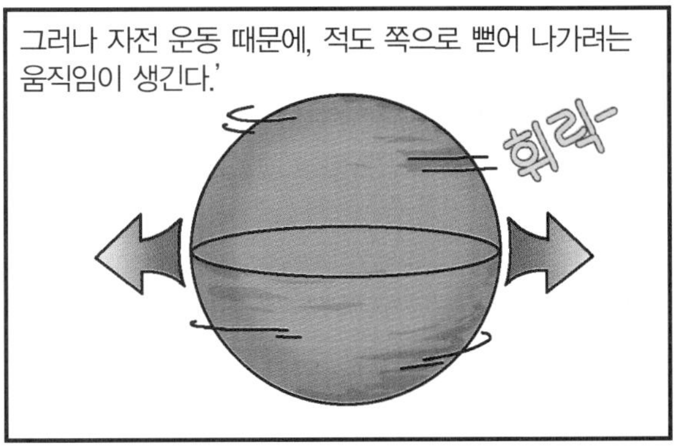
그러나 자전 운동 때문에, 적도 쪽으로 뻗어 나가려는 움직임이 생긴다.'
휘릭-

이것은 곧 자전을 하는 모든 행성은 예외 없이, 지구 타원체처럼 적도 부근이 약간 솟아오른 타원체가 된다는 뜻이지.

제8장 천동설과 지동설에 대하여

옛 사람들은 태양이 지구 둘레를 돈다고 보았어.

뿐만 아니라 수성, 금성, 화성, 목성, 토성도 지구 둘레를 돈다고 보았지.

달이 지구 둘레를 공전하는 것처럼 말이야.

우주가 이런 모양으로 운동한다고 보는 것을 천동설이라고 해.

천동설에 따르면 우주의 중심은 지구야.

지구가 중심에 있고 그 둘레를 태양계의 천체들이 돌고 있다는 거지.

천동설을 주장한 대표적인 학자로는
플라톤이 있어.
찌릉-
플라톤은 소크라테스의 제자이고,
아리스토텔레스의
스승이지.
소크라테스는 예수, 석가모니, 공자와 함께 4대 성인에 드는 사람이고,
아리스토텔레스는 서양 철학의
기틀을 마련한 사람이야.
그러니 플라톤의 학식이 얼마나
뛰어났겠어?
사람들은 플라톤이 주장한 천동설을
믿어 의심치 않았지.
플라톤이 그렇다면
그런 거야.
저건
뭐지?
그런데 플라톤의 천동설을
부정한 학자가 나타났어.
플라톤의
천동설은
틀렸다!
아리스타르코스와 헤라클레이데스였지. 지구가 중심인 우주
즉 천동설을 철저하게 반대했어.
아리스타르코스
우리는 천체가
지구 둘레를
돌지 않고,
태양의
둘레를 빙빙
돈다고 봐.
즉 태양이 중심인 우주를 제안한 거지.
이런 관점을 지동설이라고 해.

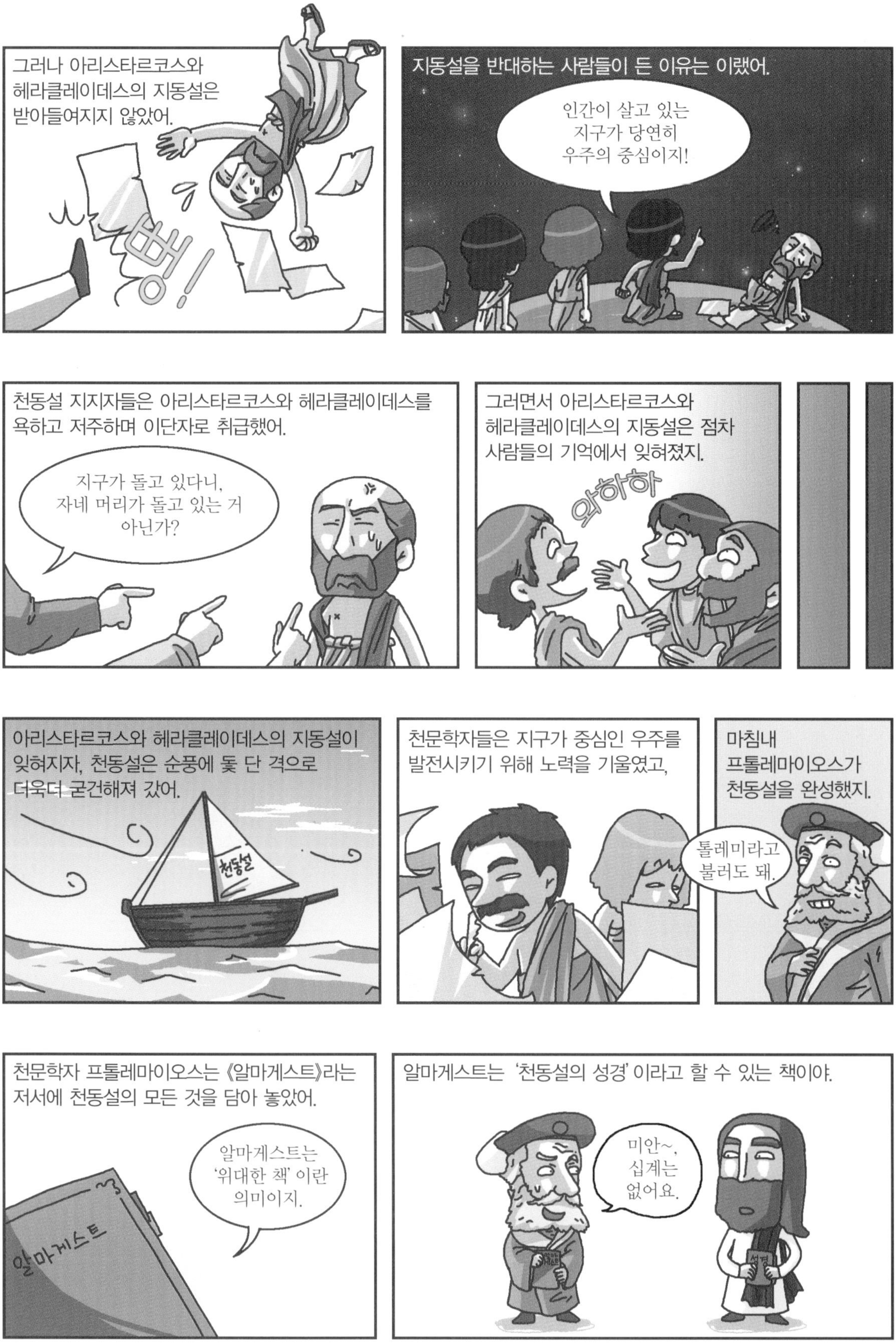
그러나 아리스타르코스와 헤라클레이데스의 지동설은 받아들여지지 않았어.
뻥!
지동설을 반대하는 사람들이 든 이유는 이랬어.
인간이 살고 있는 지구가 당연히 우주의 중심이지!
천동설 지지자들은 아리스타르코스와 헤라클레이데스를 욕하고 저주하며 이단자로 취급했어.
지구가 돌고 있다니, 자네 머리가 돌고 있는 거 아닌가?
그러면서 아리스타르코스와 헤라클레이데스의 지동설은 점차 사람들의 기억에서 잊혀졌지.
와하하
아리스타르코스와 헤라클레이데스의 지동설이 잊혀지자, 천동설은 순풍에 돛 단 격으로 더욱더 굳건해져 갔어.
천동설
천문학자들은 지구가 중심인 우주를 발전시키기 위해 노력을 기울였고,
마침내 프톨레마이오스가 천동설을 완성했지.
톨레미라고 불러도 돼.
천문학자 프톨레마이오스는 《알마게스트》라는 저서에 천동설의 모든 것을 담아 놓았어.
알마게스트는 '위대한 책' 이란 의미이지.
알마게스트
알마게스트는 '천동설의 성경' 이라고 할 수 있는 책이야.
미안~, 십계는 없어요.
성경

프톨레마이오스는 천동설을 지지하면서 나름대로 타당한 근거를 제시했지.
그는 지구는 고귀하므로 운동을 해선 안 된다고 주장하면서 그 이유를 이렇게 설명했어.
멈칫
'지구가 회전하면 동물, 식물, 사람, 집, 돌덩이가 따라서 날아간다.'
쉬익~
'뿐만 아니라 회전하는 힘을 이기지 못해 지구도 끝내 산산이 부서진다.'
얼핏 들으니 그럴 듯하네.
산산조각
GD
당시의 과학은 프톨레마이오스의 이런 지적을 반박하지 못했어.
프톨레마이오스의 천동설은 서양에서 전폭적인 지지를 받으며 1,000년 이상 진리처럼 받아들여졌지.
1000
그러다가 16~17세기에 이르러 진리와도 같았던 주장이 벽에 부딪히게 돼.
당시 유럽에서는 문명을 뒤바꾼 충격적인 사건이 연이어 일어났는데, 특이한 건 그 모두가 과학 분야에 집중되어 있었다는 거지.
과학
그래서 그것을 과학 혁명이라고 불러.

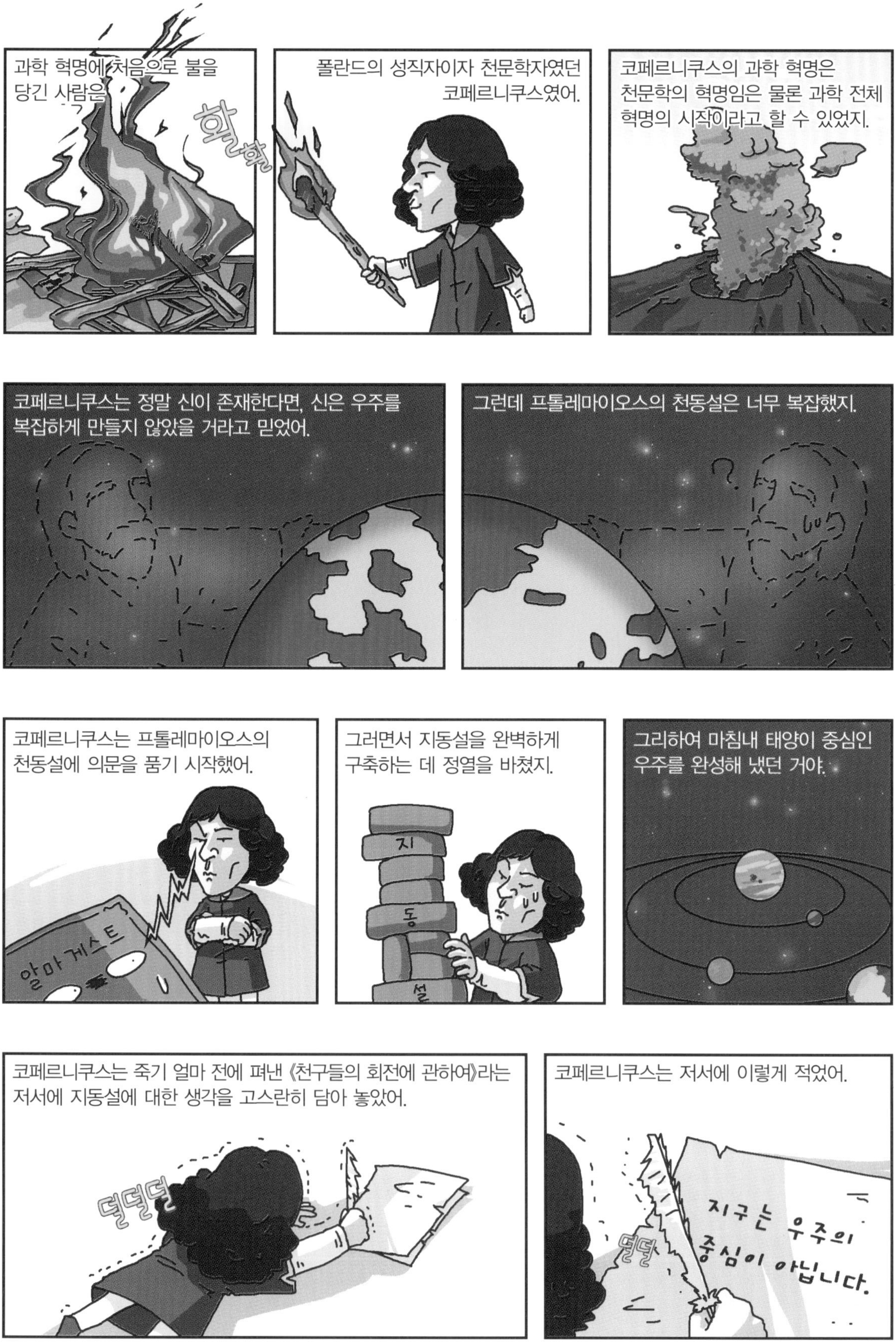
과학 혁명에 처음으로 불을
당긴 사람은
확확
폴란드의 성직자이자 천문학자였던
코페르니쿠스였어.
코페르니쿠스의 과학 혁명은
천문학의 혁명임은 물론 과학 전체
혁명의 시작이라고 할 수 있었지.
코페르니쿠스는 정말 신이 존재한다면, 신은 우주를
복잡하게 만들지 않았을 거라고 믿었어.
그런데 프톨레마이오스의 천동설은 너무 복잡했지.
코페르니쿠스는 프톨레마이오스의
천동설에 의문을 품기 시작했어.
알마게스트
그러면서 지동설을 완벽하게
구축하는 데 정열을 바쳤지.
지
동
설
그리하여 마침내 태양이 중심인
우주를 완성해 냈던 거야.
코페르니쿠스는 죽기 얼마 전에 펴낸 《천구들의 회전에 관하여》라는
저서에 지동설에 대한 생각을 고스란히 담아 놓았어.
덜덜덜
코페르니쿠스는 저서에 이렇게 적었어.
덜덜
지구는 우주의
중심이 아닙니다.

'수성, 금성, 화성처럼 태양 둘레를 도는 하나의 행성에 불과할 뿐입니다.'
이렇게 해서 지구는 더 이상 우주의 중심이 아니고,
인간도 더 이상 최고의 귀한 존재가 아닌 게 되었어.
어서 내려와!
프톨레마이오스의 천동설이 무너진 셈이지.
천 동 설
와르르
그러나 코페르니쿠스의 지동설이 곧바로 받아들여지진 않았어.
공사 중
돌아가세요.
종교 지도자들이 지동설이 전파되는 걸 강력하게 막고 나섰거든.
척-
지동설을 믿고 따르는 자는 엄벌에 처했는데,
피해를 본 대표적인 인물이 지오다노 브루노야.
이탈리아의 신부이자
천문학자랍니다.
'천동설은 틀린 이론이고 지동설이 바른 이론이다.' 라고 주장하다가 화형을 당했지.

안타까운 일이네요….
흑…
진실을 외치는 사람은 왜 저렇게 고통 받는지 모르겠어요.
브루노의 육신은 그렇게 한 줌의 재로 변해 버렸지만,
그의 정신은 지동설을 지키는 힘이 되었지.
천동설을 무너뜨리는 데는 케플러의 스승인 브라헤도 한몫했어.
천 동 설
하루는 브라헤가 카시오페이아 별자리 부근의 유난히 밝은 별을 유심히 지켜보고 있었어.
그는 하루나 이틀쯤 지나면 그 별이 다시 어두워질 거라고 생각했어.
카시오페이아
그런데 별은 어두워지기는커녕 오히려 더 밝아졌어.
새롭게 나타난 별이라는 뜻으로,
'신성' 이라고 불러야겠어.
고대 그리스의 대학자 아리스토텔레스는 천동설을 주장하면서, 달보다 높은 곳에 떠 있는 천체는 변하지 않는다고 했거든.
그런데 브라헤가 발견한 신성은 달보다 높은 곳에 떠 있었지만,
점점 더 밝아지면서 변했던 거야.
이것은 아리스토텔레스의 말이 틀렸다는 증거가 되었지.

과학 혁명의 흐름을 이어받아 천동설을 결정적으로 무너뜨린 사람은 갈릴레이였어.
천 동 설

갈릴레이는 망원경으로 우주를 관찰한 최초의 과학자야.
내가 최초로 만들었다고 했잖아.

갈릴레이가 망원경으로 본 하늘은 놀라움, 그 자체였어.

우주는 생각한 것보다 훨씬 크고 넓으며,
허우적
허우적
별도 셀 수 없을 정도로 많았거든.

갈릴레이는 여러 천문 현상을 발견했어. 그중 목성 둘레를 회전하는 위성들을 발견했지.
저게 뭐지?

그것은 천동설이 틀렸다는 강력한 증거가 되었어.
좀 더 자세히 설명해 주세요.

1610년 갈릴레이는 목성 부근에 4개의 위성이 있다는 사실을 확인했어.
내 이름은 이오.
난 칼리스토라고 해.
난 에우로파.
난 가니메데.
천동설에 따르면 천체는 예외 없이 지구 둘레를 돌아야 했어.
얘들아, 이리 와.
그런데 지구가 아닌 목성 둘레를 회전하는 천체(목성의 4개 위성)들이 나타난 거야.
우린,
목성이 더 좋아!
그러니 천동설이 틀렸다는 게 확실히 밝혀진 거지.
갈릴레이는 이런 방법으로 코페르니쿠스의 지동설을 지지하고 과학 혁명을 이끌었어.
목성 주위를 공전하는 4개 위성을 발견함에 따라 천동설은 더 이상 버틸 힘이 없어졌지.
천동설
하지만 기독교의 종교 지도자들은 지동설을 받아들이지 않았어.
쩍
퍽
퍽
지동설
그들은 갈릴레이를 이단자로 몰아 종교 재판장에 세웠지.
지동설 반대론자들은 브루노를 화형시킨 것으로도 모자라 갈릴레이의 입을 꼭꼭 틀어막으면서까지 지동설이 퍼져 나가지 못하게 막으려고 했어.

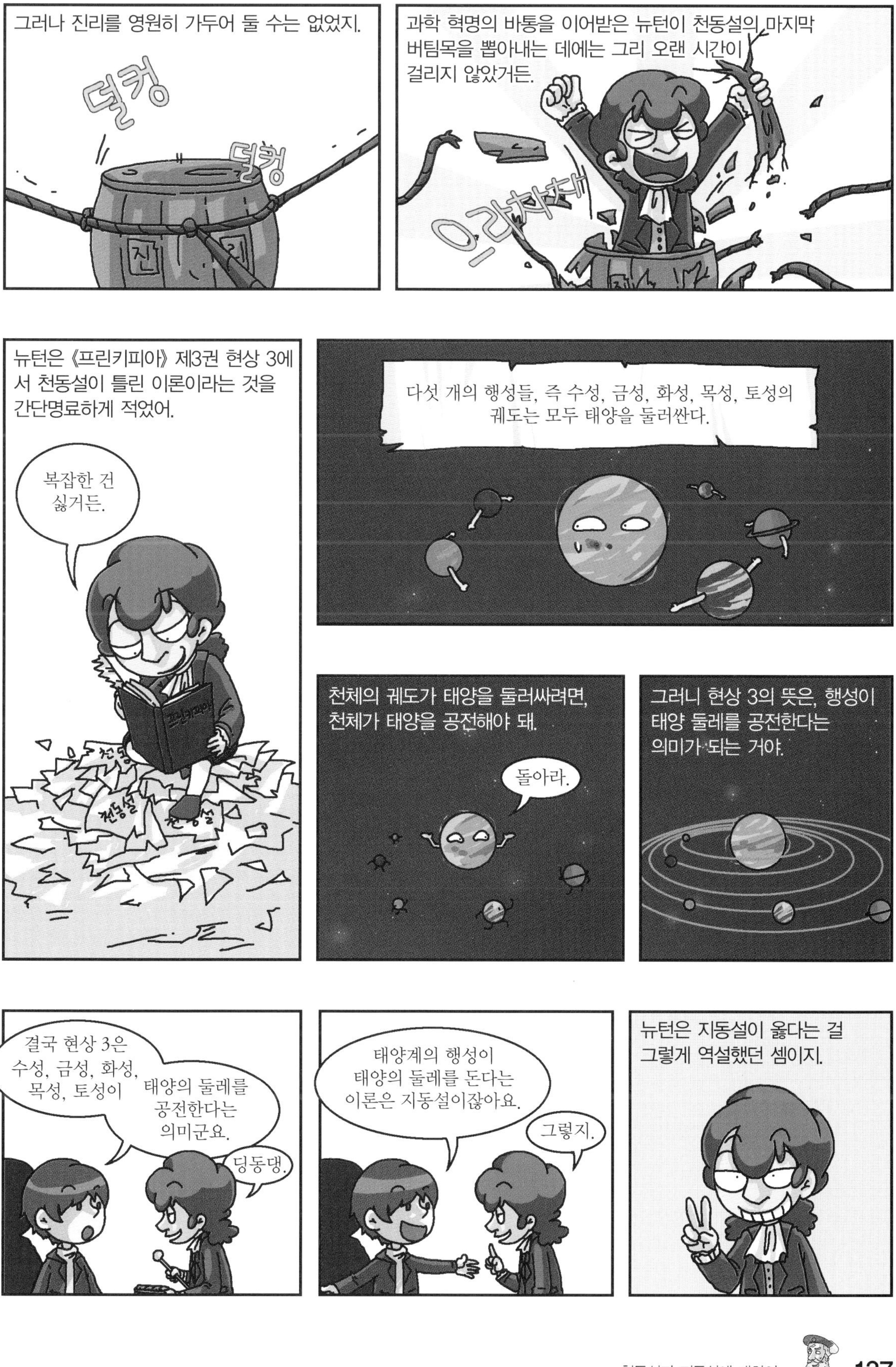

그러나 진리를 영원히 가두어 둘 수는 없었지.
덜컹
덜컹
진리
과학 혁명의 바통을 이어받은 뉴턴이 천동설의 마지막 버팀목을 뽑아내는 데에는 그리 오랜 시간이 걸리지 않았거든.
뉴턴은 《프린키피아》 제3권 현상 3에서 천동설이 틀린 이론이라는 것을 간단명료하게 적었어.
복잡한 건 싫거든.
프린키피아
천동설
천동설
다섯 개의 행성들, 즉 수성, 금성, 화성, 목성, 토성의 궤도는 모두 태양을 둘러싼다.
천체의 궤도가 태양을 둘러싸려면, 천체가 태양을 공전해야 돼.
돌아라.
그러니 현상 3의 뜻은, 행성이 태양 둘레를 공전한다는 의미가 되는 거야.
결국 현상 3은 수성, 금성, 화성, 목성, 토성이
태양의 둘레를 공전한다는 의미군요.
딩동댕.
태양계의 행성이 태양의 둘레를 돈다는 이론은 지동설이잖아요.
그렇지.
뉴턴은 지동설이 옳다는 걸 그렇게 역설했던 셈이지.

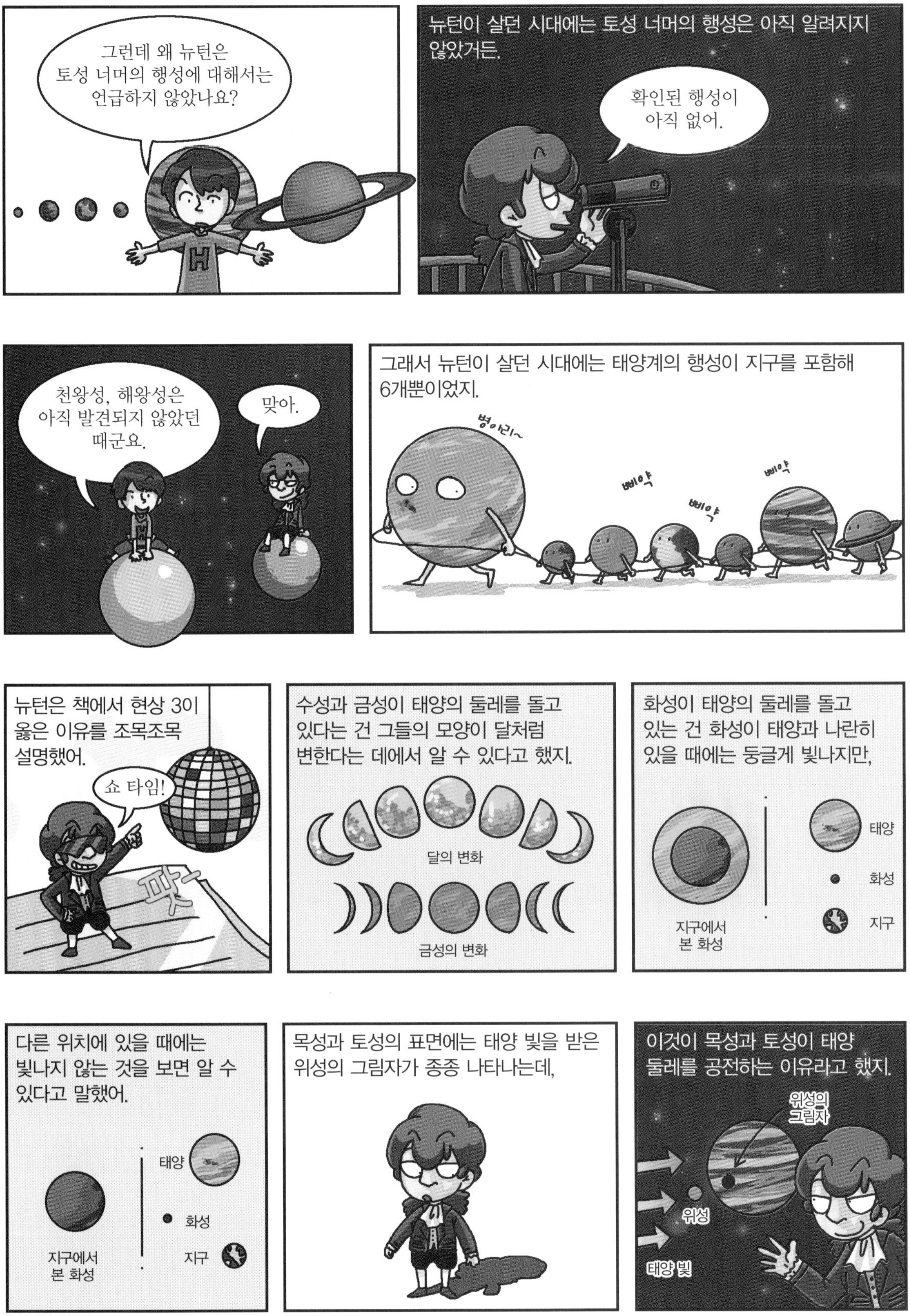
그런데 왜 뉴턴은 토성 너머의 행성에 대해서는 언급하지 않았나요?
뉴턴이 살던 시대에는 토성 너머의 행성은 아직 알려지지 않았거든.
확인된 행성이 아직 없어.
천왕성, 해왕성은 아직 발견되지 않았던 때군요.
맞아.
그래서 뉴턴이 살던 시대에는 태양계의 행성이 지구를 포함해 6개뿐이었지.
병아리~
삐약
삐약
삐약
뉴턴은 책에서 현상 3이 옳은 이유를 조목조목 설명했어.
쇼 타임!
수성과 금성이 태양의 둘레를 돌고 있다는 건 그들의 모양이 달처럼 변한다는 데에서 알 수 있다고 했지.
달의 변화
금성의 변화
화성이 태양의 둘레를 돌고 있는 건 화성이 태양과 나란히 있을 때에는 둥글게 빛나지만,
태양
화성
지구
지구에서 본 화성
다른 위치에 있을 때에는 빛나지 않는 것을 보면 알 수 있다고 말했어.
태양
화성
지구
지구에서 본 화성
목성과 토성의 표면에는 태양 빛을 받은 위성의 그림자가 종종 나타나는데,
이것이 목성과 토성이 태양 둘레를 공전하는 이유라고 했지.
위성의 그림자
위성
태양 빛

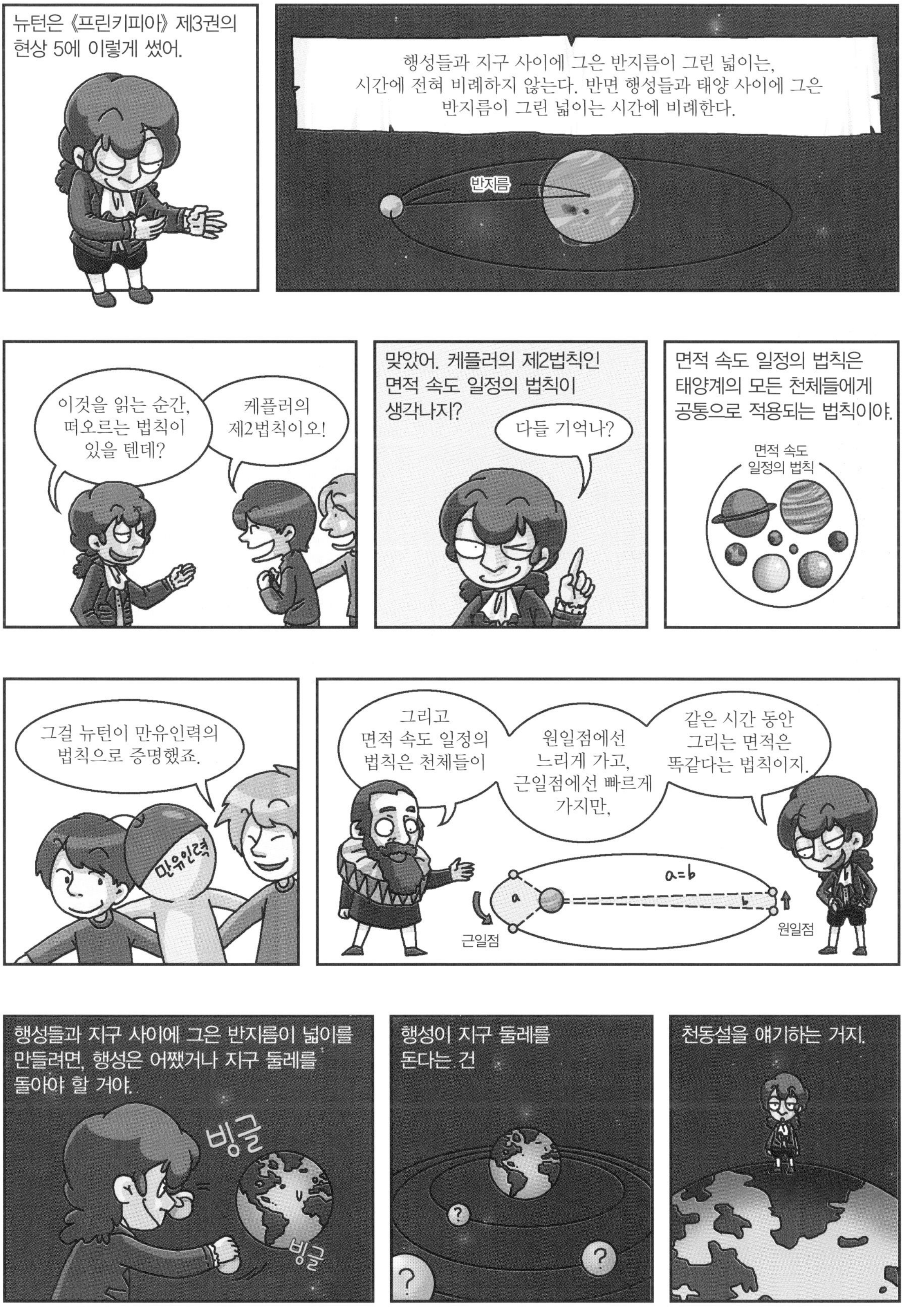
뉴턴은 《프린키피아》 제3권의
현상 5에 이렇게 썼어.
행성들과 지구 사이에 그은 반지름이 그린 넓이는,
시간에 전혀 비례하지 않는다. 반면 행성들과 태양 사이에 그은
반지름이 그린 넓이는 시간에 비례한다.
반지름
이것을 읽는 순간,
떠오르는 법칙이
있을 텐데?
케플러의
제2법칙이오!
맞았어. 케플러의 제2법칙인
면적 속도 일정의 법칙이
생각나지?
다들 기억나?
면적 속도 일정의 법칙은
태양계의 모든 천체들에게
공통으로 적용되는 법칙이야.
면적 속도
일정의 법칙
그걸 뉴턴이 만유인력의
법칙으로 증명했죠.
만유인력
그리고
면적 속도 일정의
법칙은 천체들이
원일점에선
느리게 가고,
근일점에선 빠르게
가지만,
같은 시간 동안
그리는 면적은
똑같다는 법칙이지.
a=b
a
b
근일점
원일점
행성들과 지구 사이에 그은 반지름이 넓이를
만들려면, 행성은 어쨌거나 지구 둘레를
돌아야 할 거야.
빙글
빙글
행성이 지구 둘레를
돈다는 건
?
?
?
천동설을 얘기하는 거지.

천동설이 옳으려면, 행성이 지구 둘레를 공전하면서 같은 시간 동안 그린 넓이는 똑같아야 하거든.

왜냐하면 지구를 포함한 태양계의 모든 천체는 케플러의 제2법칙에 따라 운동해야 하니까.
그럼 어디 확인해 볼까?

천동설
천체들의 움직임을 관측해 보니까,
한 달
천체가 움직인 거리
a
지구
b
천체가 움직인 거리
a ≠ b
한 달
천체가 이동해 생긴 면적이 다르게 나온 거야.

이것은 무슨 의미지?
넓이가 시간에 전혀 비례하지 않는다는 얘기예요.
H
A
S
O

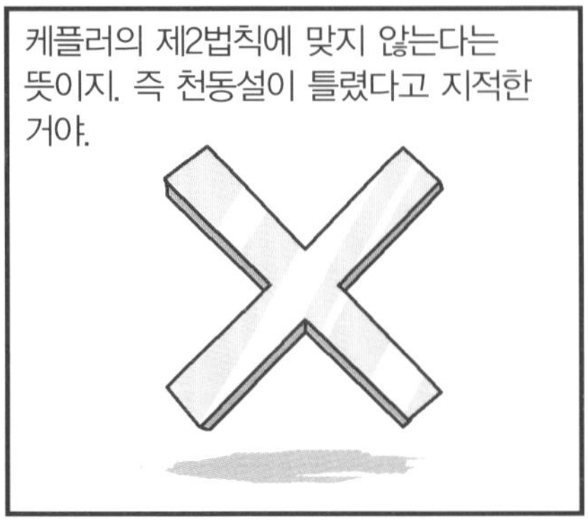
케플러의 제2법칙에 맞지 않는다는 뜻이지. 즉 천동설이 틀렸다고 지적한 거야.

반면, '행성들과 태양 사이에 그은 반지름이 그린 넓이는 시간에 비례한다.' 라고 뉴턴이 말했잖아.
행성들과 태양 사이에 그은 반지름이 넓이를 그리려면, 행성들은 태양 둘레를 돌아야 하지.
이것은 지동설에 따른 태양계의 모양이야.
지동설
지동설이 옳으려면, 행성이 태양 둘레를 돌면서 같은 시간 동안 그린 넓이가 같아야 해.
태양계 천체의 운동은 면적 속도 일정의 법칙에 항상 들어맞아야 하니까.
태양
한 달
a
천체가 움직인 거리
b
천체가 움직인 거리
a = b
한 달
뉴턴은 관측 결과가 어떻다고 얘기했지?
넓이가 시간에 비례한다고요.
그렇다면?
지동설이 옳다는 얘기지.

이제 뉴턴은 《프린키피아》 제3권에서 구심력과 만유인력을 이용해, 천동설과 지동설의 옳고 그름을 설명해.
구심력
만유인력
뉴턴은 태양계 행성들의 구심력을 계산했어.
구심력
그러고는 그 힘을 비교해 보았지.
그랬더니 태양의 구심력이 일당백이었어.
한 사람이 백 사람을 당해 낸다는 뜻이지.
불끈
구심력
지구를 포함한 태양계의 모든 행성들에 작용하는 구심력을 다 더해도, 태양에 작용하는 구심력의 천 분의 일에도 미치지 못했거든.
왜 이런 차이가 나는 거죠?
질량 차이 때문이지.
태양계 모든 행성의 질량을 다 더한다고 해도, 태양 질량의 천 분의 일이 안 되거든.
정말 뜨겁군.
태양계에서 태양이 차지하는 비중이 이 정도라니 정말 놀랍지 않아?

태양계의 천체들이 서로 구심력을 뽐내며 당기고 있으니,
어느 쪽으로든 끌려가야겠지.
그런데 힘과 힘을 겨루면 어느 쪽이 이길까?
준비~
힘이 센 쪽이 이기죠.
으샤!
구심력
구심력도 마찬가지야.
가장 강한 구심력이 작용하는 쪽으로 천체들이 끌려가게 되지.
자, 그럼 태양계 천체들의 구심력을 계산한 결과가 어떻다고 했지?
태양이 일당백이라고 했어요.
그래. 태양에 대한 구심력이 이렇게 엄청나니,
천체들은 어느 쪽으로 끌려가겠어?
태양이오!
그래서 뉴턴은 이렇게 단정지었어.
'태양계의 천체들은 태양 쪽으로 떨어져야 한다. 지구도 물론 예외가 아니다.'

구심력은 중력이니, 끌려간다는 건 떨어진다는 의미와 똑같다고 앞에서 얘기했어.
구심력을 받아서 떨어지면, 자연스레 원운동을 하게 되지.
그것도 앞에서 이미 설명해 주셨어요.
이게 무슨 의미겠어? 태양계의 천체들이 필연적으로 태양 둘레를 돌아야 한다는 뜻이지.
지동설이 옳다는 얘기군요!
뉴턴은 또 이렇게 말했어.
태양이 지구를 돌고, 다른 행성들도 그렇다면, 지구는 엄청난 힘으로 그들을 끌어당겨야 해.
그러나 지구에선 그런 힘을 감지하기 어려워.
약해, 약해.
이건 결국 지구가 태양을 포함해 태양계 천체 모두를 끌어당길 만한 힘이 없다는 의미야.
끙-
지구가 태양계의 주인이 되기엔 체력이 아주 모자란다고 봐야지.
헥
헥
아주 멋진 표현이네요.
여기서 체력이란, 질량과 구심력이 되는 건가요?
물론이야.
그래서 뉴턴은 천동설과 지동설에 대해 이렇게 마무리했단다.
따라와 봐.

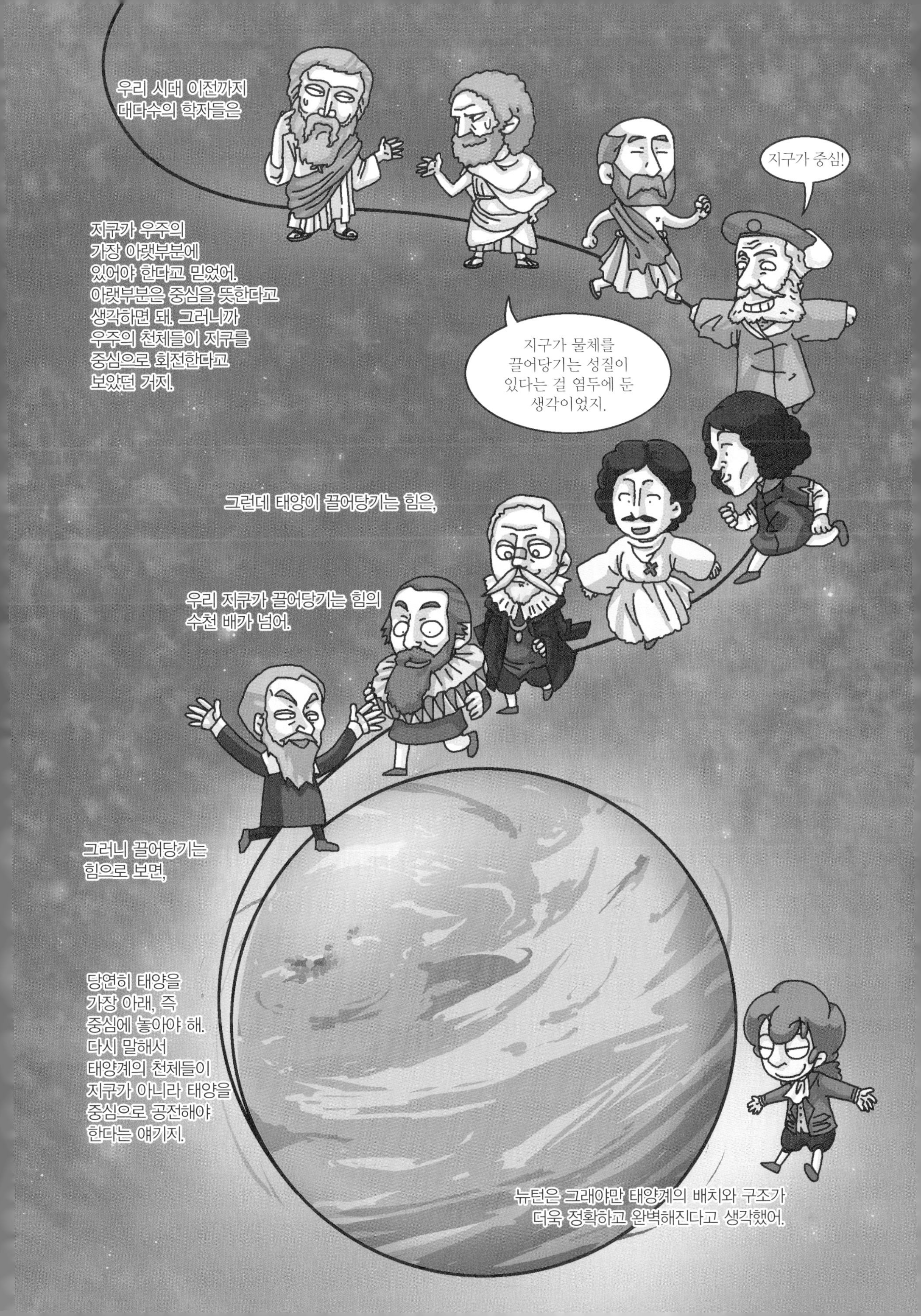
우리 시대 이전까지
대다수의 학자들은
지구가 중심!
지구가 우주의
가장 아랫부분에
있어야 한다고 믿었어.
아랫부분은 중심을 뜻한다고
생각하면 돼. 그러니까
우주의 천체들이 지구를
중심으로 회전한다고
보았던 거지.
지구가 물체를
끌어당기는 성질이
있다는 걸 염두에 둔
생각이었지.
그런데 태양이 끌어당기는 힘은,
우리 지구가 끌어당기는 힘의
수천 배가 넘어.
그러니 끌어당기는
힘으로 보면,
당연히 태양을
가장 아래, 즉
중심에 놓아야 해.
다시 말해서
태양계의 천체들이
지구가 아니라 태양을
중심으로 공전해야
한다는 얘기지.
뉴턴은 그래야만 태양계의 배치와 구조가
더욱 정확하고 완벽해진다고 생각했어.

갈릴레이의 발견!

상대성 원리

상대성 하면 떠오르는 사람이 있지요? 바로 천재 물리학자 아인슈타인입니다. 그런데 사실 상대성이란 개념을 처음 생각한 사람은 아인슈타인이 아니라 갈릴레이입니다. 알다시피 갈릴레이는 천동설을 반대하고, 지동설을 지지했습니다. 천동설 지지자들은 갈릴레이의 주장을 반박하기 위해 여러 주장을 펼쳤습니다. 그 중 이런 일화가 있어요.

천동설 지지자가 말했습니다. "당신 말대로 지구가 회전한다고 칩시다. 그렇다면 여러 가지 변화가 있어야 할 겁니다. 예를 들어 하늘에서 땅으로 물체를 떨어뜨리면 물체가 떨어진 위치에 변화가 있어야 합니다."

갈릴레이가 되물었습니다. "지구가 회전하면서 나아간 만큼 물체가 닿는 지점에 변화가 있어야 한다는 뜻인가요?"

천동설 지지자가 대답했지요. "그렇습니다."

천동설 지지자가 제시한 근거는 얼핏 보면 그럴듯해 보입니다. 하지만 갈릴레이는 그렇지 않다고 생각했습니다. 그래서 천동설 지지자들이 틀렸음을 입증하기 위해 실험을 했지요.

갈릴레이는 강에 배를 띄웠습니다. 배는 등속으로 움직였지요. 갈릴레이는 배의 돛에 올라가서 공을 떨어뜨렸습니다. 자, 여기서 생각해 봅시다. 배를 지구라고 생각하면 배가 움직였으니까 공은 배가 움직이지 않을 때와는 다른 지점에 떨어져야 할 겁니다. 천동설 지지자들의 주장대로라면 말이지요. 그런데 결과는 달랐습니다. 공이 떨어진 지점은 배가 움직이든 움직이지 않든 변함이 없었지요. 천동설 지지자들은 할 말을 잃었습니다.

그럼 왜 그런 결과가 나왔을까요? 한 마디로 말해서 돛이 배와 함께 돌고 있었기 때문입니다. 이 실험에서 우리가 알 수 있는 것은 지구가 회전할 때 지구상의 사물들도 함께 회전하는데, 그때는 물리 법칙에 변함이 없다는 것입니다.

이것을 갈릴레이의 상대성 원리라고 합니다. 갈릴레이의 상대성 원리를 물리학적으로 표현하면 이렇답니다.

"등속 운동을 하든, 정지해 있든 자연 현상을 설명하는 물리 법칙은 달라지지 않는다."

보시오. 배가 움직이고 있지만 공이 떨어진 지점에는 변화가 없지 않소.
할 말이 없구먼….
….
난 바빠서 이만….

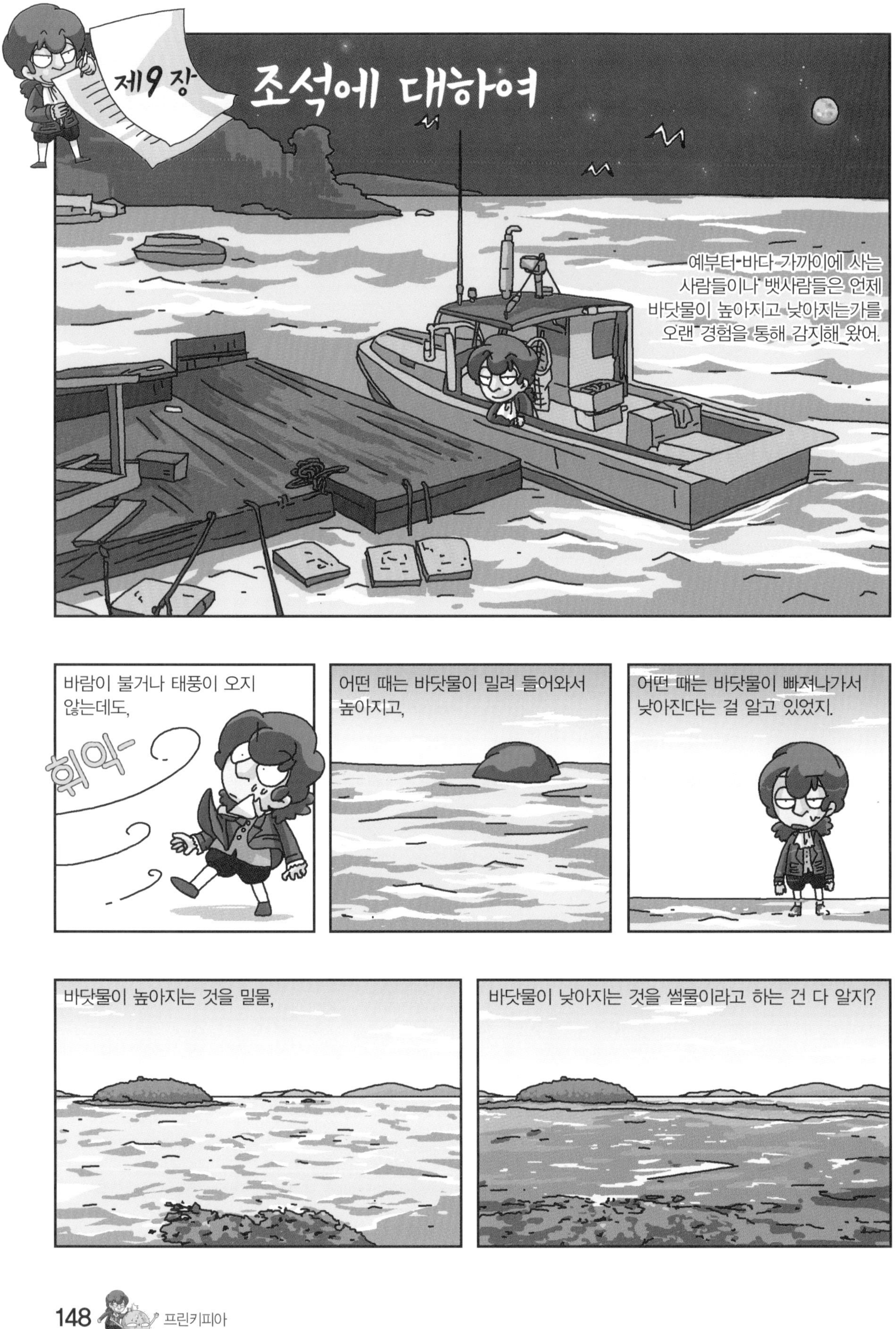
제9장
조석에 대하여
예부터 바다 가까이에 사는 사람들이나 뱃사람들은 언제 바닷물이 높아지고 낮아지는가를 오랜 경험을 통해 감지해 왔어.
바람이 불거나 태풍이 오지 않는데도,
휘익-
어떤 때는 바닷물이 밀려 들어와서 높아지고,
어떤 때는 바닷물이 빠져나가서 낮아진다는 걸 알고 있었지.
바닷물이 높아지는 것을 밀물,
바닷물이 낮아지는 것을 썰물이라고 하는 건 다 알지?

옛 사람들은 밀물과 썰물이 달과 관련이 있을 거라고 짐작했어.
벌써 밤일세, 그려.
보름달이 뜰 즈음이면 밀물과 썰물이 크게 나타나지만,
반달이 뜰 때면 그렇지 않다는 사실에 근거해서 말이야.
그러나 구체적인 원인을 알진 못했는데, 뉴턴이 그 답을 명쾌하게 제시해 주었지.
뉴턴은 《프린키피아》 제3권의 법칙 24, 정리 19에서 이렇게 말했어.
바닷물의 밀물과 썰물은 태양과 달의 작용 때문에 생긴다.
밀물이 되어서 바닷물이 밀려 들어오면 바다가 꽉 차는데,
이것을 '만조' 라고 해.
철썩~
반면에 썰물이 되어 바닷물이 빠져나가면 바다가 허전해져.
이것을 '간조' 라고 하지.
휑~
그리고 밀물과 썰물이 생기면서 해수면이 오르고 내리는 것을
'조석' 이라고 한단다.
뉴턴은 조석 현상을 태양과 달의 작용 때문이라고 본 거야.
달
태양

뉴턴이 말한 태양과 달의 작용이란,
다름 아닌 만유인력을 말해.
만유인력
여기서도 만유인력이 또 나오네요.
그만큼 만유인력의 법칙이 대단하다는 뜻이지.
여러 가지 자연 현상을 한꺼번에 다 설명해 주니까.
내가 좀 그래.
만유인력
만유인력은 어떤 힘이지?
끌어당기는 힘이지.
끄응···
만유인력
끌어당기면 어떻게 되지?
끌려와야 하지.
휘리릭
만유인력
달이 지구에 만유인력을 작용하면
어떻게 되겠어?
무엇인가가 끌려와야 하지.
그게 무엇일까?
…….
G D R A G O N
그럼 그게 무엇인지 차근차근 생각해 보자고.
달의 만유인력이 지구의 바다에만
작용하진 않을 거야.
만유인력은 공평한 힘이니까요.
맞아.
만유인력은 차별을 두지 않는 힘이지.

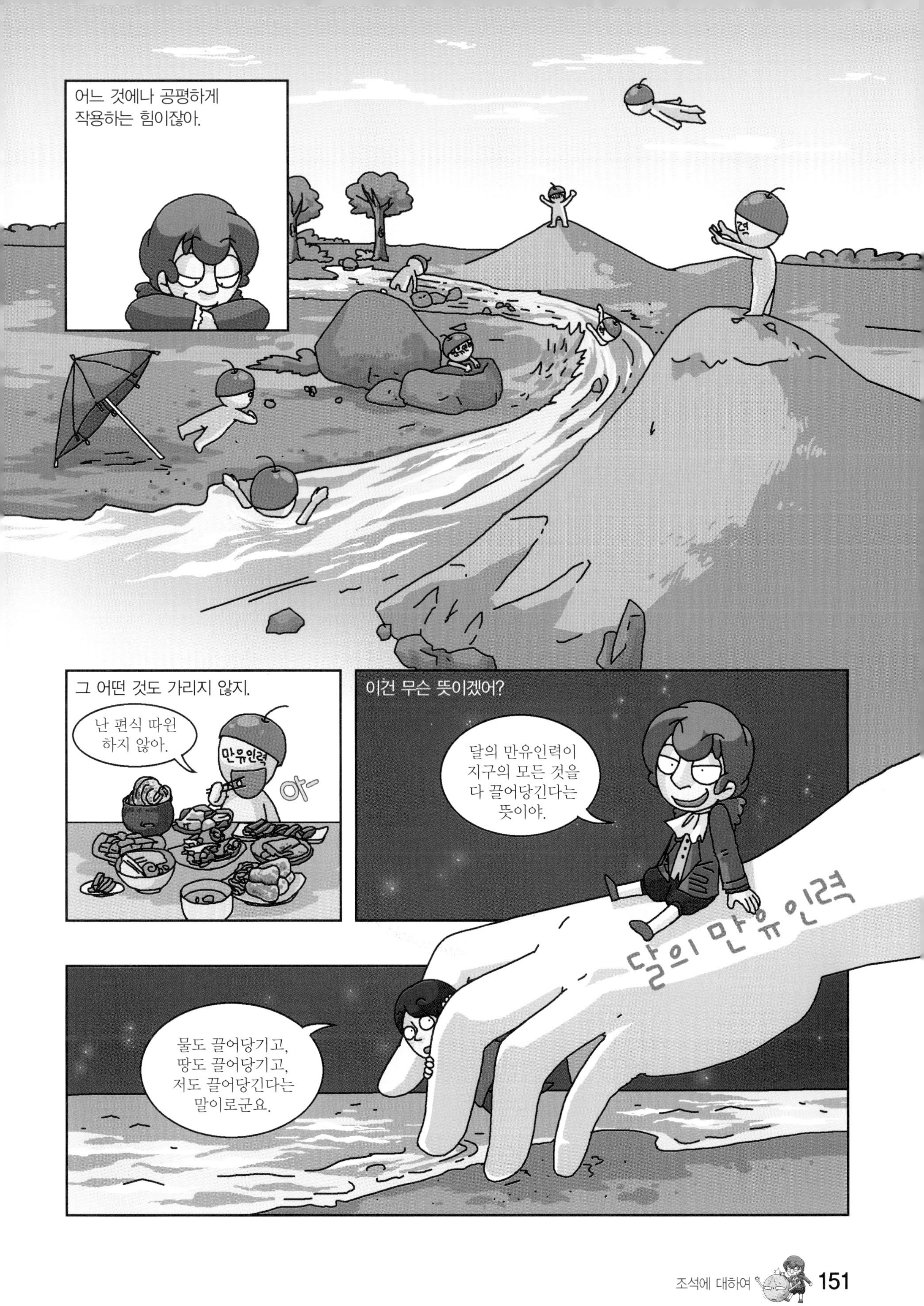
어느 것에나 공평하게
작용하는 힘이잖아.
그 어떤 것도 가리지 않지.
난 편식 따윈
하지 않아.
만유인력
야-
이건 무슨 뜻이겠어?
달의 만유인력이
지구의 모든 것을
다 끌어당긴다는
뜻이야.
달의 만유인력
물도 끌어당기고,
땅도 끌어당기고,
저도 끌어당긴다는
말이로군요.

그런데 똑같은 힘으로 끌어당겼을 때 잘 끌려오는 게 있고,
만유인력
그렇지 않은 게 있지.
끙끙
만유인력
예를 들어, 달이 똑같은 힘으로 끌어당긴다고 하면,
물이 잘 끌려가겠어,
땅바닥이 잘 끌려가겠어?
당연히 물이지.
물은 액체이고 땅바닥은 고체잖아.
액체는 고체보다 결합력이 약해.
그래서 액체인 물이 고체인 땅바닥보다 더 쉽게 끌려갈 거야.
꺄아~
그럼 지구상에서 물이 가장 많은 곳이 어딜까?
바다요!
그렇지! 이게 지구에 있는 바닷물이 달의 만유인력을 받아서 끌려가는 이유야.

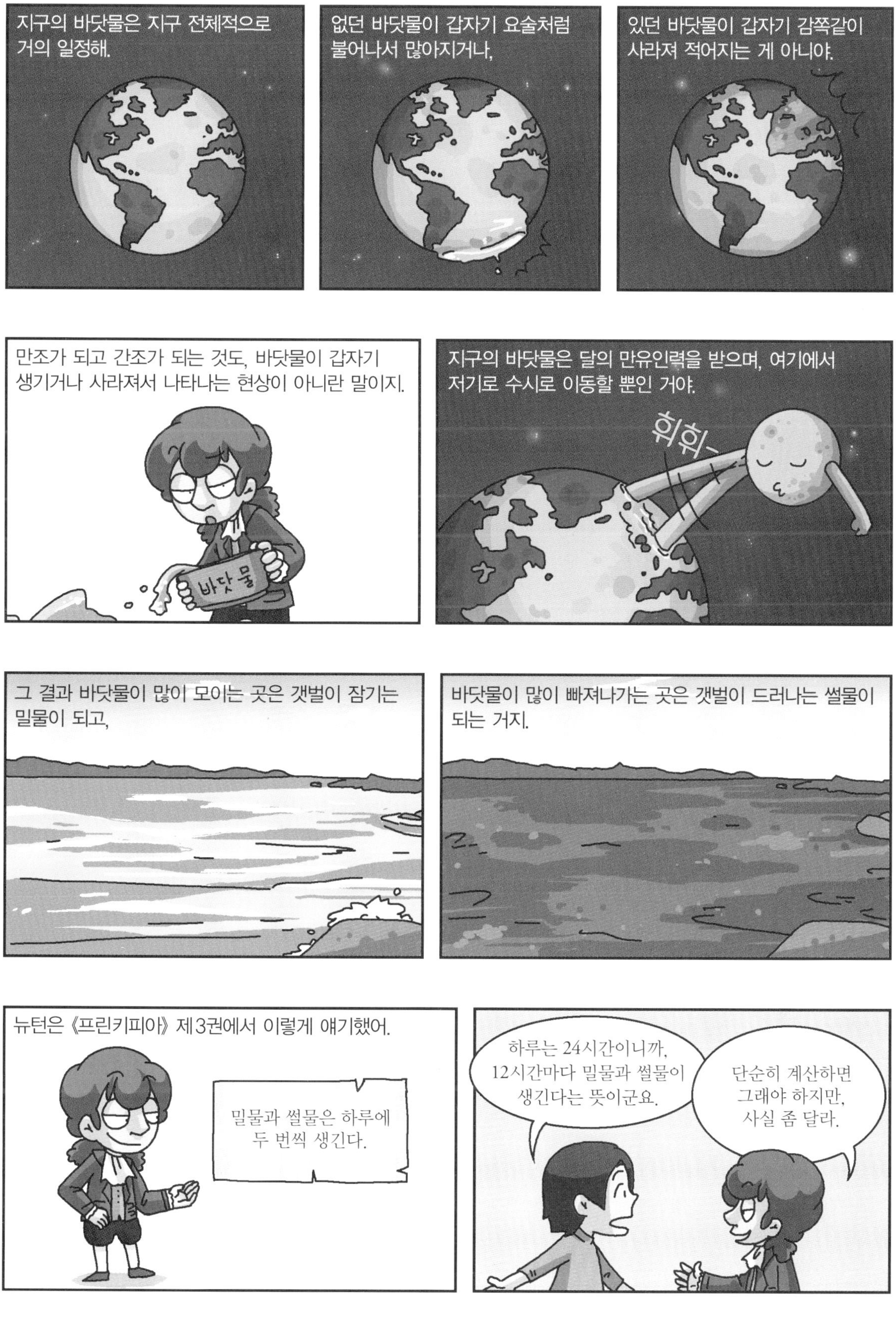
지구의 바닷물은 지구 전체적으로 거의 일정해.
없던 바닷물이 갑자기 요술처럼 불어나서 많아지거나,
있던 바닷물이 갑자기 감쪽같이 사라져 적어지는 게 아니야.
만조가 되고 간조가 되는 것도, 바닷물이 갑자기 생기거나 사라져서 나타나는 현상이 아니란 말이지.
바닷물
지구의 바닷물은 달의 만유인력을 받으며, 여기에서 저기로 수시로 이동할 뿐인 거야.
휘휘-
그 결과 바닷물이 많이 모이는 곳은 갯벌이 잠기는 밀물이 되고,
바닷물이 많이 빠져나가는 곳은 갯벌이 드러나는 썰물이 되는 거지.
뉴턴은 《프린키피아》 제3권에서 이렇게 얘기했어.
밀물과 썰물은 하루에 두 번씩 생긴다.
하루는 24시간이니까, 12시간마다 밀물과 썰물이 생긴다는 뜻이군요.
단순히 계산하면 그래야 하지만, 사실 좀 달라.

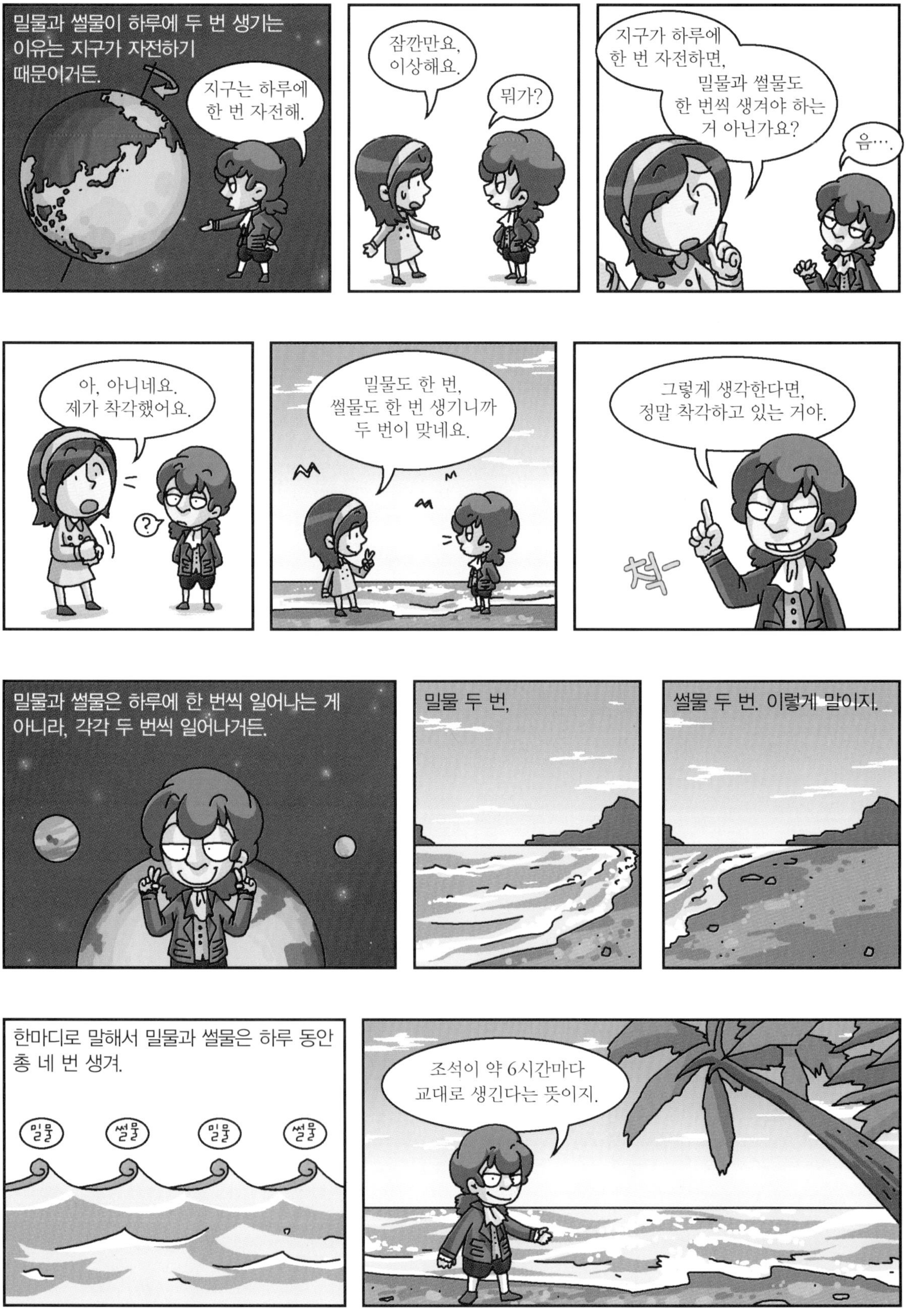
밀물과 썰물이 하루에 두 번 생기는 이유는 지구가 자전하기 때문이거든.
지구는 하루에 한 번 자전해.
잠깐만요, 이상해요.
뭐가?
지구가 하루에 한 번 자전하면, 밀물과 썰물도 한 번씩 생겨야 하는 거 아닌가요?
음….
아, 아니네요. 제가 착각했어요.
?
밀물도 한 번, 썰물도 한 번 생기니까 두 번이 맞네요.
그렇게 생각한다면, 정말 착각하고 있는 거야.
척-
밀물과 썰물은 하루에 한 번씩 일어나는 게 아니라, 각각 두 번씩 일어나거든.
밀물 두 번,
썰물 두 번. 이렇게 말이지.
한마디로 말해서 밀물과 썰물은 하루 동안 총 네 번 생겨.
밀물
썰물
밀물
썰물
조석이 약 6시간마다 교대로 생긴다는 뜻이지.

밀물과 썰물이 이렇게 생기려면, 지구가 90도 자전할 때마다 조석 현상이 일어나야 해.
지구가 한 바퀴 자전하면 360도를 회전하는 셈이니까,
그것을 넷으로 나누면 90도가 되는 거죠.
90°
동서남북에서 조석 현상이 한 번씩 일어난다고나 할까.
N
W
E
S
그런데 달을 마주하고 있는 곳은 끌어당기는 힘이 강해.
안녕?
가까이 있으니까.
그래서 바닷물이 그쪽으로 많이 끌려가지.
밀물이 생기는 거야.
출렁
그런데 잊지 말아야 할 사실은 밀물이 그곳에만 생기는 게 아니라는 거야.
또 어디에 생기는데요?
지구 정반대편에도 생긴다는 말씀!
출렁
출렁
예를 들어, 우리나라가 달을 마주하고 있다고 치자.
그래서 인천 앞바다에 밀물이 생겼어.
인천 앞바다
그 뒤 12시간이 지나면, 우리나라는 지구 반대편에 가 있겠지?
대한민국

그때는 우리나라가 달을 마주하고 있는 게 아니잖아.
달은 뒷면에 있을 거야.
하지만 '달을 마주하고 있는 지구의 정반대편에도 밀물이 생기는 원리'에 따라 인천 앞바다에는 또다시 밀물이 생기지.
원리는 마지막 장에서 설명해 줄게.
그래서 밀물이 하루에 두 번 생기는 거로군요.
썰물이 하루에 두 번 생기는 것도, 같은 이치란다.
그렇게 되면 12시간마다 밀물이 생기는 거 아닌가요?
12시간마다는 아니야.
네? 하루에 두 번이면 12시간 간격이 맞잖아요!
그렇긴 한데, 12시간에서 약간 차이가 난다는 거지.
잘 들어 봐.
12시간마다 밀물이 생기는 건, 달이 움직이지 않는다는 가정 아래서 그런 거야.
얼음!
그런데 달이 항상 정지해 있니?
쾅!
아니요. 지구 둘레를 돌고 있어요.
그래. 달은 공전하고 있지.
놔!
헤헤
지구도 가만히 있지 않기는 마찬가지야. 자전과 공전을 하면서 잠시도 쉬지 않고 움직이지.

둘이 가만히 있든지,
….
아니면 똑같은 시간 동안 똑같은 방향으로 같은 거리를 움직이든지 해야,
맞춰서 돌아.
휘리릭~
다음번에도 늘 같은 시각에 같은 곳을 마주할 수 있겠지.
오늘은 정확한가?
그런데 달과 지구는 그렇지 못해.
움직이는 방향과 속도가 모두 다르기 때문이지.
그러다 보니 이동하는 거리도 달라져.
따라서 같은 곳을 늘 같은 시각에 볼 수 없는 거지.
인천 앞바다가 늘 같은 시각에 달을 마주하는 게 아니네요.
그래서 달과 지구가 같은 곳을 마주하는 시각에 차이가 생길 수밖에 없는 거야. 이것이 밀물이 있은 뒤 다음 밀물이 일어나기까지 시간 차이가 생기는 이유지.
하루에 50여 분 정도의 차이가 난단다.

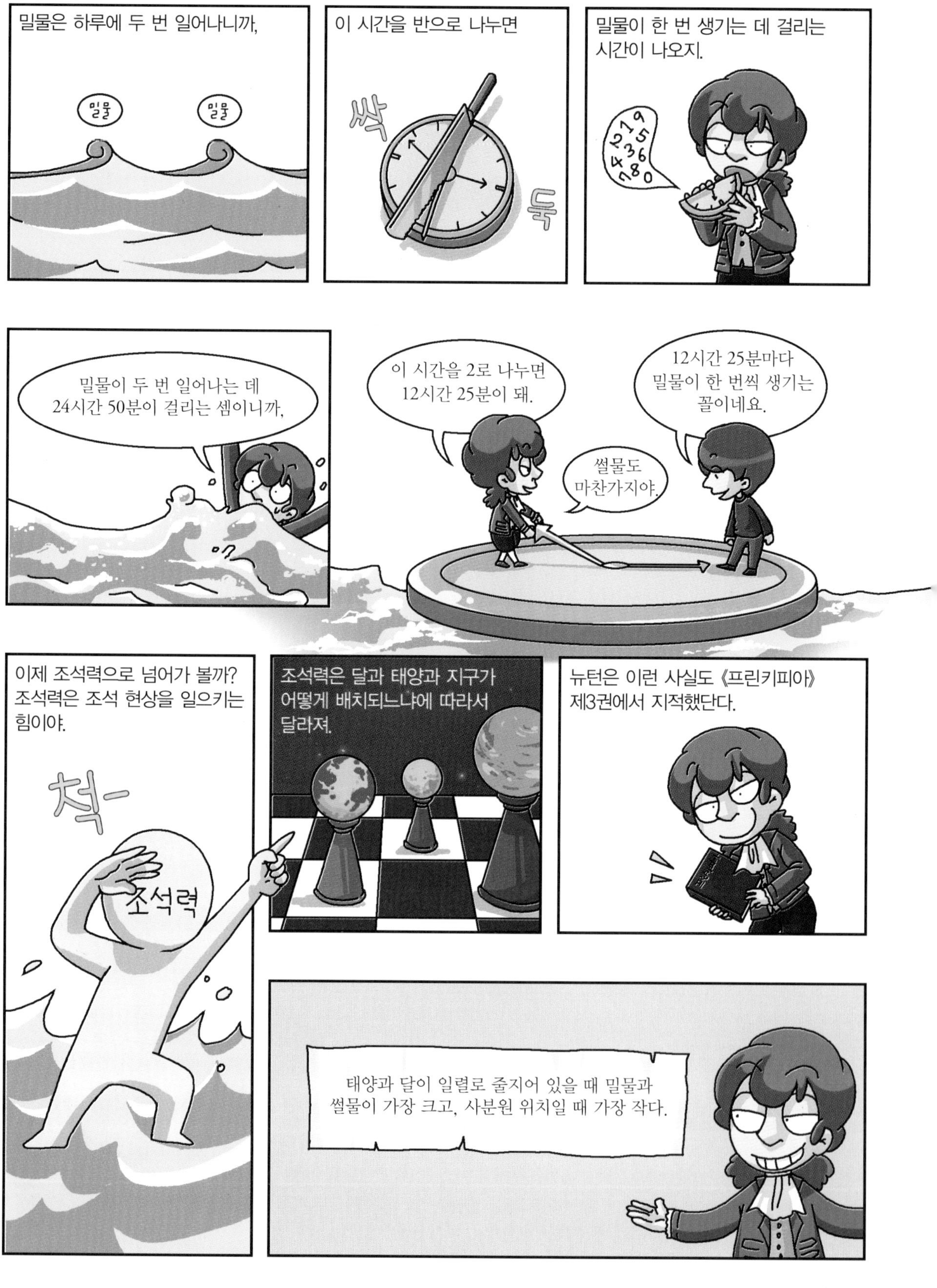
밀물은 하루에 두 번 일어나니까,
밀물
밀물
이 시간을 반으로 나누면
싹
둑
밀물이 한 번 생기는 데 걸리는 시간이 나오지.
밀물이 두 번 일어나는 데 24시간 50분이 걸리는 셈이니까,
이 시간을 2로 나누면 12시간 25분이 돼.
12시간 25분마다 밀물이 한 번씩 생기는 꼴이네요.
썰물도 마찬가지야.
이제 조석력으로 넘어가 볼까? 조석력은 조석 현상을 일으키는 힘이야.
척-
조석력
조석력은 달과 태양과 지구가 어떻게 배치되느냐에 따라서 달라져.
뉴턴은 이런 사실도 《프린키피아》 제3권에서 지적했단다.
태양과 달이 일렬로 줄지어 있을 때 밀물과 썰물이 가장 크고, 사분원 위치일 때 가장 작다.

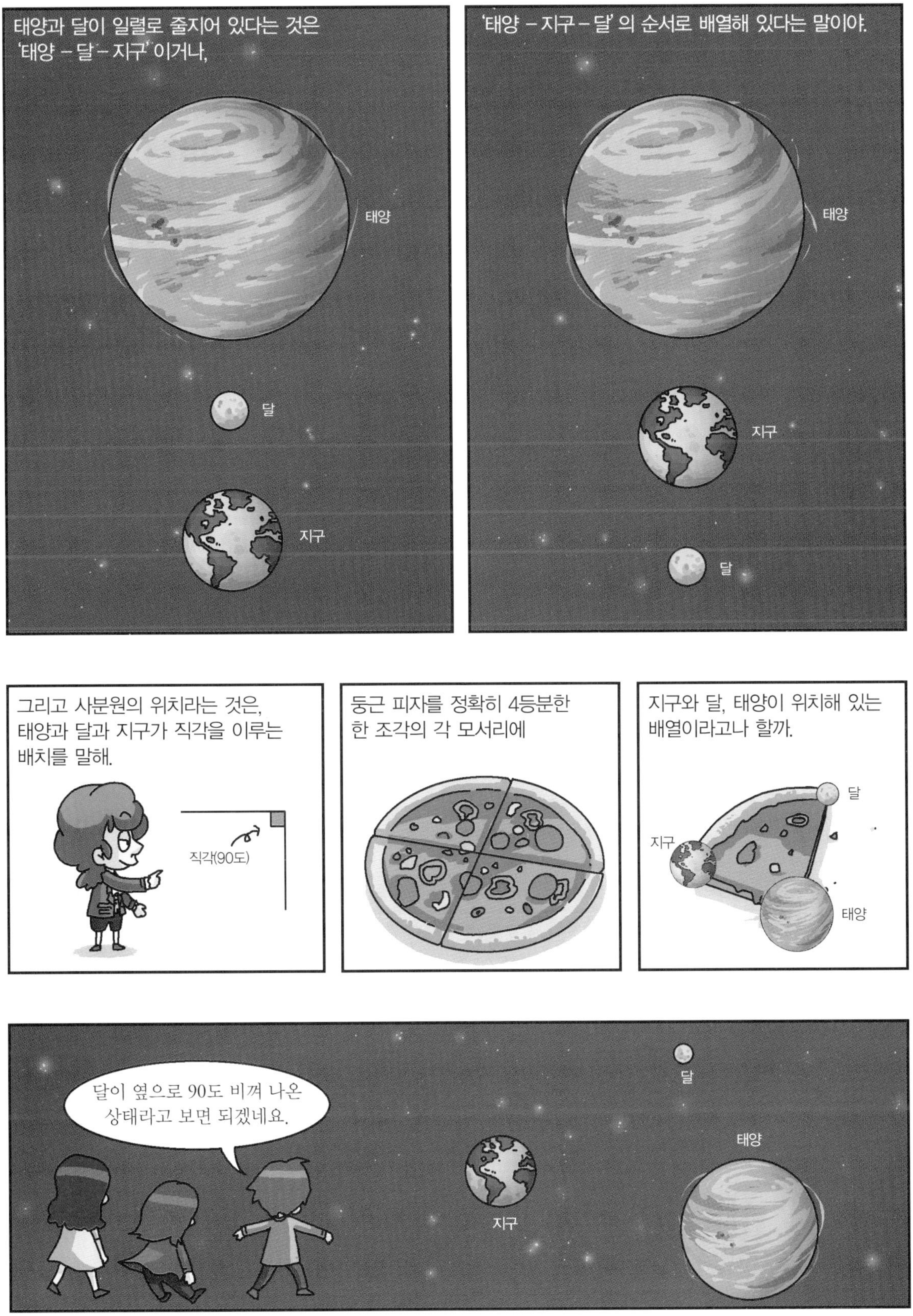
태양과 달이 일렬로 줄지어 있다는 것은
'태양 – 달 – 지구' 이거나,
태양
달
지구
'태양 – 지구 – 달' 의 순서로 배열해 있다는 말이야.
태양
지구
달
그리고 사분원의 위치라는 것은,
태양과 달과 지구가 직각을 이루는
배치를 말해.
직각(90도)
둥근 피자를 정확히 4등분한
한 조각의 각 모서리에
지구와 달, 태양이 위치해 있는
배열이라고나 할까.
달
지구
태양
달이 옆으로 90도 비껴 나온
상태라고 보면 되겠네요.
달
태양
지구

여기서 줄다리기를 생각해 보자고.
줄다리기를 할 때 옆으로 흩어져서 힘을 쓸 때와
끙끙
낑낑
한 줄로 정렬해서 힘을 쓸 때, 어느 때 더 큰 힘을 발휘할 수 있을까?
영차-
당연히 한 줄로 서서 힘을 쓸 때지요.
영차-
조석력도 마찬가지야.
조석력
태양과 달과 지구가 사분원을 이루지 않고 한 줄로 곧게 배열해 있을 때, 조석력이 가장 크게 나타나지.
조석력
불끈

태양과 지구와 달이 한 줄로 서 있을 때는 삭과 망으로 보일 때야.
그래서 삭과 망일 때, 조석력이 가장 크게 나타나.
와라, 밀물!
조석력
가라, 썰물!
삭은 달이 보이지 않을 때,
망은 보름달로 보일 때를 말해.
반면, 지구와 달과 태양이 직각을 이루는 때는 상현과 하현일 때야.
이때는 달과 태양의 인력이 하나로 뭉치지 못해서, 조석력이 가장 약하게 나타나.
털썩…
기운없어….
상현은 달의 오른쪽이 반달일 때,
하현은 달의 왼쪽이 반달일 때를 말해.

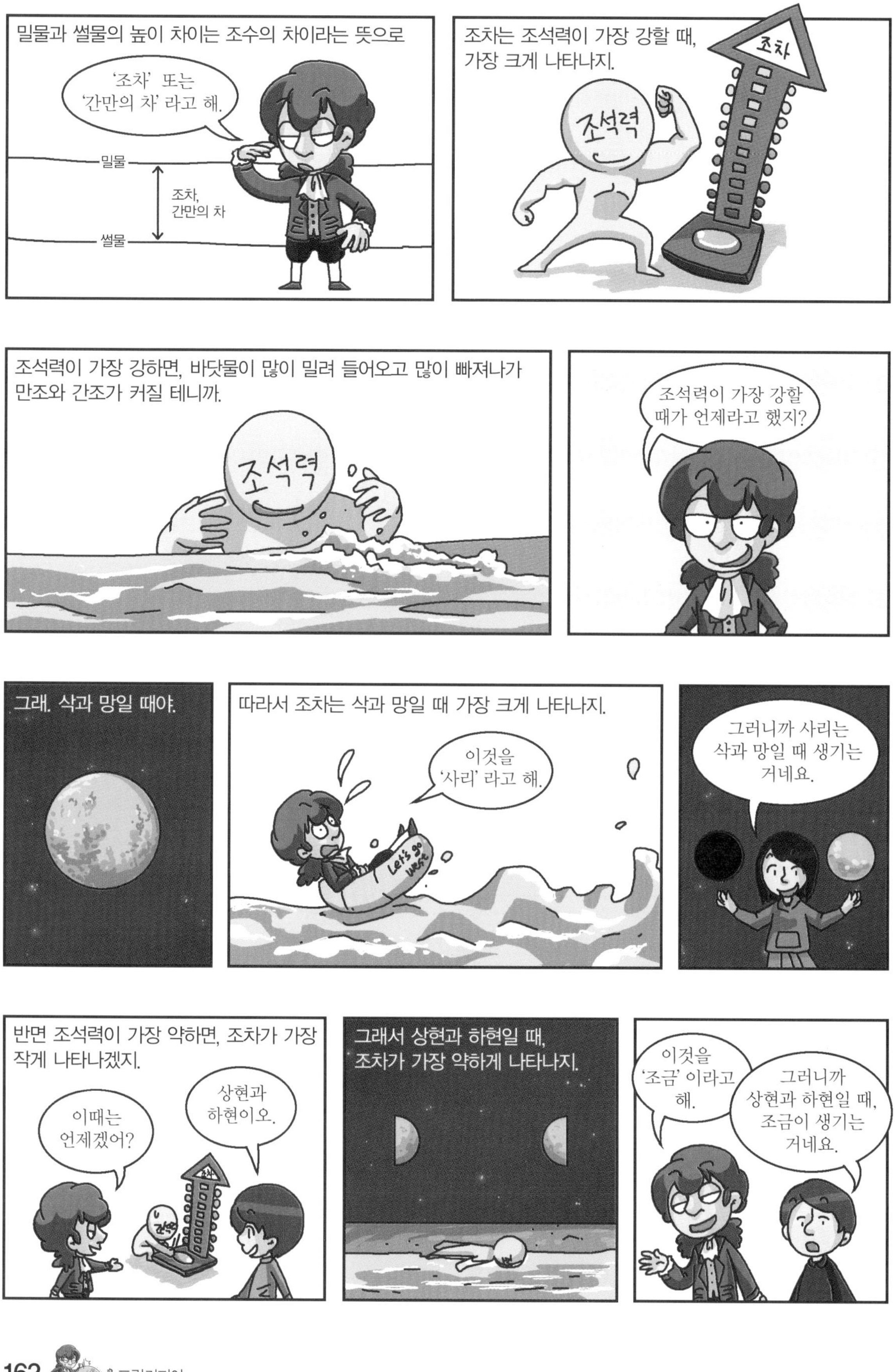
밀물과 썰물의 높이 차이는 조수의 차이라는 뜻으로
'조차' 또는 '간만의 차' 라고 해.
밀물
조차, 간만의 차
썰물
조차는 조석력이 가장 강할 때, 가장 크게 나타나지.
조석력
조차
조석력이 가장 강하면, 바닷물이 많이 밀려 들어오고 많이 빠져나가 만조와 간조가 커질 테니까.
조석력
조석력이 가장 강할 때가 언제라고 했지?
그래. 삭과 망일 때야.
따라서 조차는 삭과 망일 때 가장 크게 나타나지.
이것을 '사리' 라고 해.
Let's go
그러니까 사리는 삭과 망일 때 생기는 거네요.
반면 조석력이 가장 약하면, 조차가 가장 작게 나타나겠지.
이때는 언제겠어?
상현과 하현이오.
그래서 상현과 하현일 때, 조차가 가장 약하게 나타나지.
이것을 '조금' 이라고 해.
그러니까 상현과 하현일 때, 조금이 생기는 거네요.

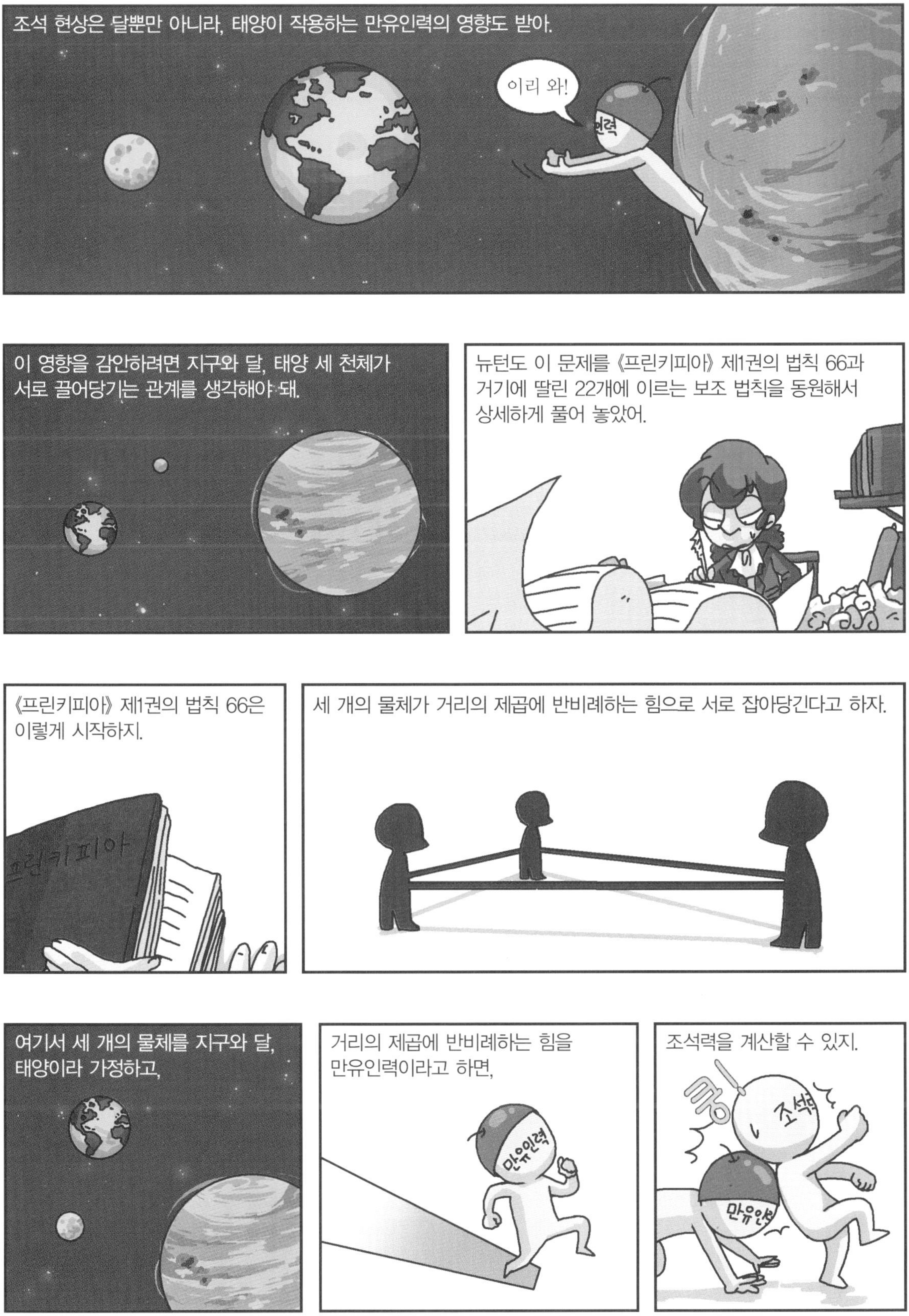
조석 현상은 달뿐만 아니라, 태양이 작용하는 만유인력의 영향도 받아.
이리 와!
이 영향을 감안하려면 지구와 달, 태양 세 천체가 서로 끌어당기는 관계를 생각해야 돼.
뉴턴도 이 문제를 《프린키피아》 제1권의 법칙 66과 거기에 딸린 22개에 이르는 보조 법칙을 동원해서 상세하게 풀어 놓았어.
《프린키피아》 제1권의 법칙 66은 이렇게 시작하지.
프린키피아
세 개의 물체가 거리의 제곱에 반비례하는 힘으로 서로 잡아당긴다고 하자.
여기서 세 개의 물체를 지구와 달, 태양이라 가정하고,
거리의 제곱에 반비례하는 힘을 만유인력이라고 하면,
만유인력
조석력을 계산할 수 있지.
쿵!

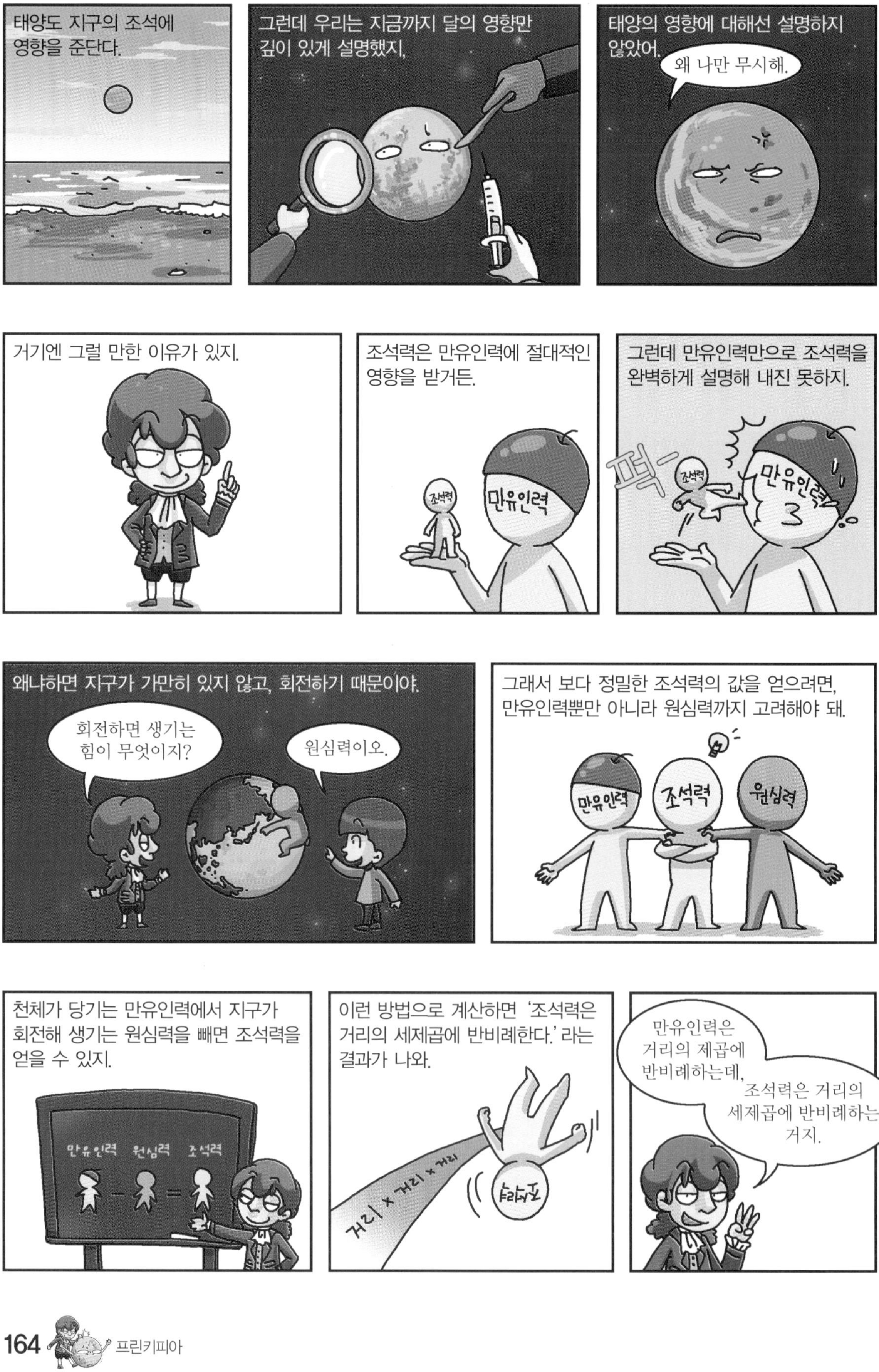

태양도 지구의 조석에
영향을 준단다.
그런데 우리는 지금까지 달의 영향만
깊이 있게 설명했지,
태양의 영향에 대해선 설명하지
않았어.
왜 나만 무시해.
거기엔 그럴 만한 이유가 있지.
조석력은 만유인력에 절대적인
영향을 받거든.
조석력
만유인력
그런데 만유인력만으로 조석력을
완벽하게 설명해 내진 못하지.
퍽~
조석력
만유인력
왜냐하면 지구가 가만히 있지 않고, 회전하기 때문이야.
회전하면 생기는
힘이 무엇이지?
원심력이오.
그래서 보다 정밀한 조석력의 값을 얻으려면,
만유인력뿐만 아니라 원심력까지 고려해야 돼.
만유인력
조석력
원심력
천체가 당기는 만유인력에서 지구가
회전해 생기는 원심력을 빼면 조석력을
얻을 수 있지.
만유인력 원심력 조석력
이런 방법으로 계산하면 '조석력은
거리의 세제곱에 반비례한다.' 라는
결과가 나와.
거리 x 거리 x 거리
만유인력은
거리의 제곱에
반비례하는데,
조석력은 거리의
세제곱에 반비례하는
거지.

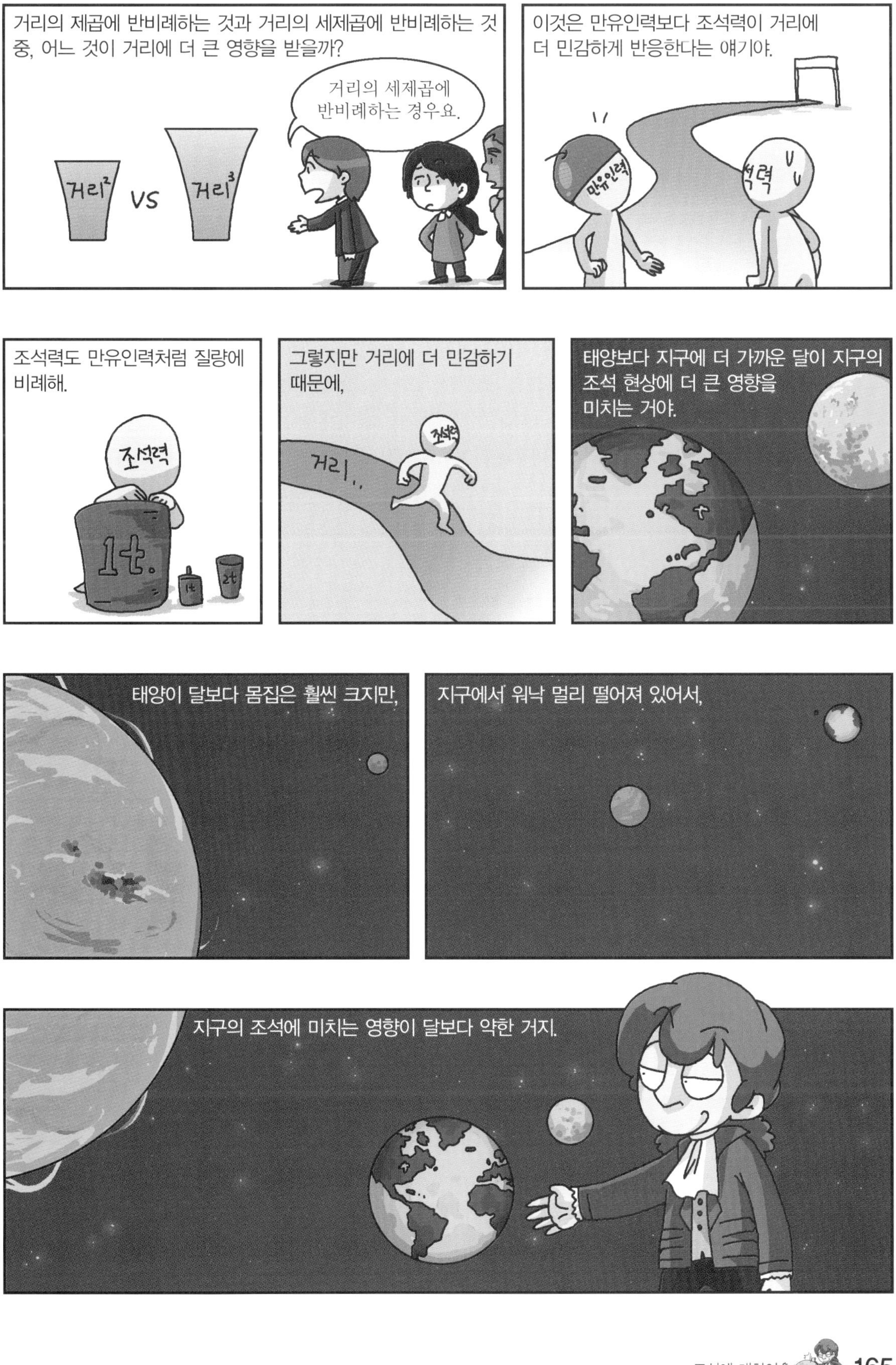

거리의 제곱에 반비례하는 것과 거리의 세제곱에 반비례하는 것 중, 어느 것이 거리에 더 큰 영향을 받을까?
거리의 세제곱에 반비례하는 경우요.
거리2 vs 거리3
이것은 만유인력보다 조석력이 거리에 더 민감하게 반응한다는 얘기야.
만유인력
석력
조석력도 만유인력처럼 질량에 비례해.
조석력
1t.
그렇지만 거리에 더 민감하기 때문에,
거리..
조석력
태양보다 지구에 더 가까운 달이 지구의 조석 현상에 더 큰 영향을 미치는 거야.
태양이 달보다 몸집은 훨씬 크지만,
지구에서 워낙 멀리 떨어져 있어서,
지구의 조석에 미치는 영향이 달보다 약한 거지.

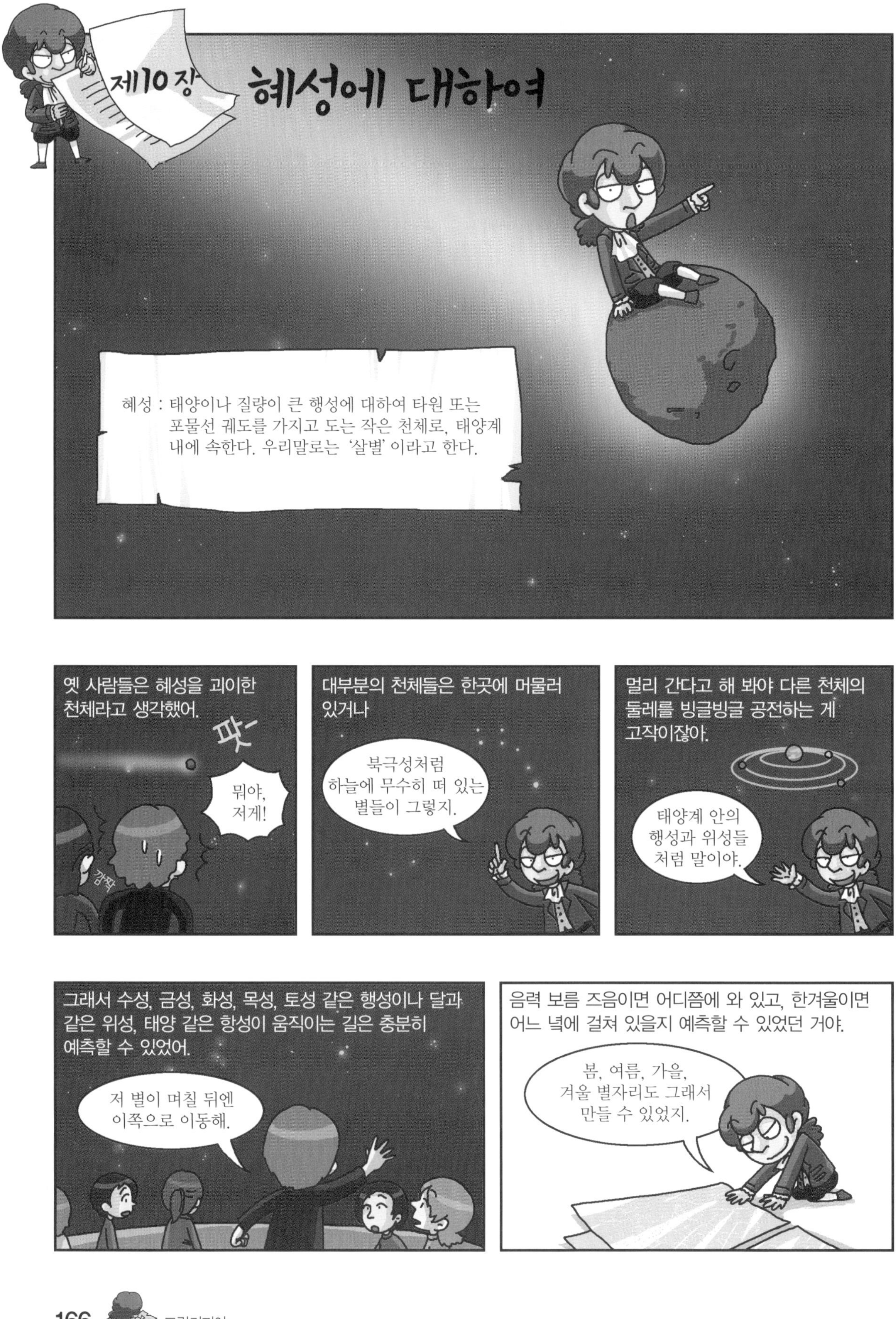
제10장 혜성에 대하여
혜성 : 태양이나 질량이 큰 행성에 대하여 타원 또는 포물선 궤도를 가지고 도는 작은 천체로, 태양계 내에 속한다. 우리말로는 '살별'이라고 한다.
옛 사람들은 혜성을 괴이한 천체라고 생각했어.
팟
뭐야, 저게!
깜짝
대부분의 천체들은 한곳에 머물러 있거나
북극성처럼 하늘에 무수히 떠 있는 별들이 그렇지.
멀리 간다고 해 봐야 다른 천체의 둘레를 빙글빙글 공전하는 게 고작이잖아.
태양계 안의 행성과 위성들 처럼 말이야.
그래서 수성, 금성, 화성, 목성, 토성 같은 행성이나 달과 같은 위성, 태양 같은 항성이 움직이는 길은 충분히 예측할 수 있었어.
저 별이 며칠 뒤엔 이쪽으로 이동해.
음력 보름 즈음이면 어디쯤에 와 있고, 한겨울이면 어느 녘에 걸쳐 있을지 예측할 수 있었던 거야.
봄, 여름, 가을, 겨울 별자리도 그래서 만들 수 있었지.

그런데 혜성은 그렇지가 않아.
꼬리를 달고 우주 공간을 떠도는 혜성은,
'꼬리별' 이라고도 불러.
기다란 꼬리를 흩날리면서 잊을 만하면 어쩌다 한 번씩 불쑥 나타나 며칠 또는 몇 주일씩 하늘에 머물다가,
혜성이다!
팟
갑자기 사라지곤 했거든.
없다….
늘 정해진 길을 따라서 움직이는 여느 천체들과는 운동 모습이 완전히 달랐지.
이것부터가 옛 사람들의 마음을 혼란스럽게 하기에 충분했어.
도대체 저 별은 뭐지?
이상해.
예전에는 하늘의 천체를 보고 개인이나 한 나라의 길흉화복* 을 점치는 일이 널리 유행했어.
별이 지다니 나라에 큰일이 생기겠군.
이것을 점성술이라고 하지. 서양에선 일찍이 점성술이 발달했고, 점성술사가 높은 대접을 받기도 했어.

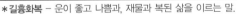

*길흉화복 – 운이 좋고 나쁨과, 재물과 복된 삶을 이르는 말.

그런데 점성술사들은 혜성의 이런 불규칙한 모습에 적잖이 당혹스러워했지.
끄 응…

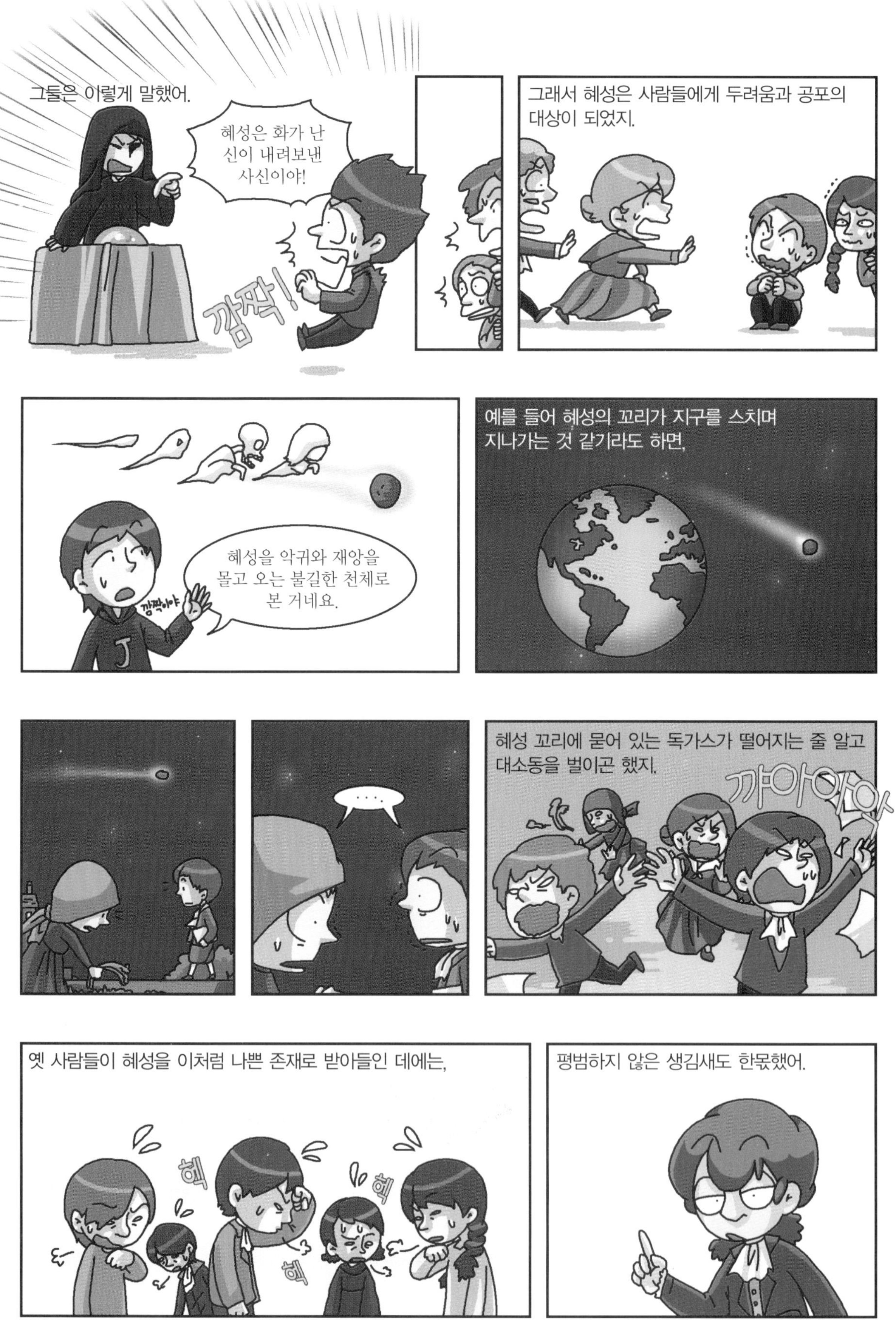
그들은 이렇게 말했어.
혜성은 화가 난 신이 내려보낸 사신이야!
깜짝!
그래서 혜성은 사람들에게 두려움과 공포의 대상이 되었지.
혜성을 악귀와 재앙을 몰고 오는 불길한 천체로 본 거네요.
깜짝이야
예를 들어 혜성의 꼬리가 지구를 스치며 지나가는 것 같기라도 하면,
J
....
혜성 꼬리에 묻어 있는 독가스가 떨어지는 줄 알고 대소동을 벌이곤 했지.
꺄아아악
옛 사람들이 혜성을 이처럼 나쁜 존재로 받아들인 데에는,
헉
헉
헉
평범하지 않은 생김새도 한몫했어.

혜성이 시커먼 밤하늘을 유유히 비행할 때의 모습을 한 번 떠올려 봐.
음~
안개처럼 뿌연 공 모양 머리를 앞세우고,
그 뒤로 길게 뻗은 꼬리를 세차게 흩날리며 하늘을 마구 돌아다녀요.
옛 사람들은 그런 혜성의 모습에서
머리만 있고 몸뚱이는 없는 여인이,
미친 여자처럼 풀어헤친 머리칼을 흩날리며,
밤하늘을 이리저리 돌아다니는 기분 나쁜 그림을 떠올렸지.
어휴, 듣기만 해도 소름이 돋아요!
혜성을 뜻하는 영어 단어인 '코멧'도
Comet
긴 머리카락을 의미하는 그리스 어에서 유래했어.
또 어떤 사람들은 혜성을 기다란 칼에 비유하며,
챙-
혜성의 등장을 불길한 암시로 받아들이기도 했지.

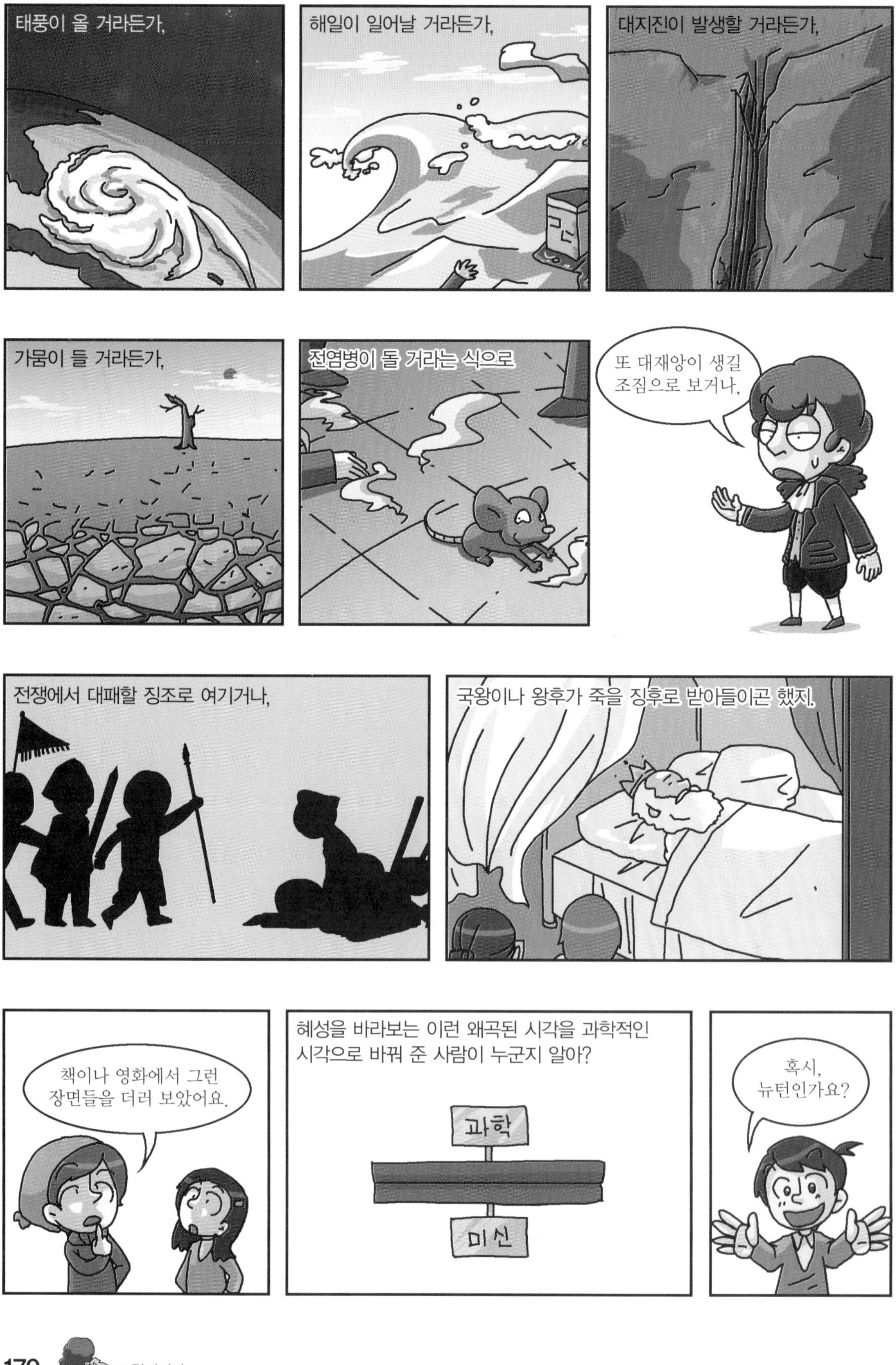
태풍이 올 거라든가,
해일이 일어날 거라든가,
대지진이 발생할 거라든가,
가뭄이 들 거라든가,
전염병이 돌 거라는 식으로
또 대재앙이 생길 조짐으로 보거나,
전쟁에서 대패할 징조로 여기거나,
국왕이나 왕후가 죽을 징후로 받아들이곤 했지.
책이나 영화에서 그런 장면들을 더러 보았어요.
혜성을 바라보는 이런 왜곡된 시각을 과학적인 시각으로 바꿔 준 사람이 누군지 알아?
과학
미신
혹시, 뉴턴인가요?

맞았어, 뉴턴이야.
나지롱~!
뉴턴은 《프린키피아》 제3권에서 혜성에 대해 설명하며, 첫머리에 이렇게 써 놓았어.
혜성은 달보다 더 멀리 있으며, 행성들의 영역에 있다.
이것은 혜성이 달보다 높은 곳에 머물러 있다는 뜻이지.
우리가 보기에 혜성은 분명히 달보다 위에 떠서 우주 공간을 날고 있잖아요.
그러니까 당연한 사실 아닌가요?
물론 당연하지.
당연한 사실을 굳이 말할 필요는 없었을 텐데….
사랑한다는 걸 꼭 말로 해야 알겠어?
그럼에도 뉴턴은 굳이 말로 했어. 왜 그랬을까?
으음...
뉴턴 같은 천재가 그저 재미삼아 말한 건 아닐 테고,
다 그럴 만한 이유가 있었겠죠?
그렇지!
뉴턴이 그 말을 한 이유를 알려면,
누군가를 만나 봐야 해.
누구게~.
다다다

짜잔~
바로 아리스토텔레스야.
….
또 아리스토텔레스네요….
잘생긴 과학자는 없나요?
서양 사회에서 아리스토텔레스가 차지하는 학문적 위치가 그만큼 대단하기 때문이지.
어쨌든 아리스토텔레스는 다음과 같이 호언장담*했어.
헉!
빨리 호언 장담….
아…
흔들 흔들

*호언장담 – 호기롭고 자신 있게 하는 말.

혜성은 달 아래에 있다.
누가 보더라도, 혜성은 달보다 더 멀리서 나는데,
왜 아리스토텔레스는 그런 말도 안 되는 소리를 했나요?
털썩
왜 만날 나만 가지고 그래.
아리스토텔레스의 주장을 그렇게 쉽게 단정지어 버리면 좀 곤란해.
이유 없는 주장은 없다고,
아리스토텔레스도 다 나름대로 생각하는 바가 있어서 그렇게 주장한 거거든.
끄덕
어떤 생각인데요?

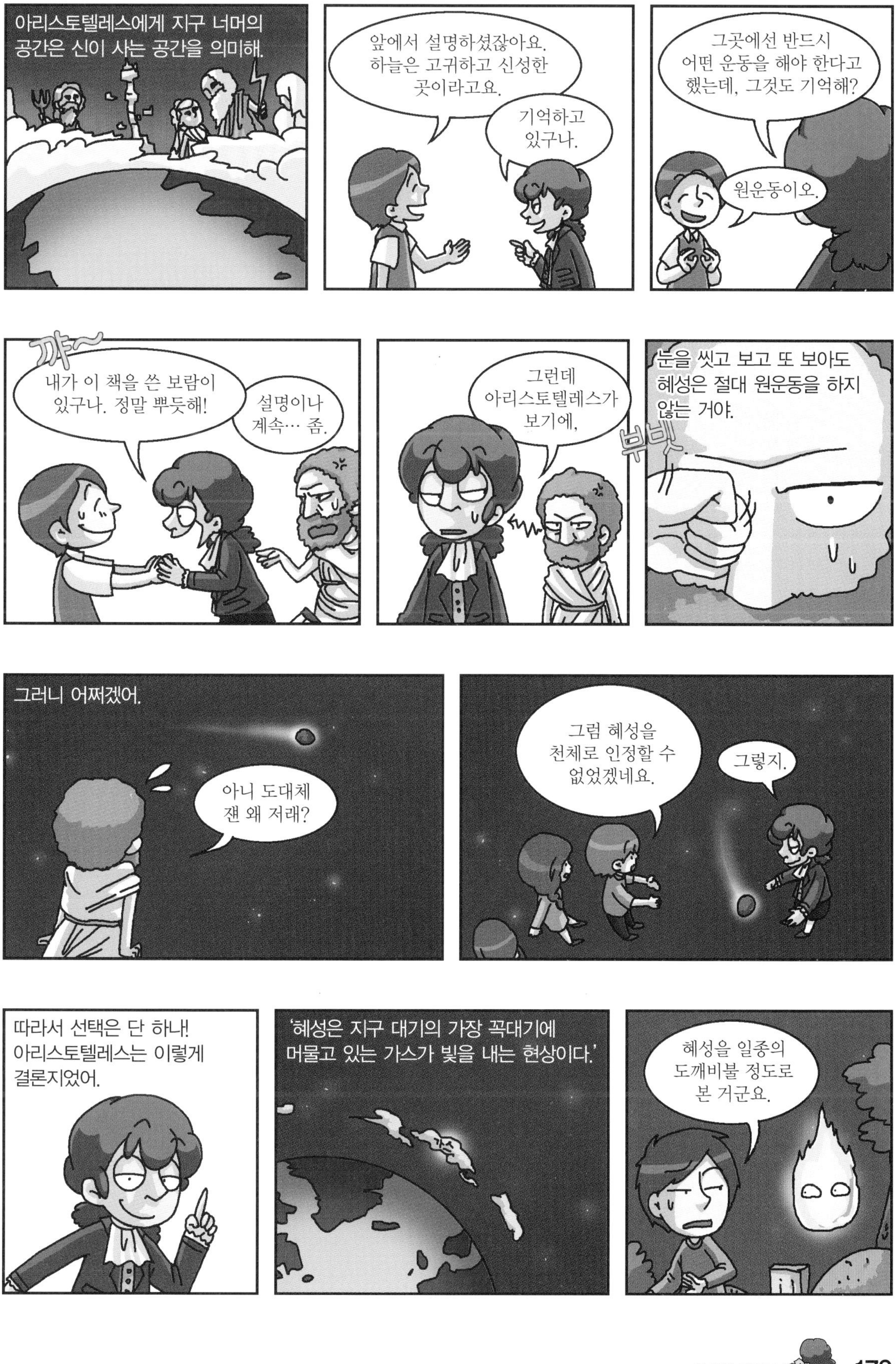
아리스토텔레스에게 지구 너머의 공간은 신이 사는 공간을 의미해.
앞에서 설명하셨잖아요. 하늘은 고귀하고 신성한 곳이라고요.
기억하고 있구나.
그곳에선 반드시 어떤 운동을 해야 한다고 했는데, 그것도 기억해?
원운동이오.
꺄~
내가 이 책을 쓴 보람이 있구나. 정말 뿌듯해!
설명이나 계속… 좀.
그런데 아리스토텔레스가 보기에,
부비
눈을 씻고 보고 또 보아도 혜성은 절대 원운동을 하지 않는 거야.
그러니 어쩌겠어.
아니 도대체 쟨 왜 저래?
그럼 혜성을 천체로 인정할 수 없었겠네요.
그렇지.
따라서 선택은 단 하나! 아리스토텔레스는 이렇게 결론지었어.
'혜성은 지구 대기의 가장 꼭대기에 머물고 있는 가스가 빛을 내는 현상이다.'
혜성을 일종의 도깨비불 정도로 본 거군요.

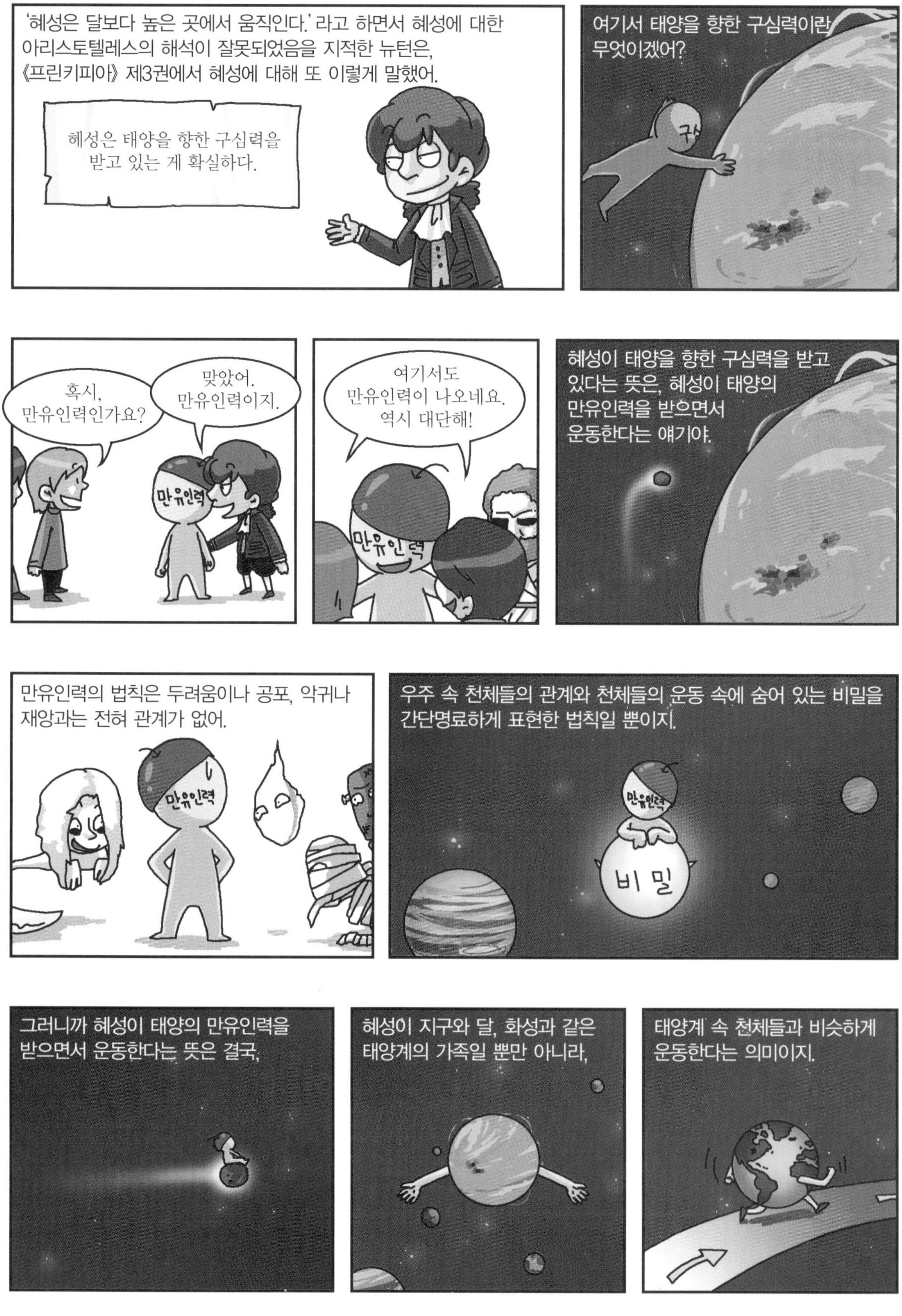

'혜성은 달보다 높은 곳에서 움직인다.' 라고 하면서 혜성에 대한 아리스토텔레스의 해석이 잘못되었음을 지적한 뉴턴은, 《프린키피아》 제3권에서 혜성에 대해 또 이렇게 말했어.
혜성은 태양을 향한 구심력을 받고 있는 게 확실하다.
여기서 태양을 향한 구심력이란 무엇이겠어?
구심
혹시, 만유인력인가요?
맞았어. 만유인력이지.
만유인력
여기서도 만유인력이 나오네요. 역시 대단해!
만유인력
혜성이 태양을 향한 구심력을 받고 있다는 뜻은, 혜성이 태양의 만유인력을 받으면서 운동한다는 얘기야.
만유인력의 법칙은 두려움이나 공포, 악귀나 재앙과는 전혀 관계가 없어.
만유인력
우주 속 천체들의 관계와 천체들의 운동 속에 숨어 있는 비밀을 간단명료하게 표현한 법칙일 뿐이지.
만유인력
비 밀
그러니까 혜성이 태양의 만유인력을 받으면서 운동한다는 뜻은 결국,
혜성이 지구와 달, 화성과 같은 태양계의 가족일 뿐만 아니라,
태양계 속 천체들과 비슷하게 운동한다는 의미이지.

뉴턴은 《프린키피아》 제3권에 이렇게 덧붙였어.
혜성이 우리에게 가까이 왔을 때, 혜성은 화성이나 금성의 궤도보다 더 안쪽으로 들어가기도 한다.
금성
지구
그러면서 또 이렇게 이야기했어.
1607년의 혜성과 1618년의 혜성은 태양과 지구 사이를 지났다. 1664년의 혜성은 화성의 궤도 안을 지났다. 1680년의 혜성은 수성의 궤도 안을 지났다.
1618년
1607년
1680년
수성
금성
1664년
지구
이것은 혜성이 태양계의 내부를 자유롭게 운항하는 천체라는 뜻이지.
혜성은 사람들이 생각하는 것처럼 무섭고 기이한 마귀가 아니고,
뻥
신이 화가 나서 내려보낸 사신도 아니며,
대기 중에 떠도는 도깨비불도 아니라는 거야.
투두둑
투둑
아리스토텔레스의 생각이 틀렸다는 걸 천문 관측 자료로 지적했군요.

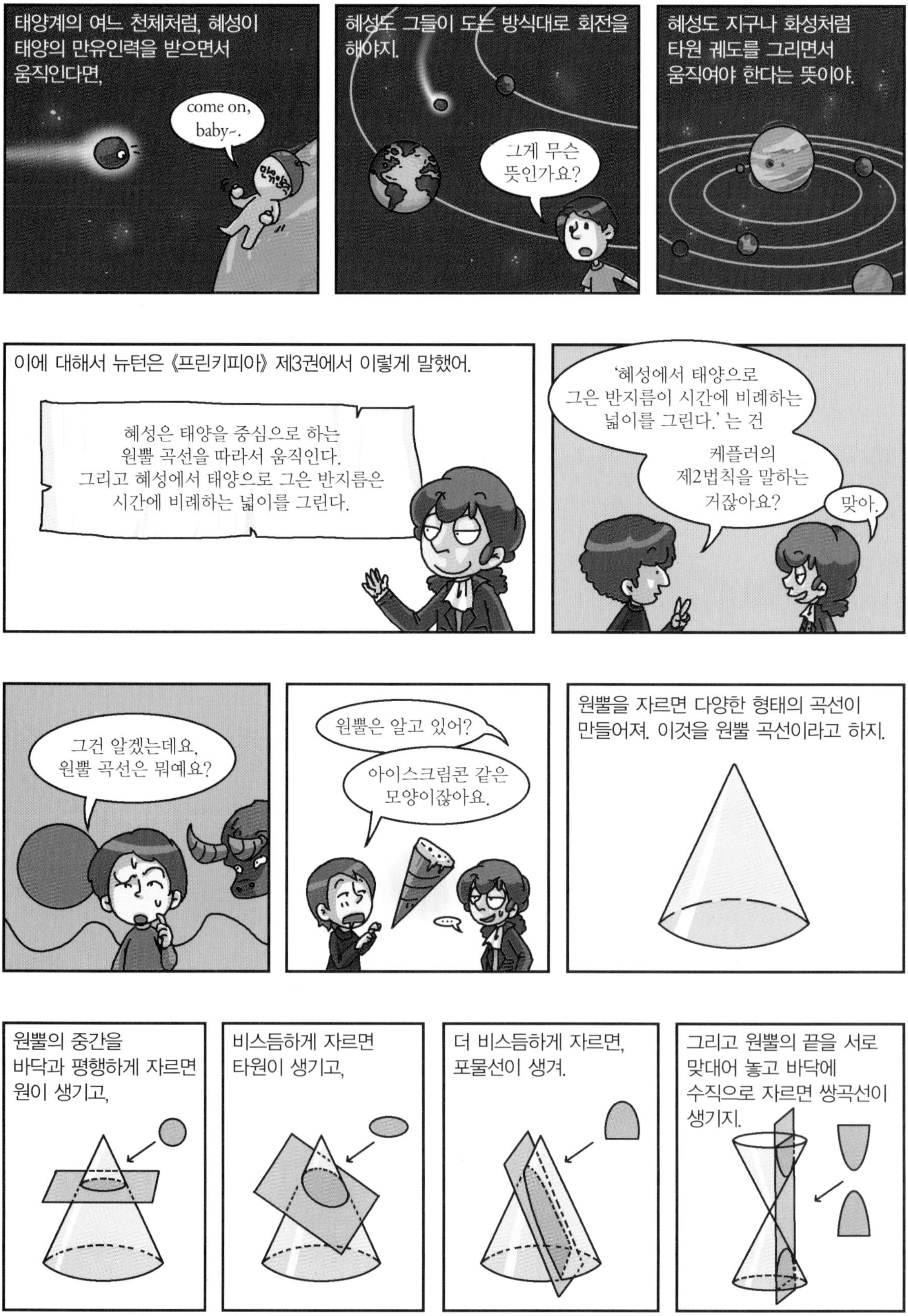

태양계의 여느 천체처럼, 혜성이 태양의 만유인력을 받으면서 움직인다면,
come on, baby~.
만유인력
혜성도 그들이 도는 방식대로 회전을 해야지.
그게 무슨 뜻인가요?
혜성도 지구나 화성처럼 타원 궤도를 그리면서 움직여야 한다는 뜻이야.
이에 대해서 뉴턴은 《프린키피아》 제3권에서 이렇게 말했어.
혜성은 태양을 중심으로 하는 원뿔 곡선을 따라서 움직인다. 그리고 혜성에서 태양으로 그은 반지름은 시간에 비례하는 넓이를 그린다.
'혜성에서 태양으로 그은 반지름이 시간에 비례하는 넓이를 그린다.' 는 건
케플러의 제2법칙을 말하는 거잖아요?
맞아.
그건 알겠는데요, 원뿔 곡선은 뭐예요?
원뿔은 알고 있어?
아이스크림콘 같은 모양이잖아요.
…
원뿔을 자르면 다양한 형태의 곡선이 만들어져. 이것을 원뿔 곡선이라고 하지.
원뿔의 중간을 바닥과 평행하게 자르면 원이 생기고,
비스듬하게 자르면 타원이 생기고,
더 비스듬하게 자르면, 포물선이 생겨.
그리고 원뿔의 끝을 서로 맞대어 놓고 바닥에 수직으로 자르면 쌍곡선이 생기지.

뉴턴은 《프린키피아》 제3권에서 또 이렇게 말했어.
혜성이 그리는 원뿔 곡선은 포물선에 가까운 타원이다.
이건 무슨 말이냐 하면,
으음...
혜성이 타원 궤도를 그리기는 하는데,
'그 궤도가 엄청나게 크다.' 는 뜻이지.
궤도가 크면 한 번 도는 데 걸리는 시간이
짧을까?
길~까?
길어요.
그래, 엄청난 시간이 걸리지.

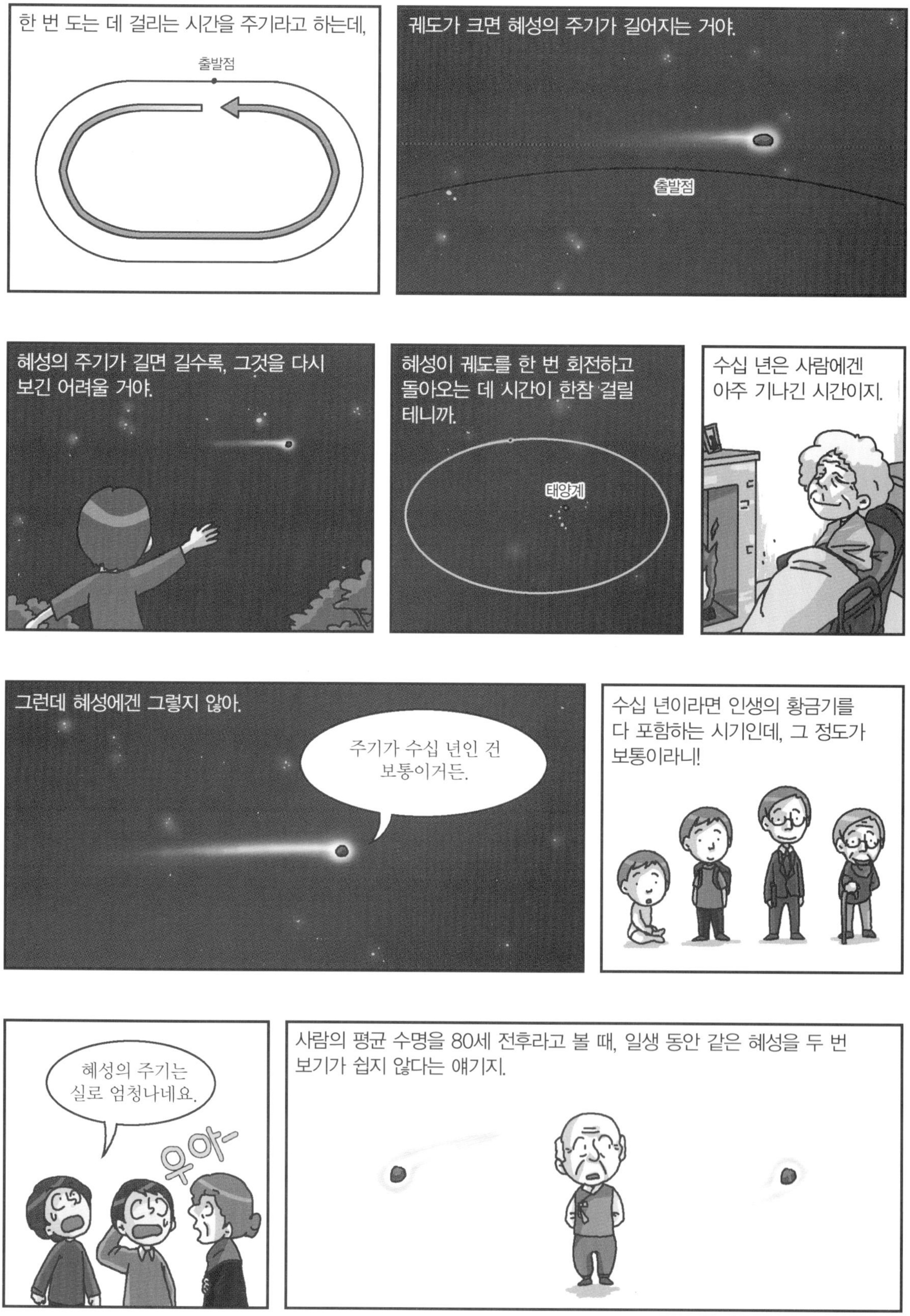
한 번 도는 데 걸리는 시간을 주기라고 하는데,
출발점
궤도가 크면 혜성의 주기가 길어지는 거야.
출발점
혜성의 주기가 길면 길수록, 그것을 다시 보긴 어려울 거야.
혜성이 궤도를 한 번 회전하고 돌아오는 데 시간이 한참 걸릴 테니까.
태양계
수십 년은 사람에겐 아주 기나긴 시간이지.
그런데 혜성에겐 그렇지 않아.
주기가 수십 년인 건 보통이거든.
수십 년이라면 인생의 황금기를 다 포함하는 시기인데, 그 정도가 보통이라니!
혜성의 주기는 실로 엄청나네요.
우와~
사람의 평균 수명을 80세 전후라고 볼 때, 일생 동안 같은 혜성을 두 번 보기가 쉽지 않다는 얘기지.

혜성은 태양계의 식구 가운데 운동 폭이 가장 넓은 천체야.
달과 같은 위성은 지구와 같은 행성 둘레를 돌고,
행성은 태양 둘레를 공전하는 정도잖아.
그래서 위성과 행성의 움직임은 보통 천체 망원경으로도 얼마든지 관측할 수 있어.
하지만 혜성은 그렇지 않아.
주기가 워~낙 길거든.
으악-
혜성의 주기는 저마다 달라.
내 주기가 더 길어.
수백 년 이하는 비교적 짧은 주기에 속해.
500년째 한 바퀴.
조선 시대 전체가 500년 정도인데!
놀라기는 아직 일러. 혜성 중에는 수십만 년이라는 엄청난 주기를 갖는 것도 있거든.
언젠가는 돌아올게.
인류가 4대강 유역에 최초의 도시 문명을 세운 것이 1만 년도 채 안 되는데,
수십만 년이라니 실로 놀라워요.
인류가 도시 문명을 세운 뒤로 못 본 혜성이 그만큼 많다는 얘기지.
메소포타미아 문명
이집트 문명
인더스 문명
황하 문명

그래서 옛 사람들이 혜성을 우리가 태양계에서 쉽게 마주하는 수성이나 금성, 달 같은 천체들과는 다르다고 보았던 거지.
충분히 그럴 만하겠네요.
몇십 년, 몇백 년, 아니 몇십만 년 만에 한 번 삐죽 나타났다가 사라지는 것을 태양계의 가족으로 보기는 어려웠을 테니까.
하지만 혜성은 분명히 태양계의 가족이잖아요.
그렇지.
그렇다면 그걸 믿게 해야죠.
좋은 지적이야.
혜성이 태양계의 가족이라는 걸 말로만 떠든다고 해서 사람들이 믿지는 않을 거야.
고래고래
혜성도 태양계의 가족이다!
뭐래?
그렇게 무턱대고 떠드는 건 과학이 아니지. 그걸 믿게끔 입증해야 돼.
믿음
입증
입증
입증
입증
입증
입증
그걸 입증한 사람이 있다는….
맞아, 뉴턴이 입증했잖아요.
물론 나도 맞긴 한데….
원하는 답은 아니야.
뉴턴은 이론적으로 입증한 거고, 지금 말하려는 사람은 실험적으로 입증한 사람이거든.
누군데요?
내가 《프린키피아》를 쓰는 데 적지 않은 공헌을 한.

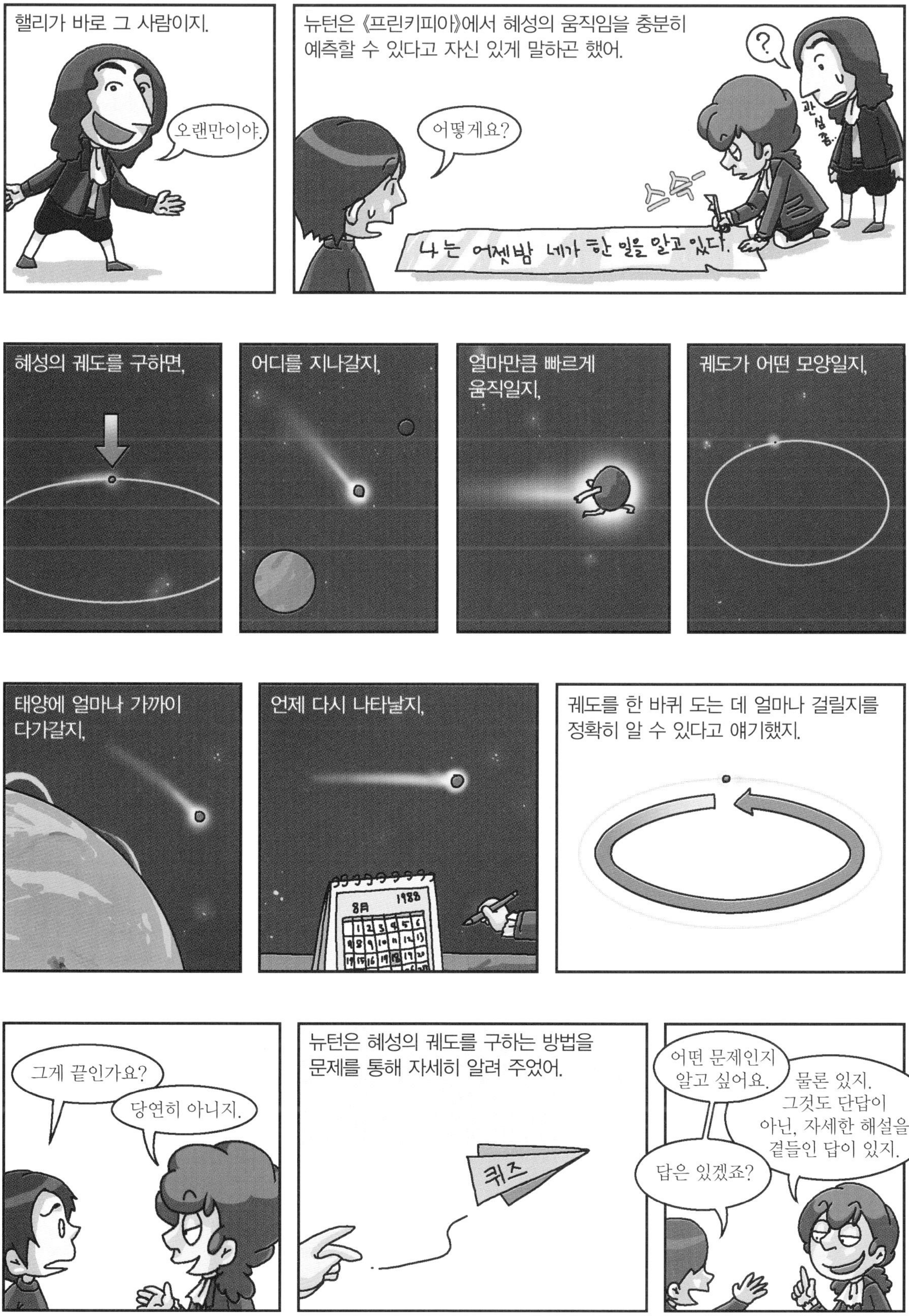

핼리가 바로 그 사람이지.
오랜만이야.
뉴턴은 《프린키피아》에서 혜성의 움직임을 충분히 예측할 수 있다고 자신 있게 말하곤 했어.
어떻게요?
?
관심좀..
스윽-
나는 어젯밤 네가 한 일을 알고 있다.
혜성의 궤도를 구하면,
어디를 지나갈지,
얼마만큼 빠르게 움직일지,
궤도가 어떤 모양일지,
태양에 얼마나 가까이 다가갈지,
언제 다시 나타날지,
8月
1988
궤도를 한 바퀴 도는 데 얼마나 걸릴지를 정확히 알 수 있다고 얘기했지.
그게 끝인가요?
당연히 아니지.
뉴턴은 혜성의 궤도를 구하는 방법을 문제를 통해 자세히 알려 주었어.
퀴즈
어떤 문제인지 알고 싶어요.
물론 있지. 그것도 단답이 아닌, 자세한 해설을 곁들인 답이 있지.
답은 있겠죠?

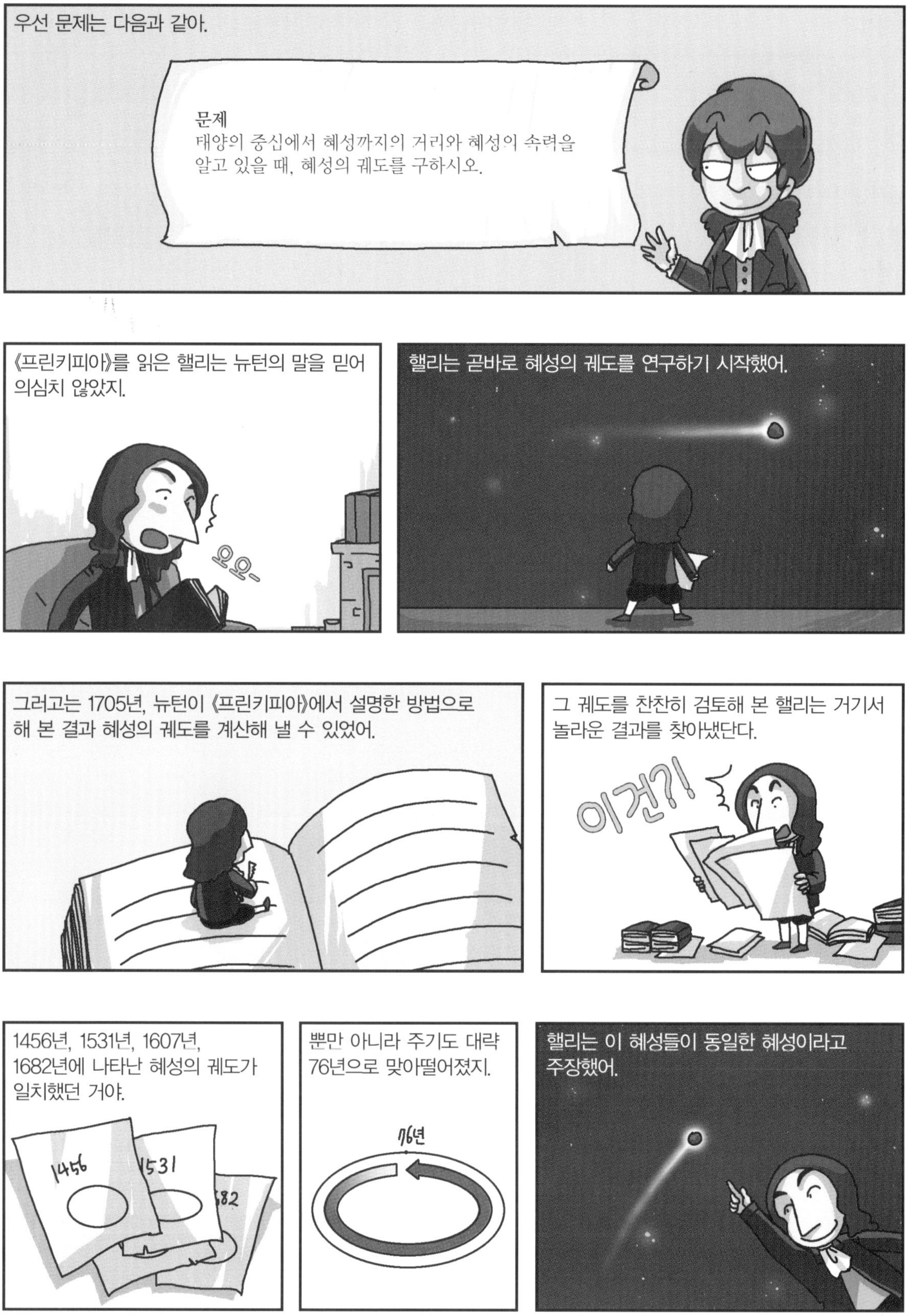
우선 문제는 다음과 같아.
문제
태양의 중심에서 혜성까지의 거리와 혜성의 속력을 알고 있을 때, 혜성의 궤도를 구하시오.
《프린키피아》를 읽은 핼리는 뉴턴의 말을 믿어 의심치 않았지.
오오~
핼리는 곧바로 혜성의 궤도를 연구하기 시작했어.
그러고는 1705년, 뉴턴이 《프린키피아》에서 설명한 방법으로 해 본 결과 혜성의 궤도를 계산해 낼 수 있었어.
그 궤도를 찬찬히 검토해 본 핼리는 거기서 놀라운 결과를 찾아냈단다.
이건?!
1456년, 1531년, 1607년, 1682년에 나타난 혜성의 궤도가 일치했던 거야.
1456
1531
뿐만 아니라 주기도 대략 76년으로 맞아떨어졌지.
76년
핼리는 이 혜성들이 동일한 혜성이라고 주장했어.

그러면서 76년쯤 뒤인 1758년에 이 혜성이 다시 나타날
거라고 예측했지. 그의 말대로 혜성이 1758년 크리스마스날
나타났어. 핼리의 예측이 적중한 셈이지.
팟-
이 혜성이 바로 그 이름도 유명한 핼리 혜성이란다.
핼리 혜성은 타원 궤도를 도는 대표적인 주기 혜성이야.
76년을 주기로 하는, 대표적인 짧은 주기 혜성이지.

그러나 아쉽게도 뉴턴과 핼리는 이 기념비적인
사건을 보지 못했어.
정말 76년 만이다!

그들이 죽은 뒤에 일어난 일이었겠군요.

그 위대한 순간을 직접 목격하지는 못했지만
핼리가 뉴턴의 만유인력의 법칙을 다시 한 번
입증해 준 셈이 되었어.
그럼으로써 두 사람은 과학의 역사에
길이길이 이름을 남겼지.

태양계의 방랑객

혜성들의 쉼터

▲ 핼리 혜성

태양계의 식구 중에는 방랑객이 있습니다. 바로 혜성이지요. 혜성은 태양계의 다른 식구인 행성이나 위성과 달리 늘 볼 수 있는 천체가 아닙니다. 먼 곳으로 사라졌다가 어느새 한 번씩 나타나곤 하지요. 그래서 '태양계의 방랑객' 이란 별명이 붙었습니다.

혜성은 핵으로 이루어진 머리 아래에 긴 꼬리를 단 모습입니다. 그러나 원래는 얼음과 기체로 이루어진 공 모양의 천체이지요. 이것이 태양에 다가가면서 모양이 변하는 겁니다. 태양의 열에너지를 받아 얼음이 녹으면서 수증기와 기체가 함께 뒤로 흩날리는 거지요. 그러면서 긴 꼬리를 매단 형상으로 변합니다.

혜성의 몸통은 한 번 나타날 때마다 태양의 열에너지에 녹아서 작아집니다. 만일 이런 식으로 몸집이 작아진다면 점점 작아지다가 나중에는 아예 사라져 버려야 할 겁니다. 그렇게 사라지다 보면 수도 점점 줄어들겠지요. 지구의 나이가 45억 살쯤 됐다는 걸 고려하면 이런 추측은 더욱 설득력 있게 들립니다. 지구가 나이를 먹는 동안 지구를 방문한 혜성이 한둘이 아니었을 테니까요. 그런데 이상한 것은 매년 관측되는 혜성의 수와 크기가 달라지지 않는다는 것입니다.

이런 현상에 대해 과학자들은 여러 가지 근거를 제시합니다. 미국의 천문학자 카이퍼(Gerard Kuiper, 1905~1973)는 태양계 바깥에 혜성이 머물고 만들어지는 띠가 있다고 말했지요. 이것을 '카이퍼 벨트(Kuiper Belt)'라고 합니다. 카이퍼 벨트는 해왕성 너머에 존재하는 것으로 확인되었습니다.

네덜란드의 천문학자인 오르트(Jan Hendrit Oort, 1900~1992)도 카이퍼 벨트와 비슷한 의견을 발표했어요. 태양계 밖의 행성에 혜성들이 머무는 쉼터가 있다는 거죠. 이것을 '오르트 구름(Oort cloud)'이라고 합니다. 오르트 구름 역시 그 존재가 확인되었지요.

그러나 카이퍼 벨트와 오르트 구름이, 혜성이 새롭게 만들어지거나 휴식을 취하는 집 같은 곳인지, 만일 그렇다면 어떤 식으로 가능한지에 대해서는 아직 명확히 밝혀내지 못하고 있답니다.

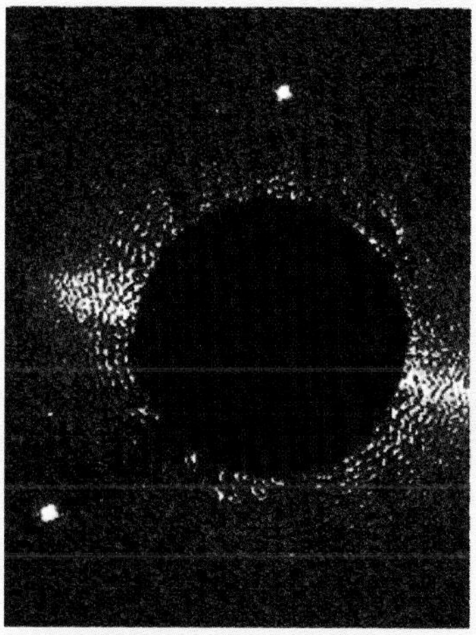
▲ 카이퍼 벨트

▲ 오르트 구름

제11장
중력에 대하여

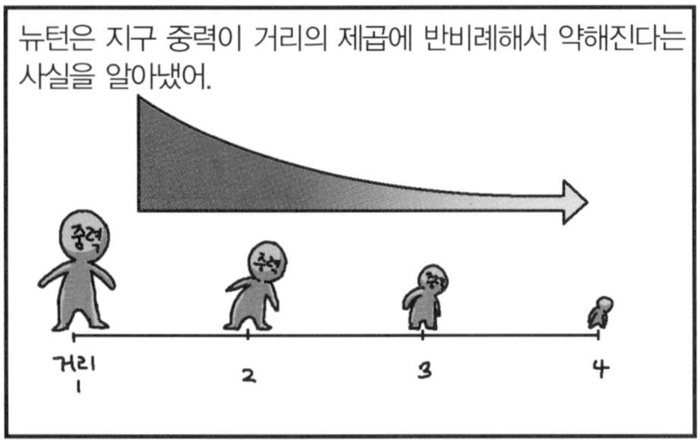
뉴턴은 지구 중력이 거리의 제곱에 반비례해서 약해진다는 사실을 알아냈어.
중력
거리 1
2
3
4

그게 구심력이고,
거기서 만유인력을 이끌어 냈잖아요.
GD

뉴턴은 이것 말고도 중력에 대해 또 다른 사실들을 많이 밝혀냈지.
중력
중력 보고서
중력 관찰
중력에 대한 사실
중력을 알고싶다
중력의 비밀
중력의 진실
중력에 대하여

그럼 여기서 질문 하나.
?
?

지구의 중력은 지구 어디에서나 항상 똑같을까?

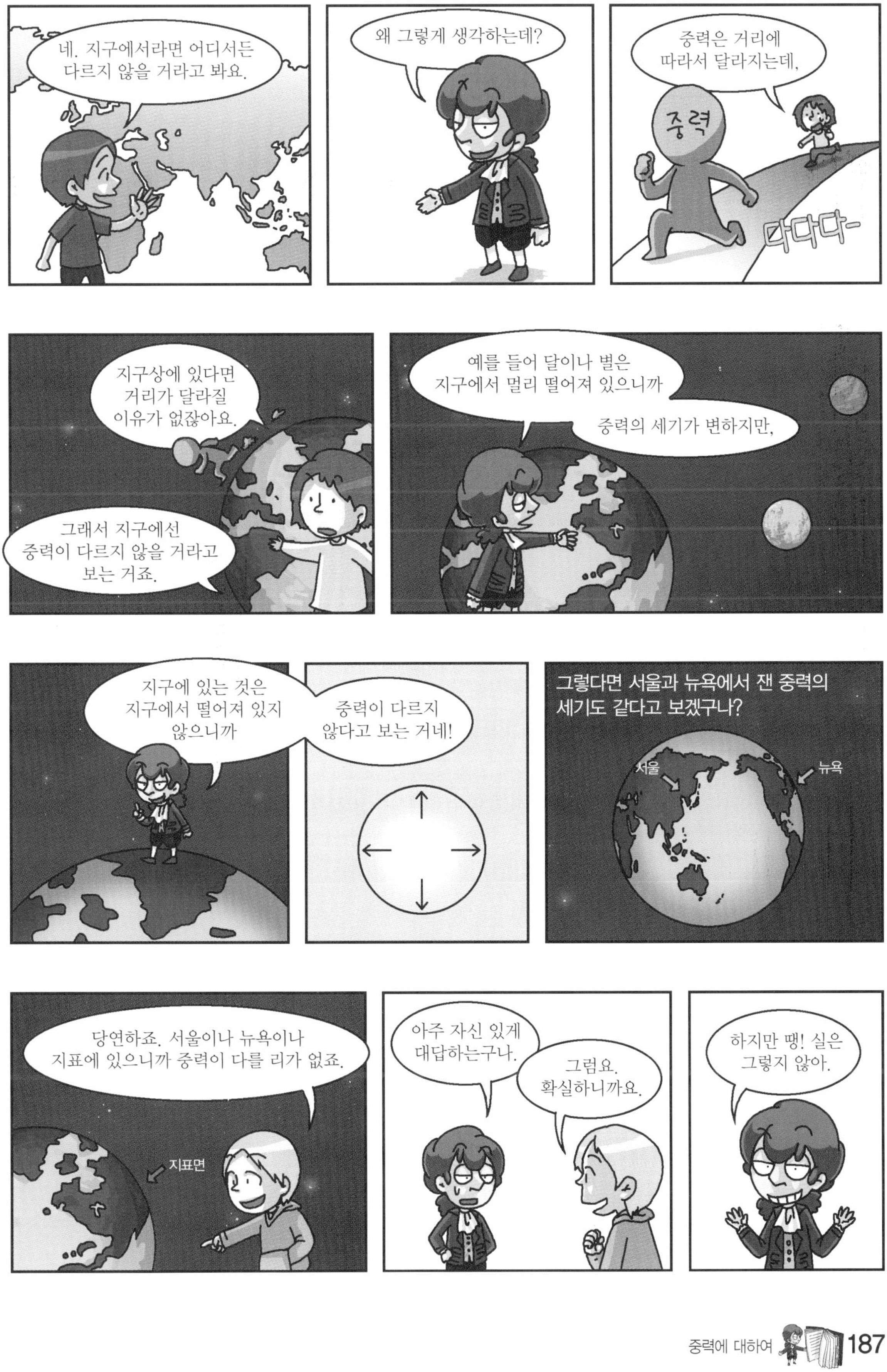
네. 지구에서라면 어디서든 다르지 않을 거라고 봐요.
왜 그렇게 생각하는데?
중력은 거리에 따라서 달라지는데,
중력
다다다-
지구상에 있다면 거리가 달라질 이유가 없잖아요.
그래서 지구에선 중력이 다르지 않을 거라고 보는 거죠.
예를 들어 달이나 별은 지구에서 멀리 떨어져 있으니까
중력의 세기가 변하지만,
지구에 있는 것은 지구에서 떨어져 있지 않으니까
중력이 다르지 않다고 보는 거네!
그렇다면 서울과 뉴욕에서 잰 중력의 세기도 같다고 보겠구나?
서울
뉴욕
당연하죠. 서울이나 뉴욕이나 지표에 있으니까 중력이 다를 리가 없죠.
지표면
아주 자신 있게 대답하는구나.
그럼요. 확실하니까요.
하지만 땡! 실은 그렇지 않아.

서울과 뉴욕뿐만 아니라
파리와 그린란드에서 잰 중력이 모두 다르지.
정말이오?
지금까지 내가 거짓말하는 거 봤니?
왜 그런 결과가 나오느냐 하면, 중력을 재는 기준이 지표가 아니기 때문이야.
우리가 밟고 있는 땅바닥이 지구의 중력을 가늠하는 기준이 아니라는 얘긴가요?
맞아.
우리가 아무리 제자리에서 방방 뛴다고 해도,
방방
방
절대 지구 밖으로 떨어지지 않아. 왜일까?
으악
그거야 지구가 잡아당기기 때문이잖아요.
그 힘이 바로 중력이고.
지구의 중력은 땅바닥으로 향해. 지구의 중력이 땅바닥에 퍼져 있다는 얘기지.
그럼 지구의 중력은 땅바닥에만 있을까?
땅바닥
땅 속
땅 속에도 지구의 중력이 있는지 묻는 건가요?
그래.
없을 것 같아요.

지구의 중력이 지표에만 넓게 퍼져 있다면, 땅 속에선 절대로 중력이 작용해선 안 되겠지.
지표
무중력 상태?
중력이 없을 테니까, 당연히 그래야겠죠.
땅을 파고 지하로 내려가도 아래로 떨어지는 일이 일어나선 안 될 거야, 그렇지?
지표
그렇겠네요. 중력이 작용하지 않으니까요.
그렇다면 땅을 파고 지하로 내려간 사람은 둥둥 떠 있을까?
무중력 공간에서 처럼?
어, 그건 아닌데?
아니지. 그러면 이런 상상은 어때?
지표 아래로 내려간 사람은 오히려 땅 위로 끌려 올라가야 한다.
붕~
왜요?
땅바닥에 퍼져 있는 중력이
그를 지표로 끌어올릴 테니까.
지표
오, 그것도 말이 되네요.
하지만 그런 일은 절대로 일어나지 않아.
실험을 해 본 건가요?
무슨 소리야.
탄광에서 일하는 광부들을 봐.
탕
탕

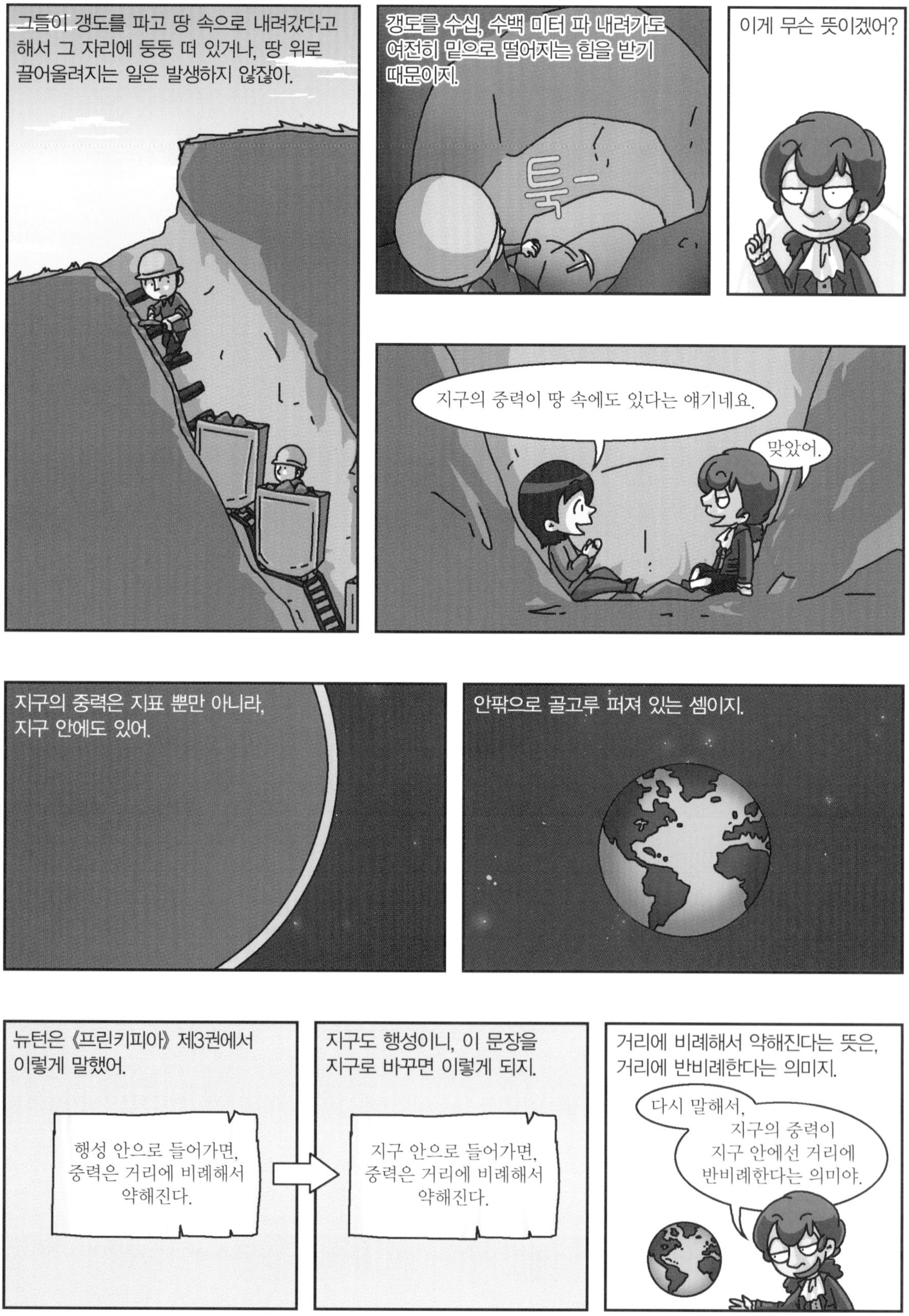
그들이 갱도를 파고 땅 속으로 내려갔다고 해서 그 자리에 둥둥 떠 있거나, 땅 위로 끌어올려지는 일은 발생하지 않잖아.
갱도를 수십, 수백 미터 파 내려가도 여전히 밑으로 떨어지는 힘을 받기 때문이지.
툭-
이게 무슨 뜻이겠어?
지구의 중력이 땅 속에도 있다는 얘기네요.
맞았어.
지구의 중력은 지표 뿐만 아니라, 지구 안에도 있어.
안팎으로 골고루 퍼져 있는 셈이지.
뉴턴은 《프린키피아》 제3권에서 이렇게 말했어.
행성 안으로 들어가면, 중력은 거리에 비례해서 약해진다.
지구도 행성이니, 이 문장을 지구로 바꾸면 이렇게 되지.
지구 안으로 들어가면, 중력은 거리에 비례해서 약해진다.
거리에 비례해서 약해진다는 뜻은, 거리에 반비례한다는 의미지.
다시 말해서, 지구의 중력이 지구 안에선 거리에 반비례한다는 의미야.

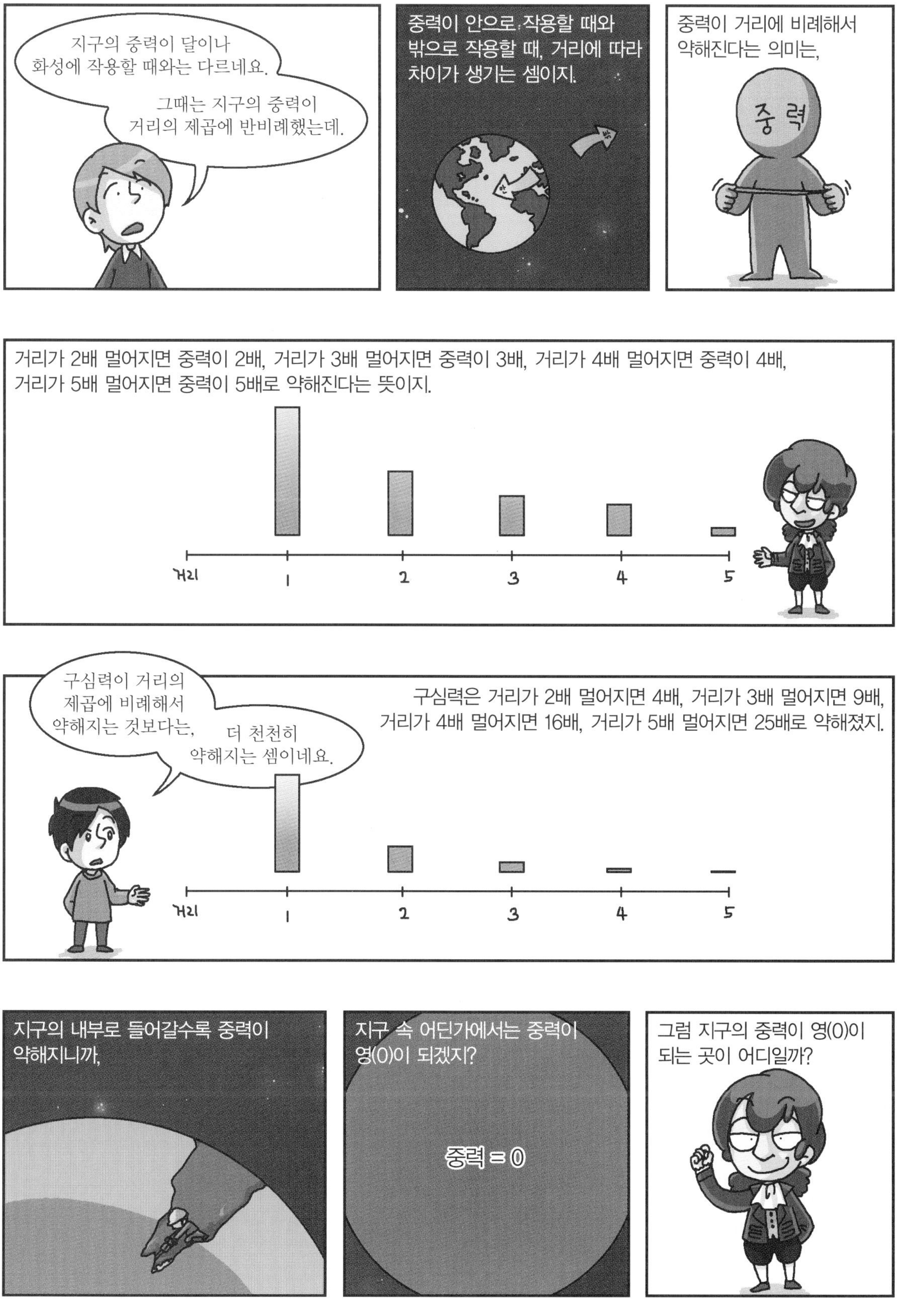
지구의 중력이 달이나 화성에 작용할 때와는 다르네요.
그때는 지구의 중력이 거리의 제곱에 반비례했는데.
중력이 안으로 작용할 때와 밖으로 작용할 때, 거리에 따라 차이가 생기는 셈이지.
중력이 거리에 비례해서 약해진다는 의미는,
중력
거리가 2배 멀어지면 중력이 2배, 거리가 3배 멀어지면 중력이 3배, 거리가 4배 멀어지면 중력이 4배, 거리가 5배 멀어지면 중력이 5배로 약해진다는 뜻이지.
거리
1
2
3
4
5
구심력이 거리의 제곱에 비례해서 약해지는 것보다는,
더 천천히 약해지는 셈이네요.
구심력은 거리가 2배 멀어지면 4배, 거리가 3배 멀어지면 9배, 거리가 4배 멀어지면 16배, 거리가 5배 멀어지면 25배로 약해졌지.
거리
1
2
3
4
5
지구의 내부로 들어갈수록 중력이 약해지니까,
지구 속 어딘가에서는 중력이 영(0)이 되겠지?
중력 = 0
그럼 지구의 중력이 영(0)이 되는 곳이 어디일까?

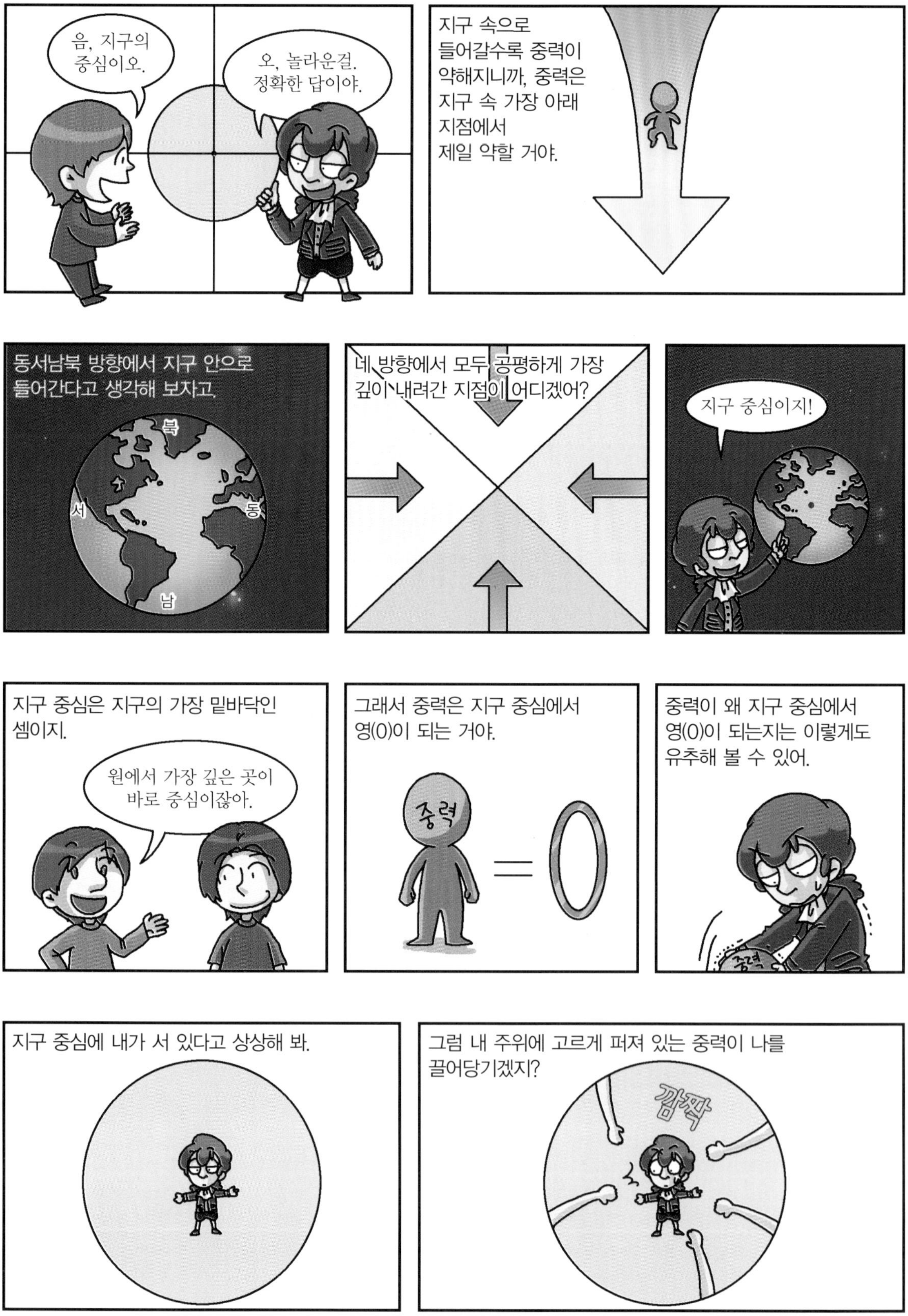
음, 지구의 중심이오.
오, 놀라운걸. 정확한 답이야.
지구 속으로 들어갈수록 중력이 약해지니까, 중력은 지구 속 가장 아래 지점에서 제일 약할 거야.
동서남북 방향에서 지구 안으로 들어간다고 생각해 보자고.
북
서
동
남
네 방향에서 모두 공평하게 가장 깊이 내려간 지점이 어디겠어?
지구 중심이지!
지구 중심은 지구의 가장 밑바닥인 셈이지.
원에서 가장 깊은 곳이 바로 중심이잖아.
그래서 중력은 지구 중심에서 영(0)이 되는 거야.
중력
중력이 왜 지구 중심에서 영(0)이 되는지는 이렇게도 유추해 볼 수 있어.
지구 중심에 내가 서 있다고 상상해 봐.
그럼 내 주위에 고르게 퍼져 있는 중력이 나를 끌어당기겠지?
깜짝

서쪽에서도 잡아당기고,
턱!
북쪽에서도 잡아당기고,
턱!
그럼 생각해 봐. 동쪽과 서쪽에서 잡아당기는 힘은 각각 같을까, 다를까?
끄응...
남쪽에서도 잡아당기고,
턱!
동쪽에서도 잡아당길 거야.
방향은 어떻지?
같아요. 거리가 같으니까요.
정반대예요.
세기가 똑같은 힘으로 동쪽과 서쪽이라는 정반대 방향에서
나를 잡아당기면, 어느 쪽으로 움직일까?
어느 쪽으로도 움직이지 않아요.
동쪽으로 움직이려고 하면 서쪽의 중력이 막을 테고,
서
동
서쪽으로 움직이려고 하면 동쪽의 중력이 막을 테니,
서
동
나는 중심에 가만히 있을 수밖에 없어.
헤헤
그래서 동쪽과 서쪽 어느 방향으로도 끌려가지 않게 되지.

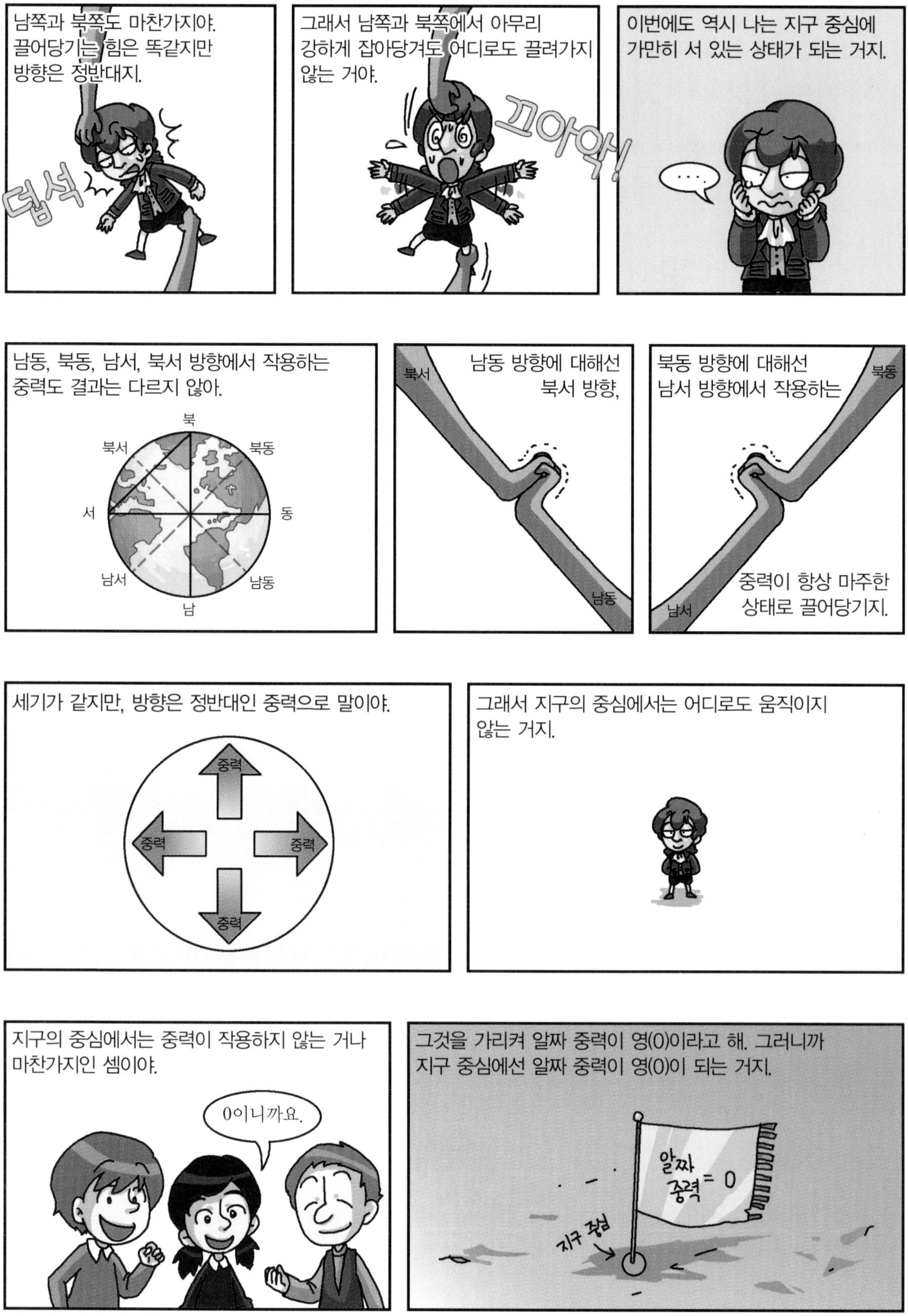
남쪽과 북쪽도 마찬가지야.
끌어당기는 힘은 똑같지만
방향은 정반대지.
덥석
그래서 남쪽과 북쪽에서 아무리
강하게 잡아당겨도 어디로도 끌려가지
않는 거야.
끄아악!
이번에도 역시 나는 지구 중심에
가만히 서 있는 상태가 되는 거지.
…
남동, 북동, 남서, 북서 방향에서 작용하는
중력도 결과는 다르지 않아.
북
북서
북동
서
동
남서
남동
남
북서
남동 방향에 대해선
북서 방향,
남동
북동 방향에 대해선
남서 방향에서 작용하는
북동
중력이 항상 마주한
상태로 끌어당기지.
남서
세기가 같지만, 방향은 정반대인 중력으로 말이야.
중력
중력
중력
중력
그래서 지구의 중심에서는 어디로도 움직이지
않는 거지.
지구의 중심에서는 중력이 작용하지 않는 거나
마찬가지인 셈이야.
0이니까요.
그것을 가리켜 알짜 중력이 영(0)이라고 해. 그러니까
지구 중심에선 알짜 중력이 영(0)이 되는 거지.
알짜
중력 = 0
지구 중심

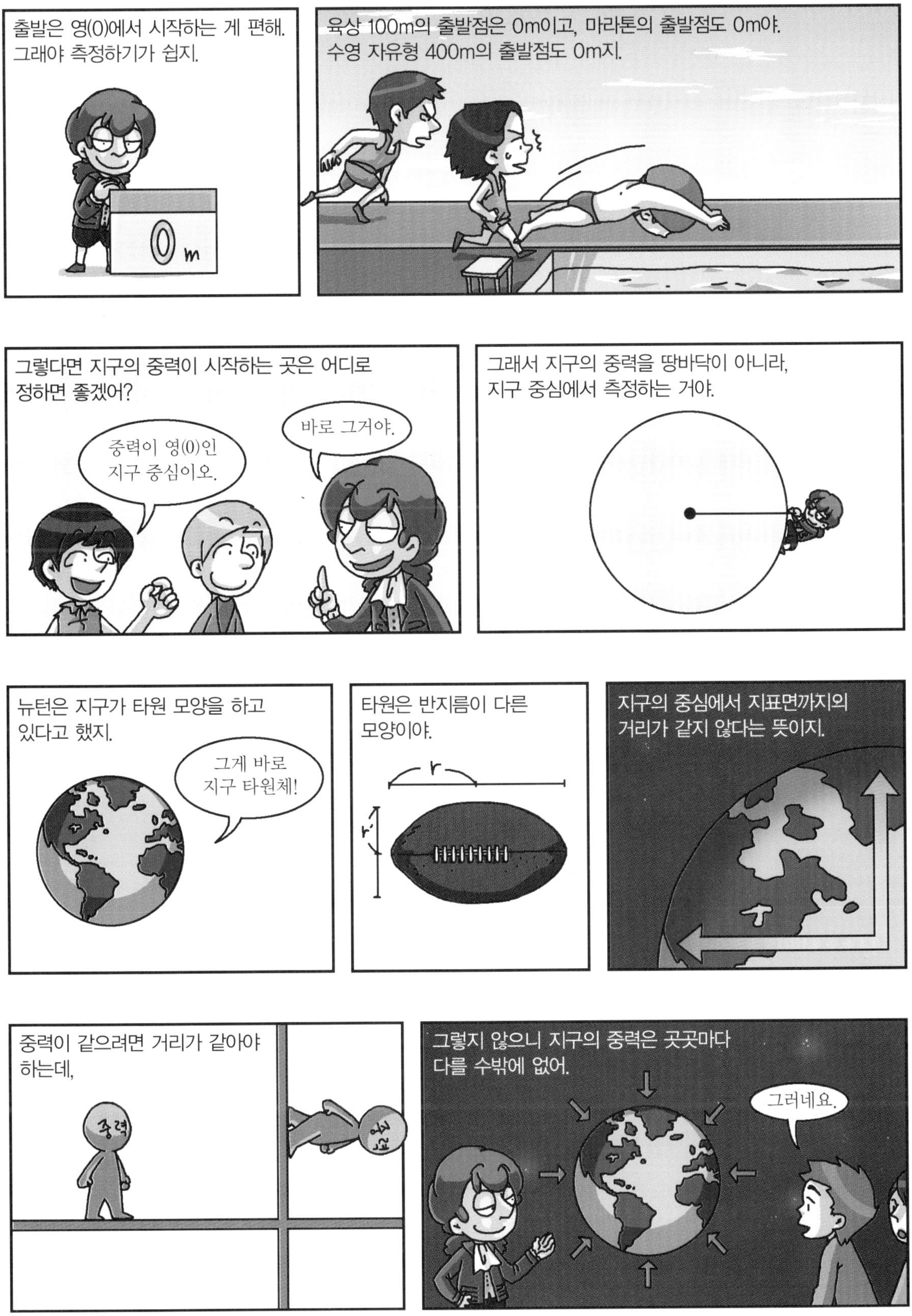

출발은 영(0)에서 시작하는 게 편해. 그래야 측정하기가 쉽지.
0m
육상 100m의 출발점은 0m이고, 마라톤의 출발점도 0m야. 수영 자유형 400m의 출발점도 0m지.
그렇다면 지구의 중력이 시작하는 곳은 어디로 정하면 좋겠어?
중력이 영(0)인 지구 중심이오.
바로 그거야.
그래서 지구의 중력을 땅바닥이 아니라, 지구 중심에서 측정하는 거야.
뉴턴은 지구가 타원 모양을 하고 있다고 했지.
그게 바로 지구 타원체!
타원은 반지름이 다른 모양이야.
r
지구의 중심에서 지표면까지의 거리가 같지 않다는 뜻이지.
중력이 같으려면 거리가 같아야 하는데,
중력
그렇지 않으니 지구의 중력은 곳곳마다 다를 수밖에 없어.
그러네요.

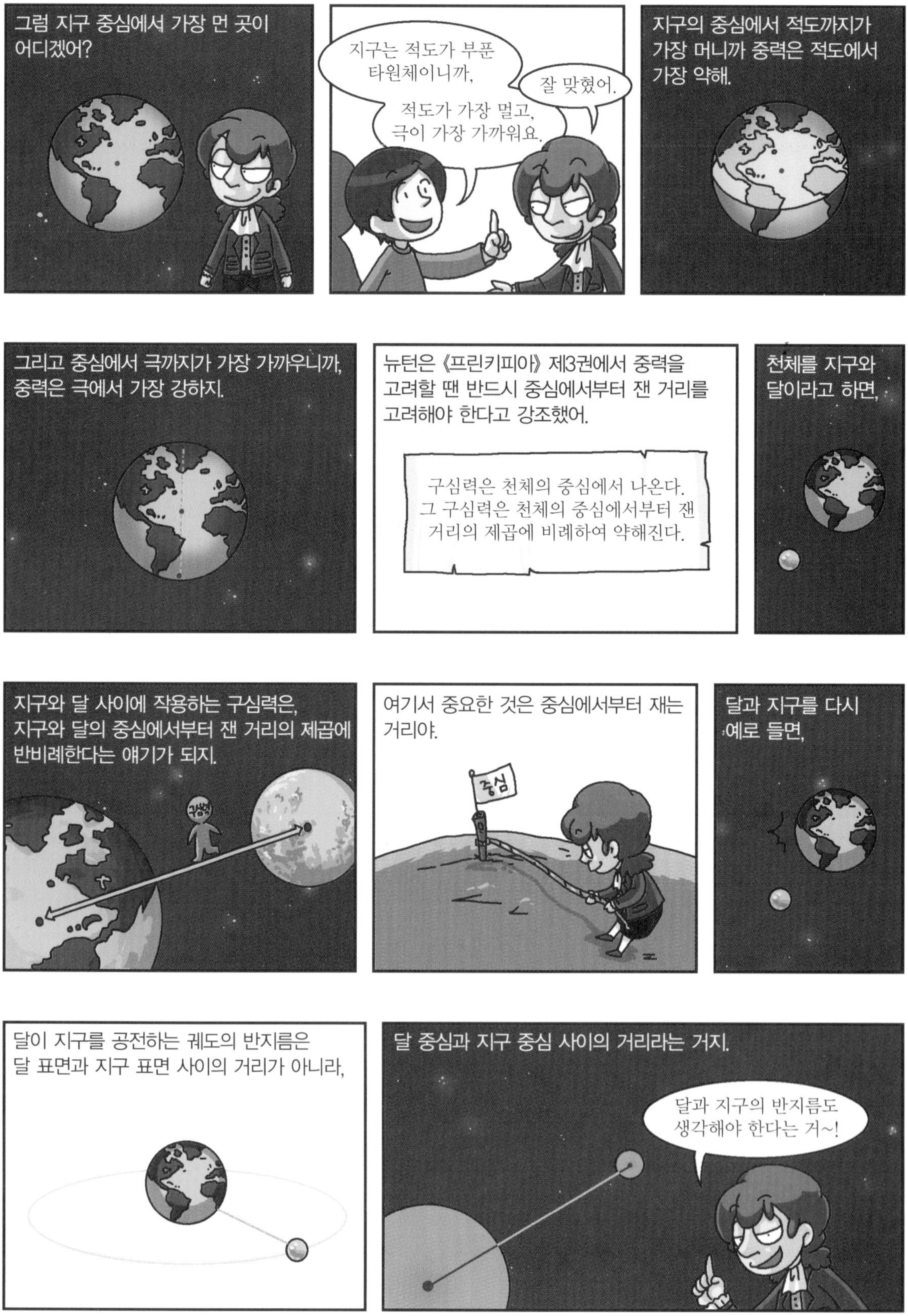
그럼 지구 중심에서 가장 먼 곳이 어디겠어?
지구는 적도가 부푼 타원체이니까,
적도가 가장 멀고, 극이 가장 가까워요.
잘 맞혔어.
지구의 중심에서 적도까지가 가장 머니까 중력은 적도에서 가장 약해.
그리고 중심에서 극까지가 가장 가까우니까, 중력은 극에서 가장 강하지.
뉴턴은 《프린키피아》 제3권에서 중력을 고려할 땐 반드시 중심에서부터 잰 거리를 고려해야 한다고 강조했어.
구심력은 천체의 중심에서 나온다. 그 구심력은 천체의 중심에서부터 잰 거리의 제곱에 비례하여 약해진다.
천체를 지구와 달이라고 하면,
지구와 달 사이에 작용하는 구심력은, 지구와 달의 중심에서부터 잰 거리의 제곱에 반비례한다는 얘기가 되지.
구심력
여기서 중요한 것은 중심에서부터 재는 거리야.
중심
달과 지구를 다시 예로 들면,
달이 지구를 공전하는 궤도의 반지름은 달 표면과 지구 표면 사이의 거리가 아니라,
달 중심과 지구 중심 사이의 거리라는 거지.
달과 지구의 반지름도 생각해야 한다는 거~!

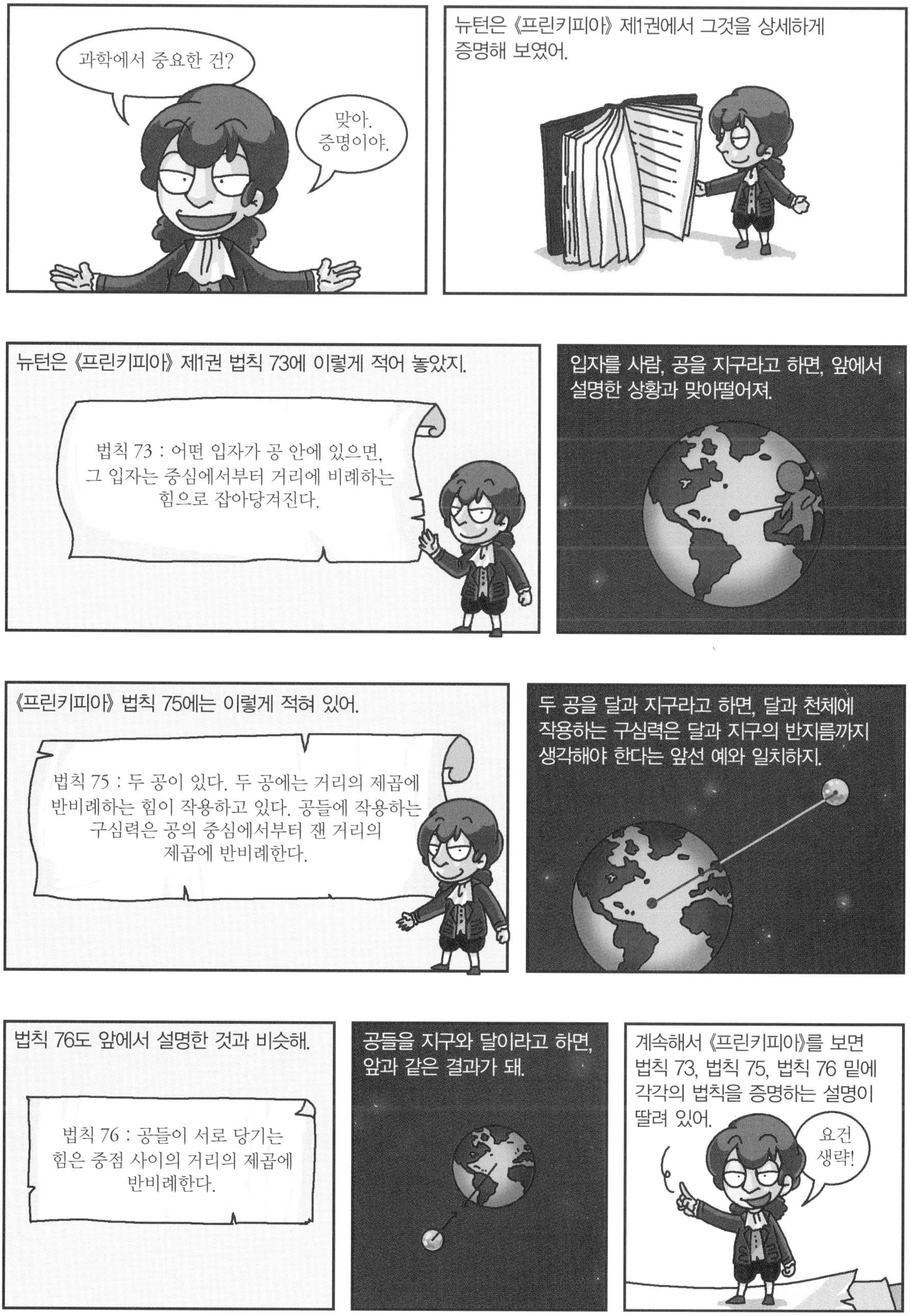
과학에서 중요한 건?
맞아. 증명이야.
뉴턴은 《프린키피아》 제1권에서 그것을 상세하게 증명해 보였어.
뉴턴은 《프린키피아》 제1권 법칙 73에 이렇게 적어 놓았지.
법칙 73 : 어떤 입자가 공 안에 있으면, 그 입자는 중심에서부터 거리에 비례하는 힘으로 잡아당겨진다.
입자를 사람, 공을 지구라고 하면, 앞에서 설명한 상황과 맞아떨어져.
《프린키피아》 법칙 75에는 이렇게 적혀 있어.
법칙 75 : 두 공이 있다. 두 공에는 거리의 제곱에 반비례하는 힘이 작용하고 있다. 공들에 작용하는 구심력은 공의 중심에서부터 잰 거리의 제곱에 반비례한다.
두 공을 달과 지구라고 하면, 달과 천체에 작용하는 구심력은 달과 지구의 반지름까지 생각해야 한다는 앞선 예와 일치하지.
법칙 76도 앞에서 설명한 것과 비슷해.
법칙 76 : 공들이 서로 당기는 힘은 중점 사이의 거리의 제곱에 반비례한다.
공들을 지구와 달이라고 하면, 앞과 같은 결과가 돼.
계속해서 《프린키피아》를 보면 법칙 73, 법칙 75, 법칙 76 밑에 각각의 법칙을 증명하는 설명이 딸려 있어.
요건 생략!

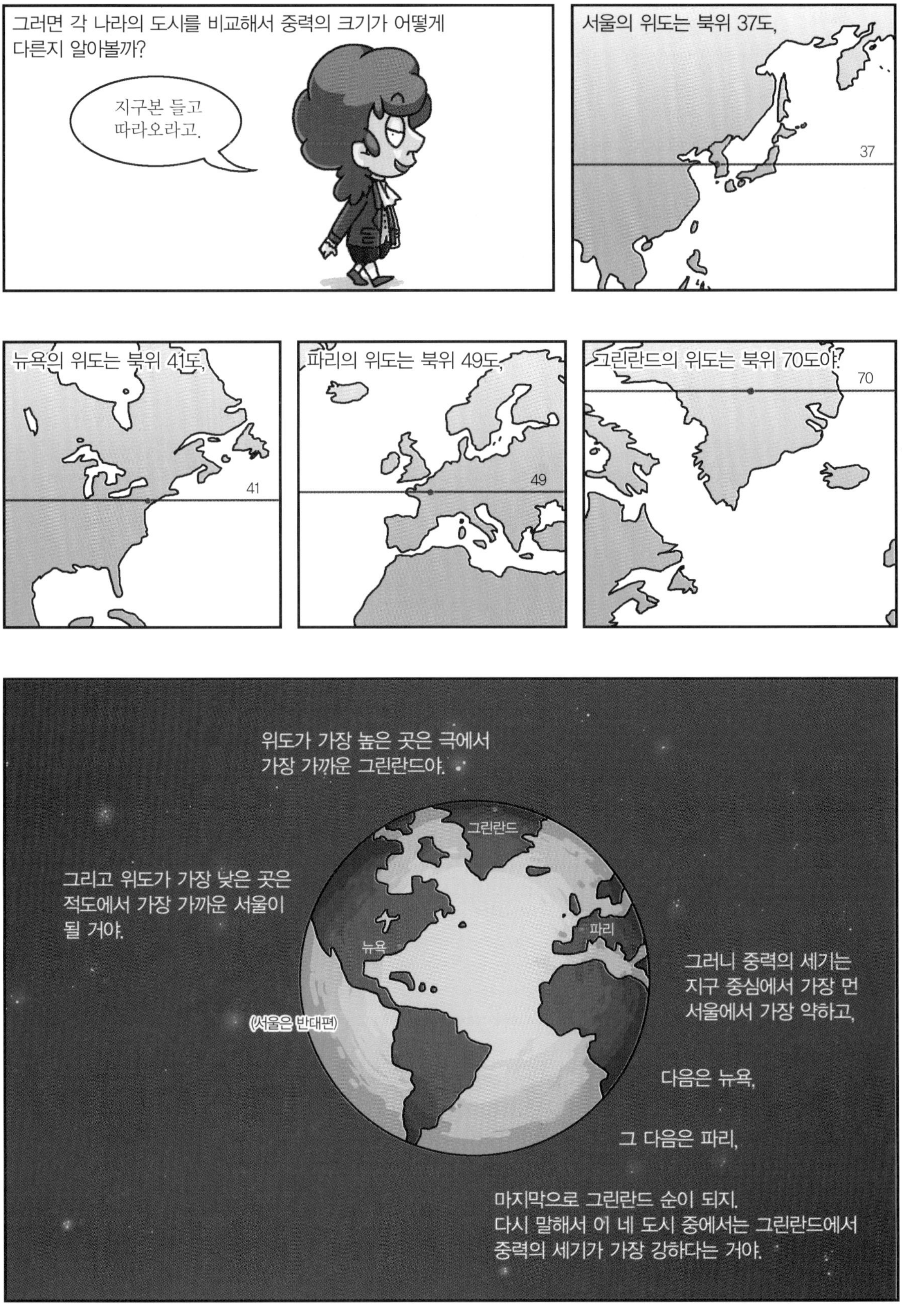
그러면 각 나라의 도시를 비교해서 중력의 크기가 어떻게 다른지 알아볼까?
지구본 들고 따라오라고.
서울의 위도는 북위 37도,
37
뉴욕의 위도는 북위 41도,
41
파리의 위도는 북위 49도,
49
그린란드의 위도는 북위 70도야.
70
위도가 가장 높은 곳은 극에서 가장 가까운 그린란드야.
그린란드
그리고 위도가 가장 낮은 곳은 적도에서 가장 가까운 서울이 될 거야.
파리
뉴욕
(서울은 반대편)
그러니 중력의 세기는 지구 중심에서 가장 먼 서울에서 가장 약하고,
다음은 뉴욕,
그 다음은 파리,
마지막으로 그린란드 순이 되지.
다시 말해서 이 네 도시 중에서는 그린란드에서 중력의 세기가 가장 강하다는 거야.

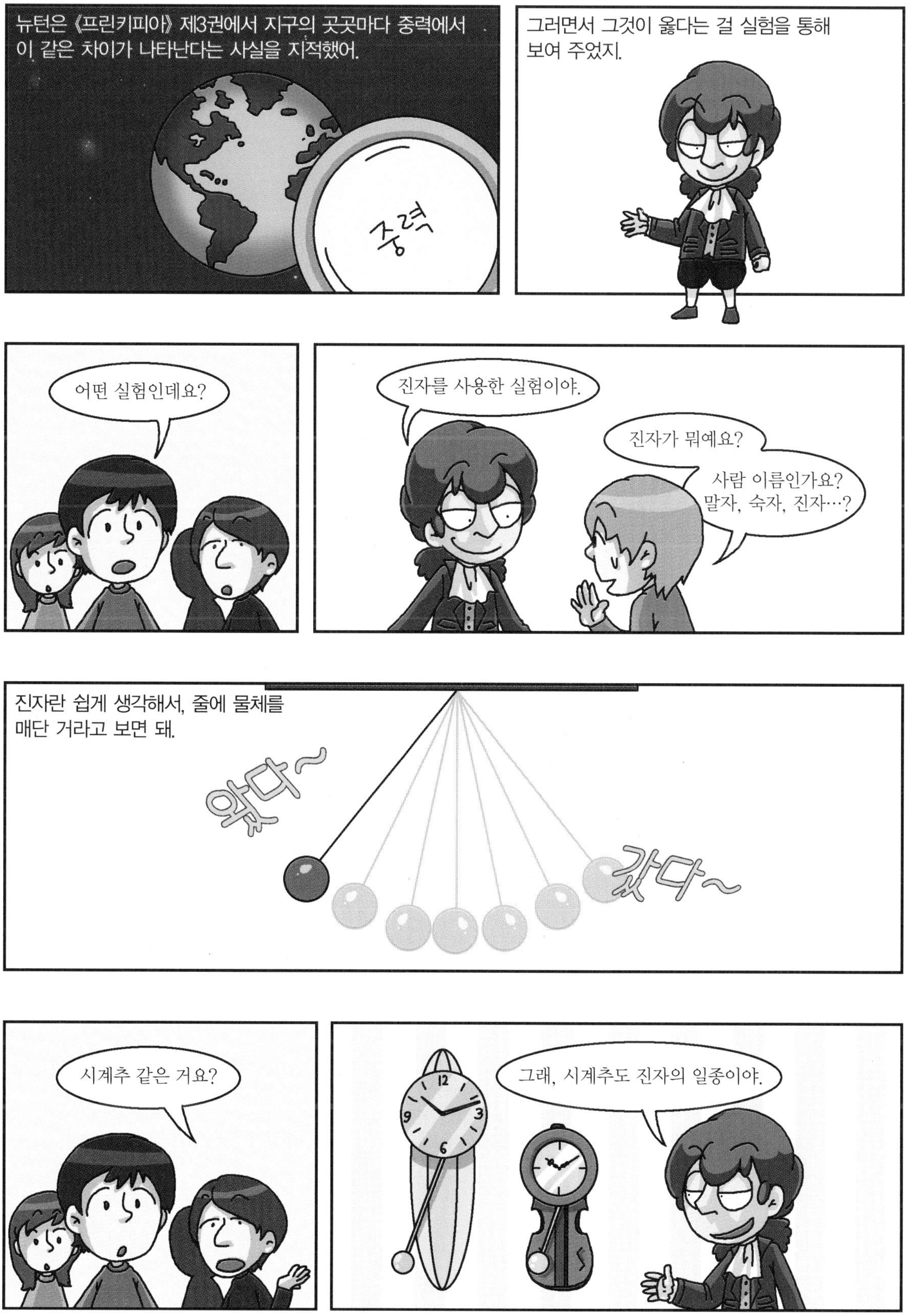
뉴턴은 《프린키피아》 제3권에서 지구의 곳곳마다 중력에서 이 같은 차이가 나타난다는 사실을 지적했어.
중력
그러면서 그것이 옳다는 걸 실험을 통해 보여 주었지.
어떤 실험인데요?
진자를 사용한 실험이야.
진자가 뭐예요?
사람 이름인가요? 말자, 숙자, 진자…?
진자란 쉽게 생각해서, 줄에 물체를 매단 거라고 보면 돼.
왔다~
갔다~
시계추 같은 거요?
그래, 시계추도 진자의 일종이야.

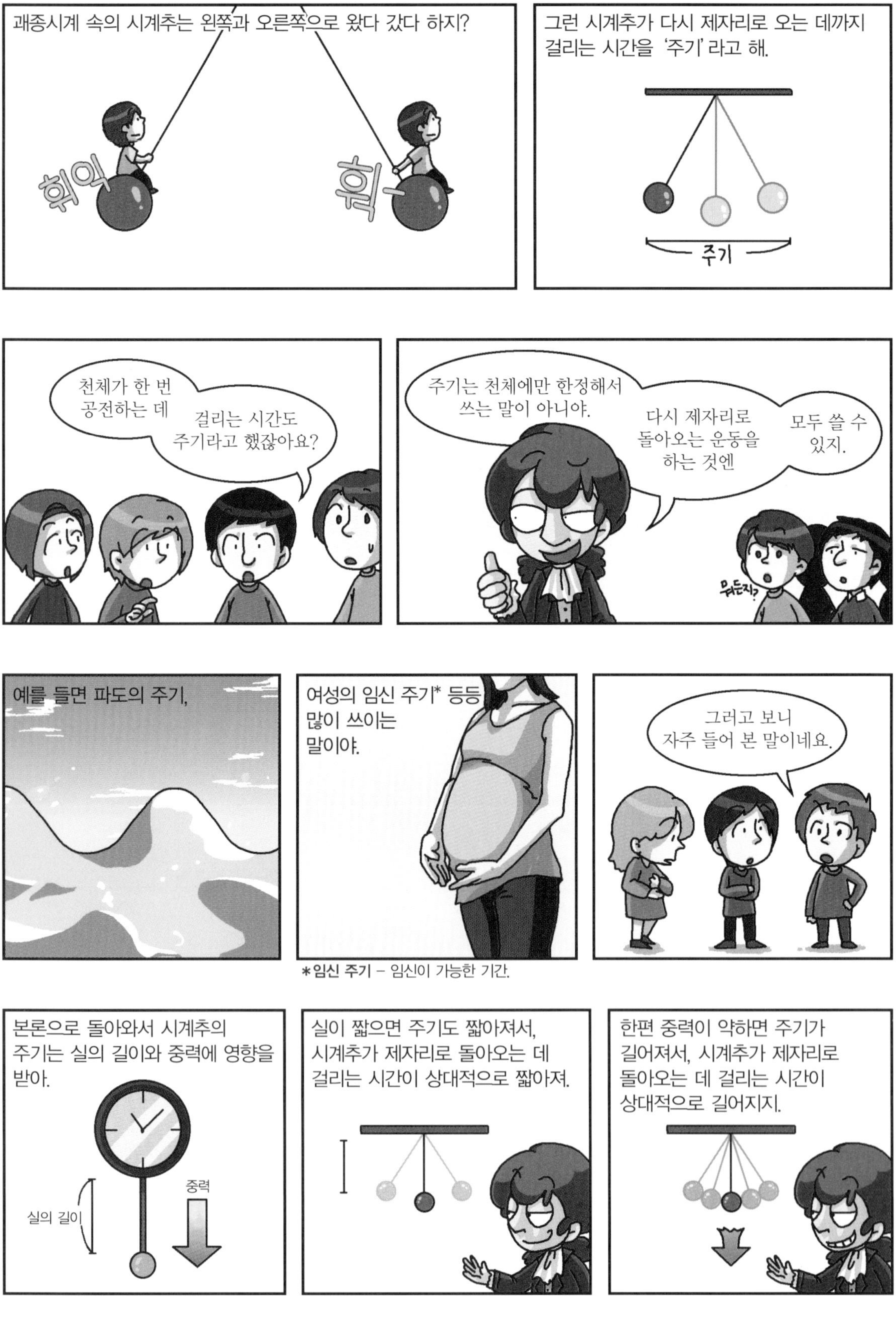
괘종시계 속의 시계추는 왼쪽과 오른쪽으로 왔다 갔다 하지?
휘익
휙-
그런 시계추가 다시 제자리로 오는 데까지 걸리는 시간을 '주기'라고 해.
주기
천체가 한 번 공전하는 데 걸리는 시간도 주기라고 했잖아요?
주기는 천체에만 한정해서 쓰는 말이 아니야.
다시 제자리로 돌아오는 운동을 하는 것엔 모두 쓸 수 있지.
뭐든지?
예를 들면 파도의 주기,
여성의 임신 주기* 등등 많이 쓰이는 말이야.
그러고 보니 자주 들어 본 말이네요.
본론으로 돌아와서 시계추의 주기는 실의 길이와 중력에 영향을 받아.
실의 길이
중력
실이 짧으면 주기도 짧아져서, 시계추가 제자리로 돌아오는 데 걸리는 시간이 상대적으로 짧아져.
한편 중력이 약하면 주기가 길어져서, 시계추가 제자리로 돌아오는 데 걸리는 시간이 상대적으로 길어지지.

***임신 주기** – 임신이 가능한 기간.

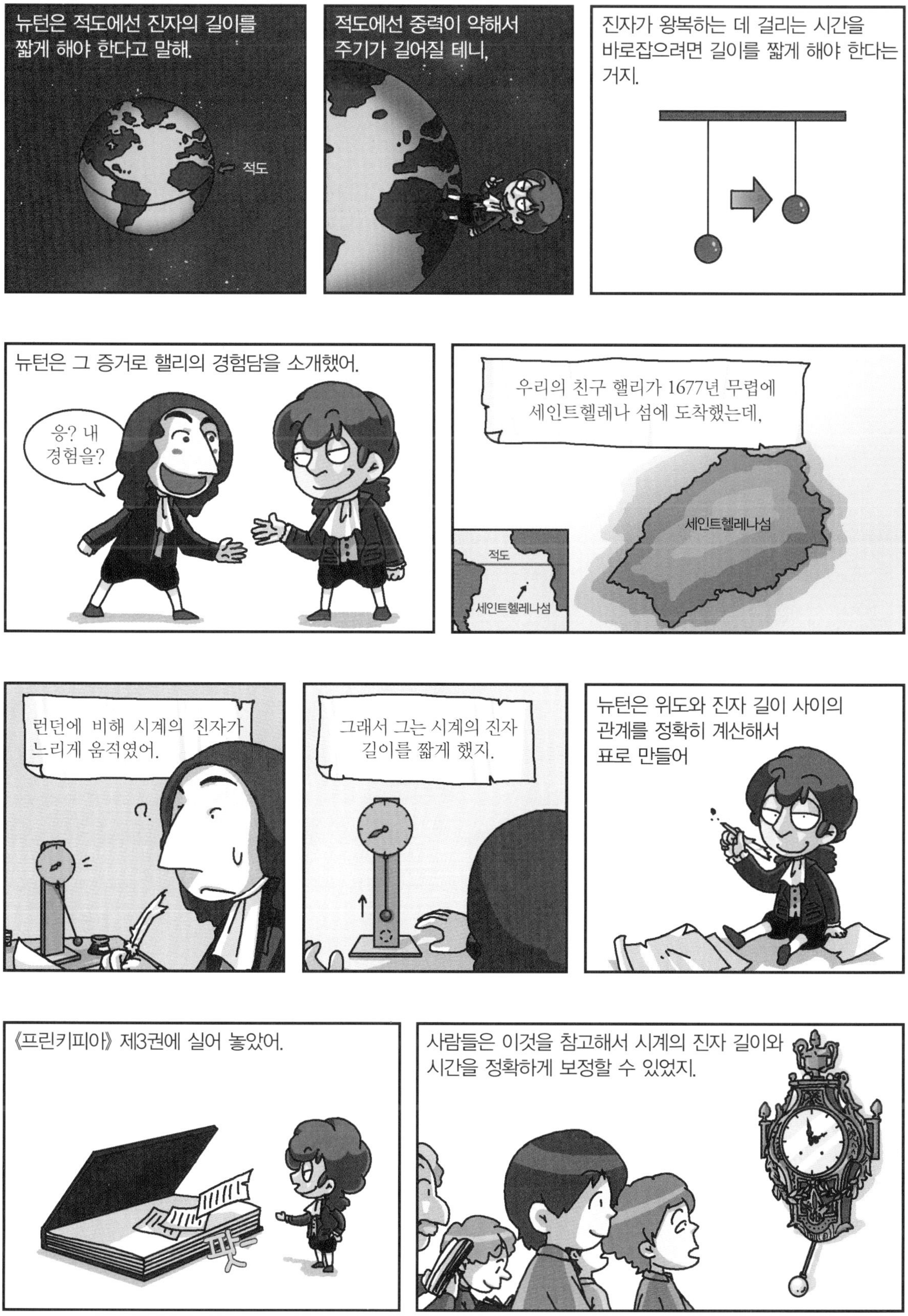
뉴턴은 적도에선 진자의 길이를
짧게 해야 한다고 말해.
적도
적도에선 중력이 약해서
주기가 길어질 테니,
진자가 왕복하는 데 걸리는 시간을
바로잡으려면 길이를 짧게 해야 한다는
거지.
뉴턴은 그 증거로 핼리의 경험담을 소개했어.
응? 내
경험을?
우리의 친구 핼리가 1677년 무렵에
세인트헬레나 섬에 도착했는데,
세인트헬레나섬
적도
세인트헬레나섬
런던에 비해 시계의 진자가
느리게 움직였어.
그래서 그는 시계의 진자
길이를 짧게 했지.
뉴턴은 위도와 진자 길이 사이의
관계를 정확히 계산해서
표로 만들어
《프린키피아》 제3권에 실어 놓았어.
딱-
사람들은 이것을 참고해서 시계의 진자 길이와
시간을 정확하게 보정할 수 있었지.

중력이 작용하지 않는다!

무중력 공간

▲ 우주인

우주 공간에서는 컵을 놓쳐도 물이 쏟아지지 않고, 칫솔을 뒤집어도 치약이 떨어지지 않습니다. 중력의 영향을 받지 않기 때문이죠. 이렇게 중력이 작용하지 않는 공간을 '무중력(無重力) 공간' 이라고 합니다.

무중력 공간에서는 지상에서 경험하지 못하는 현상들이 일어납니다. 지상에서 야구공을 던지면 포물선을 그리면서 떨어지지만 우주 공간에서는 직진하지요. 중력이 작용하지 않는 데다가 마찰까지 없어서 한 번 움직이면 그 속도를 유지한 채 끝까지 나아가는 거죠.

우주 공간에서는 걸을 필요가 없어서 오래 머물면 다리 근육이 약해집니다. 그래서 우주에 장기간 체류한 우주 비행사가 지구로 돌아오면 걷는 연습을 하곤 하지요. 뿐만 아니라 우주 공간에서 오래 머물면 혈압이 내려가고 심장의 수축 횟수도 줄어든다고 합니다.

무중력 상태를 영어로는 'weightless state' 라고 합니다. 그런데 'weightless state'는

엄밀히 말하면 무게가 없는 상태, 중량이 없는 상태 즉 '무중량 상태'를 뜻하는 거예요.

무중량은 무게가 없는 것이고, 무중력은 중력이 없는 거지요. 중력이 없으면 당연히 무게가 없지만, 중력이 있어도 무게는 없을 수 있습니다. 자유 낙하하는 엘리베이터 안이 그 예에 해당합니다. 엘리베이터가 떨어지는 동안 짧지만 무중량 상태가 되어 물체의 무게를 느끼지 못합니다. 하지만 중력은 여전히 작용하고 있지요.

이처럼 무중량 상태와 무중력 상태는 차이가 있습니다. 그런데도 'weightless state'를 무중력 상태라고 하는 것은 번역상의 '옥에 티'라고 할 수 있죠.

우주 공간은 중력이 없다고 했지만, 엄밀히 따지면 정확한 표현은 아닙니다. 중력의 원천은 물질이고, 천체는 물질들의 결합체거든요. 그런데 이 천체들은 우주 어디에나 있습니다. 즉 천체가 있는 우주 공간 어디에나 중력이 존재한다는 뜻이 되지요.

우리 천체들에는
중력이 있거든.

제12장 《프린키피아》를 마무리하며

아쉽군.
이제 《프린키피아》를 끝내야 할 때가 된 듯 싶어.
《프린키피아》를 처음 보았을 때는 한마디로 기가 죽었었는데….
수식으로 가득한 이 책을 어떻게 이해하나 싶었거든요.
까마득
하지만 지금은 많은 걸 배워서 아주 뿌듯해요.
원심력
구심력
만유인력
많은 걸 얻었다니, 나도 설명한 보람이 두 배로 커지는걸!
하하하

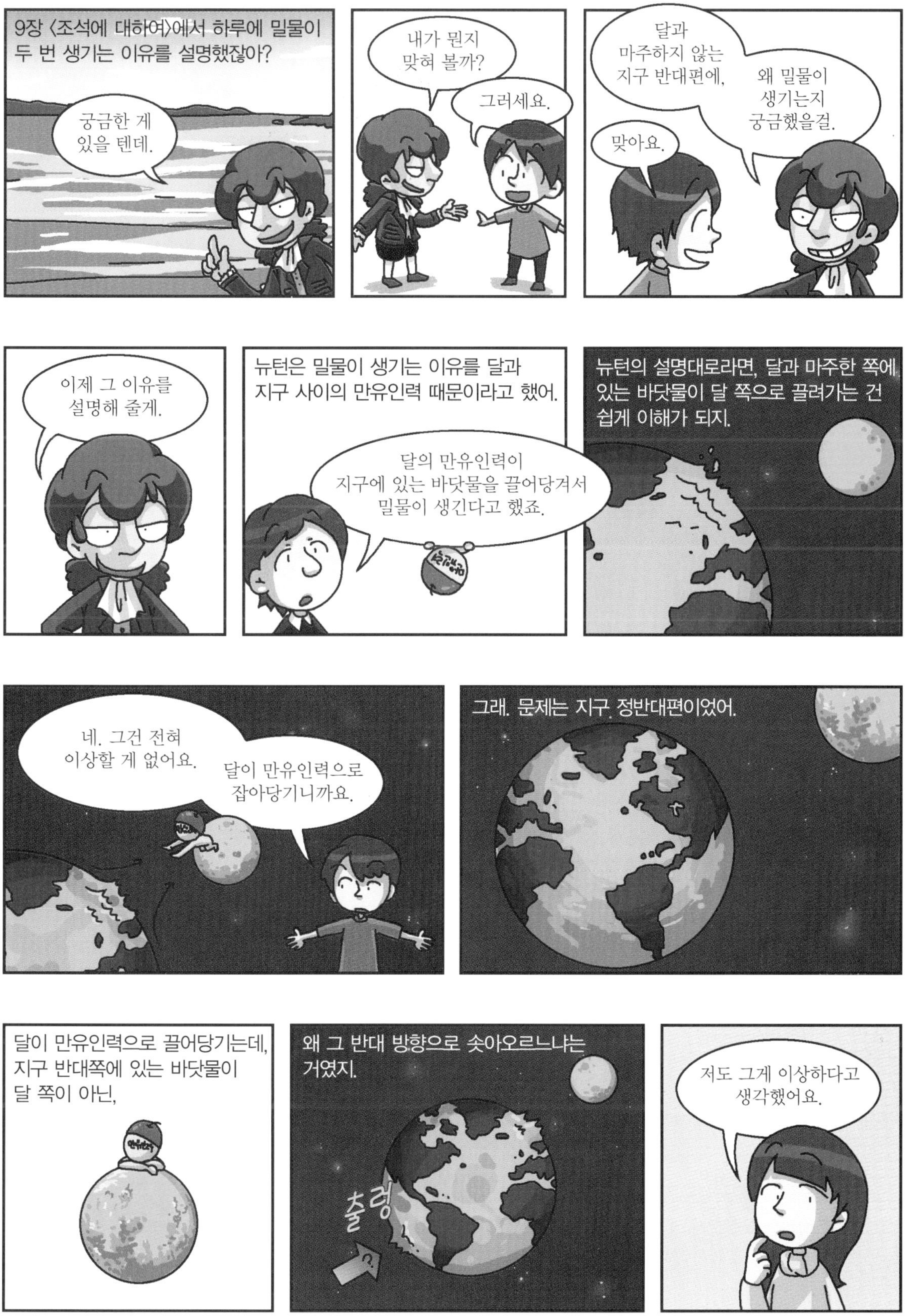
9장 〈조석에 대하여〉에서 하루에 밀물이 두 번 생기는 이유를 설명했잖아?
궁금한 게 있을 텐데.
내가 뭔지 맞혀 볼까?
그러세요.
달과 마주하지 않는 지구 반대편에,
왜 밀물이 생기는지 궁금했을걸.
맞아요.
이제 그 이유를 설명해 줄게.
뉴턴은 밀물이 생기는 이유를 달과 지구 사이의 만유인력 때문이라고 했어.
달의 만유인력이 지구에 있는 바닷물을 끌어당겨서 밀물이 생긴다고 했죠.
뉴턴의 설명대로라면, 달과 마주한 쪽에 있는 바닷물이 달 쪽으로 끌려가는 건 쉽게 이해가 되지.
네. 그건 전혀 이상할 게 없어요.
달이 만유인력으로 잡아당기니까요.
그래. 문제는 지구 정반대편이었어.
달이 만유인력으로 끌어당기는데, 지구 반대쪽에 있는 바닷물이 달 쪽이 아닌,
왜 그 반대 방향으로 솟아오르느냐는 거였지.
출렁
저도 그게 이상하다고 생각했어요.

달의 만유인력은 누가 봐도 끌어당기는 힘이지, 밀어내는 힘이 아니잖아.
만유인력
그렇다면 달과 마주하고 있는 지구 반대편에는 밀물이 생겨선 안 될 거야.
바닷물이 달 쪽으로 끌려갈 테니 부풀어 오르기는커녕, 오히려 움푹 패어야 할지도 몰라.
밀물이 아니라 썰물이 일어난다면 오히려 맞겠네요.
그러면 좋겠지만….
실제는 달의 만유인력이 달 쪽으로 작용하고 있는데도, 지구 반대편에 있는 바닷물은 달 쪽으로 끌려가지 않고 정반대 방향으로 끌려가지.
철썩-
만유인력
그럼 왜 이런 현상이 생길까?
혹시 다른 힘이 작용하고 있는 게 아닐까요?
맞았어!
달과 마주하지 않은 지구의 반대쪽에 만유인력 말고 또 다른 힘이 작용하고 있다는 뜻이지.
?
지구에 달이 잡아끄는 만유인력만 작용하고 있다면, 반대쪽의 바닷물도 예외 없이 달 쪽으로 끌려가야 하는데,
그렇지 않았으니 말이야.
도대체 어떤 힘이 또 작용하는 거죠?
달 쪽으로 향하는 만유인력을 상쇄할 만한 힘이지!
그 힘은 바로….

원심력이야.
아, 맞아. 그렇군요.
지구가 회전하면 원심력이 생길 테니까요.
간단하군요.
아이 참,
내가 왜 그 생각을 못했지.
원심력
간단하다고? 아니. 그렇지 않아.
원심력
휙~
지구가 회전하기 때문에 원심력이 생기는 건 물론 맞아.
원심력
하지만 문제는 그 회전이 어떤 운동으로 인해 생기느냐는 거지.
이제부터 그것에 대해 설명해 줄 테니 잘 들어 봐.
알겠어요.
여기서 말하는 회전은 지구만의 회전이 아니야.
지구와 달이 함께 어우러지면서 만드는 회전이지.
어렵네요.
회전하려면 축이 있어야 하겠지.
그걸 회전축이라고 하잖아요.
회전하는 팽이가 가운데에 박힌 회전축을 중심으로 빙글빙글 도는 모습을 떠올리면 될 거야.
빙글
빙글
지구가 자전할 때도 자전축을 중심으로 빙글빙글 돌아. 이때 회전축은 지구의 자전축이 되는 거지. 그리고 회전축은 중심을 지난단다.
자전처럼 하나의 운동만 생각하면 문제는 단순할 수도 있어.
하지만 지구에 밀물과 썰물이 생기는 현상은, 지구 혼자서 일으키는 게 아니잖아.

달의 만유인력이 작용한다는 거죠?
그래. 지구의 조석 현상은 지구와 달이 합심해서 일으키는 자연 현상이지.
그래서 지구와 달의 운동을 같이 생각해야 돼.
우리 몸의 중심은 대부분 배꼽 부근에 있어. 몸이 비대칭이 아니라면, 대개는 그럴 거야.
이것을 질량 중심 또는 무게 중심이라고 해.
여기에선 무게 중심이란 말을 사용하도록 할게.
승현이와 대성이라는 두 학생이 있고, 두 사람 다 무게 중심이 배꼽 언저리에 있다고 생각해 봐.
무게 중심
무게 중심
승현이가 대성이를 들어올려 안았다면, 두 사람의 무게 중심은 어떻게 되겠어?
기존의 배꼽 언저리가 여전히 무게 중심일까?
아니요. 그렇게 되면 무게 중심이 두 개가 되니까 안 되죠.
그래. 무게 중심이 달라지겠지.
승현이와 대성이의 배꼽 언저리는, 이제 더 이상 그들의 무게 중심이 될 수 없어.
둘이 합쳤으니 거기에 맞는 새로운 무게 중심 하나가 생기겠지.
끄응
이것을 '공통 무게 중심'이라고 해.
공통 무게 중심?

지구와 달의 무게 중심도 마찬가지야. 지구와 달이 홀로 운동할 때는 지구와 달 각각의 무게 중심만 생각하면 되지만,
지구와 달이 어우러져서 운동할 때는 승현이와 대성이의 공통 무게 중심을 찾듯이 지구와 달의 공통 무게 중심을 찾아야 해.
지구와 달의 공통 무게 중심은 어디쯤에 있을까?
승현이와 대성이가 시소 끝에 앉았다고 해봐. 둘의 몸무게가 같다면, 이들의 공통 무게 중심은 고민할 필요도 없어.
시소의 한가운데가 될 테니까요.
그러나 몸무게가 다르다면 상황은 달라져. 무거운 쪽으로 시소가 쏠리기 때문이지.
공통 무게 중심은 한쪽으로 치우치겠네요.
기우뚱
지구와 달의 상황도 이와 다르지 않아.
지구와 달의 무게가 똑같다면, 지구와 달의 공통 무게 중심은 둘을 잇는 한가운데가 될 거야.
지구와 달 사이의 가운데 말이죠?
그러나 지구와 달은 무게가 다르지. 지구의 무게가 달보다 80배 가량 더 무겁거든.
달라도 너무 많이 다른데….
시소에서 살펴본 바대로, 약간만 무거워도 공통 무게 중심은 한쪽으로 쏠리며 크게 변해.
샤샤샥
공통 무게 중심
그런데 지구와 달의 무게 차이는 무려 80배 정도잖아. 이 정도로 무게 차이가 나면, 공통 무게 중심을 가운데 언저리에서 찾으면 안 돼.
둘의 공통 무게 중심은 거의 한쪽에 치우쳐 있을 테니까.

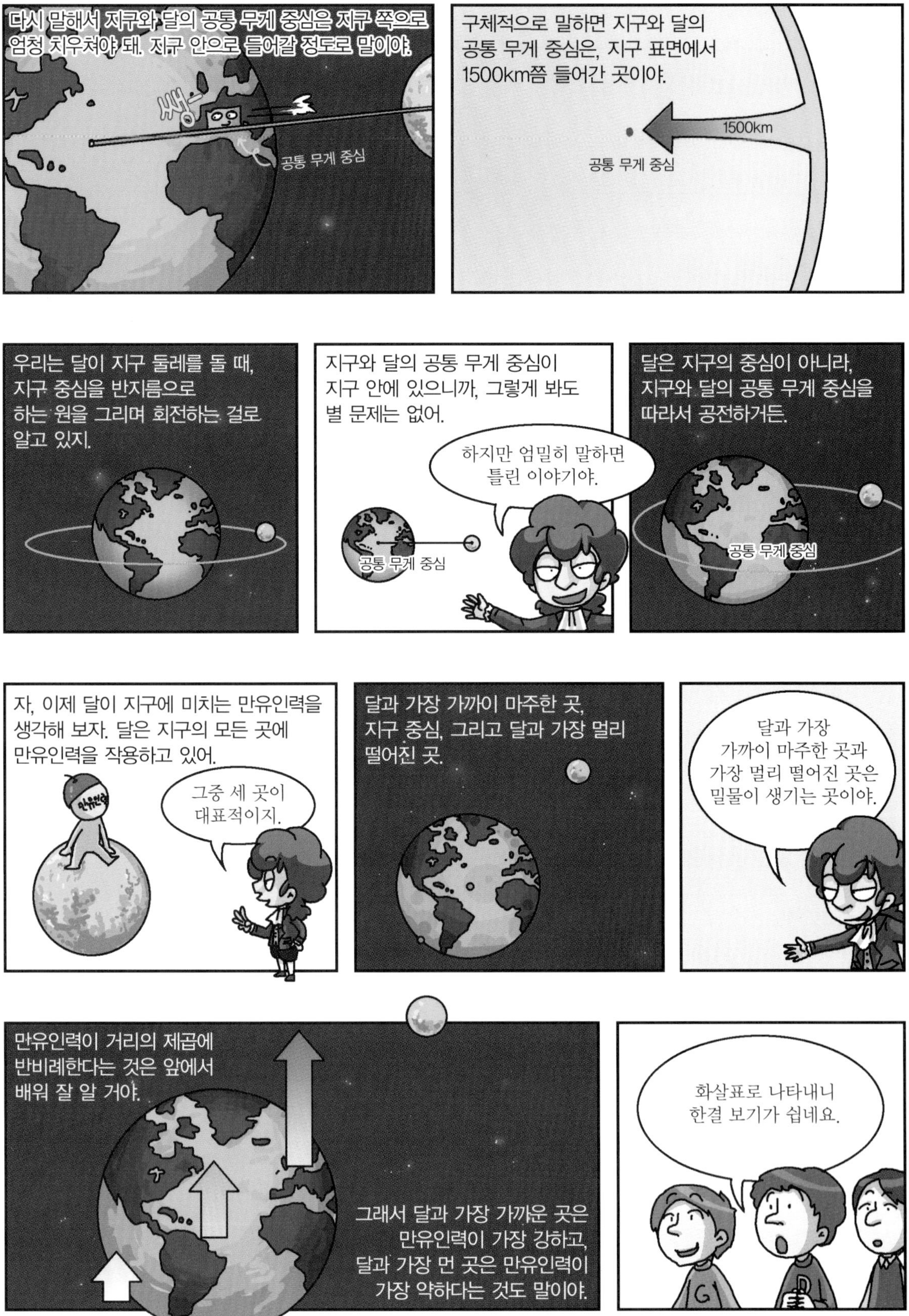

다시 말해서 지구와 달의 공통 무게 중심은 지구 쪽으로 엄청 치우쳐야 돼. 지구 안으로 들어갈 정도로 말이야.
쌩~
공통 무게 중심
구체적으로 말하면 지구와 달의 공통 무게 중심은, 지구 표면에서 1500km쯤 들어간 곳이야.
1500km
공통 무게 중심
우리는 달이 지구 둘레를 돌 때, 지구 중심을 반지름으로 하는 원을 그리며 회전하는 걸로 알고 있지.
지구와 달의 공통 무게 중심이 지구 안에 있으니까, 그렇게 봐도 별 문제는 없어.
하지만 엄밀히 말하면 틀린 이야기야.
공통 무게 중심
달은 지구의 중심이 아니라, 지구와 달의 공통 무게 중심을 따라서 공전하거든.
공통 무게 중심
자, 이제 달이 지구에 미치는 만유인력을 생각해 보자. 달은 지구의 모든 곳에 만유인력을 작용하고 있어.
만유인력
그중 세 곳이 대표적이지.
달과 가장 가까이 마주한 곳, 지구 중심, 그리고 달과 가장 멀리 떨어진 곳.
달과 가장 가까이 마주한 곳과 가장 멀리 떨어진 곳은 밀물이 생기는 곳이야.
만유인력이 거리의 제곱에 반비례한다는 것은 앞에서 배워 잘 알 거야.
그래서 달과 가장 가까운 곳은 만유인력이 가장 강하고, 달과 가장 먼 곳은 만유인력이 가장 약하다는 것도 말이야.
화살표로 나타내니 한결 보기가 쉽네요.

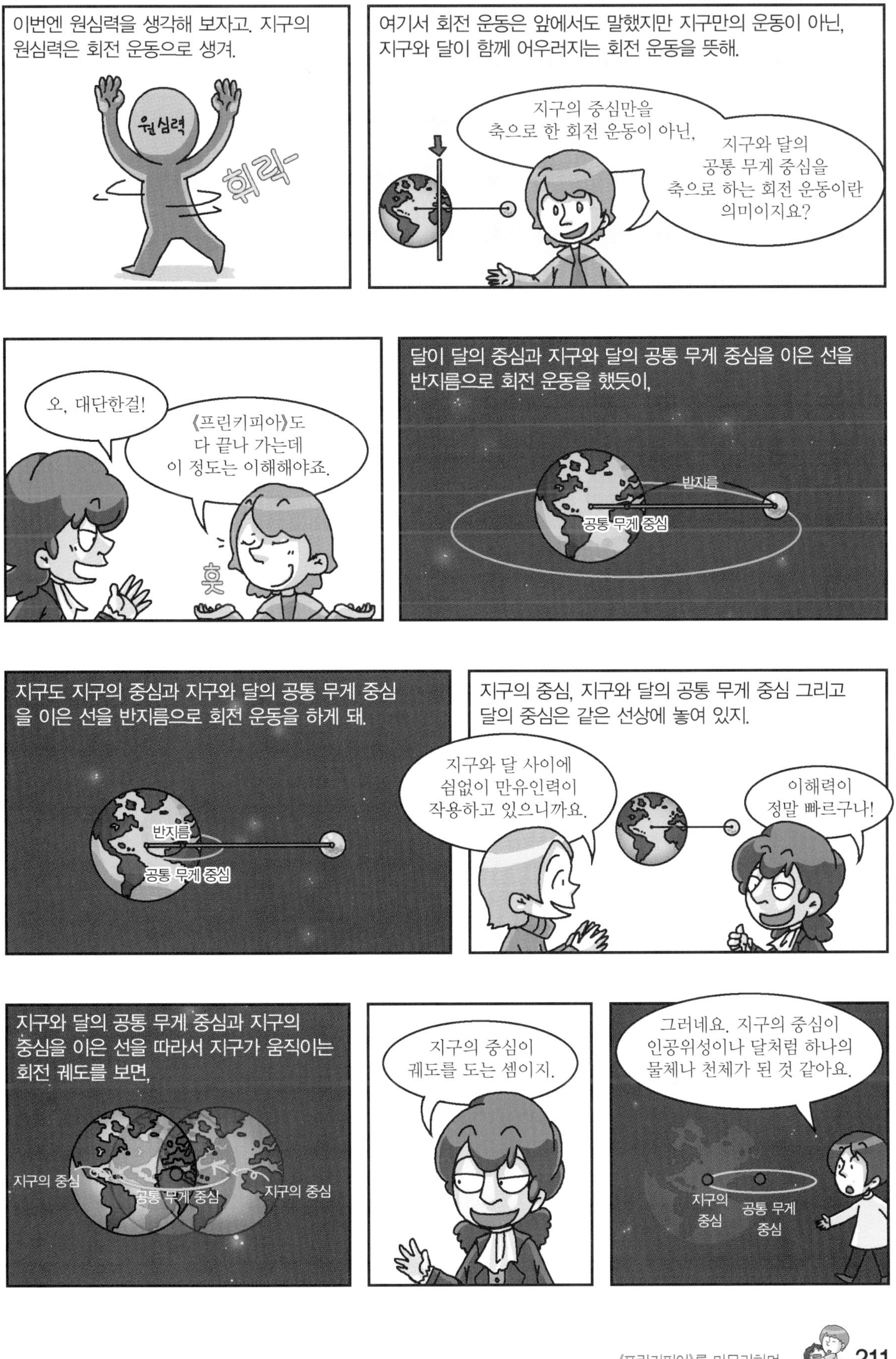
이번엔 원심력을 생각해 보자고. 지구의 원심력은 회전 운동으로 생겨.
원심력
휘릭-
여기서 회전 운동은 앞에서도 말했지만 지구만의 운동이 아닌, 지구와 달이 함께 어우러지는 회전 운동을 뜻해.
지구의 중심만을 축으로 한 회전 운동이 아닌,
지구와 달의 공통 무게 중심을 축으로 하는 회전 운동이란 의미이지요?
오, 대단한걸!
《프린키피아》도 다 끝나 가는데 이 정도는 이해해야죠.
훗
달이 달의 중심과 지구와 달의 공통 무게 중심을 이은 선을 반지름으로 회전 운동을 했듯이,
반지름
공통 무게 중심
지구도 지구의 중심과 지구와 달의 공통 무게 중심을 이은 선을 반지름으로 회전 운동을 하게 돼.
반지름
공통 무게 중심
지구의 중심, 지구와 달의 공통 무게 중심 그리고 달의 중심은 같은 선상에 놓여 있지.
지구와 달 사이에 쉼없이 만유인력이 작용하고 있으니까요.
이해력이 정말 빠르구나!
지구와 달의 공통 무게 중심과 지구의 중심을 이은 선을 따라서 지구가 움직이는 회전 궤도를 보면,
지구의 중심
공통 무게 중심
지구의 중심
지구의 중심이 궤도를 도는 셈이지.
그러네요. 지구의 중심이 인공위성이나 달처럼 하나의 물체나 천체가 된 것 같아요.
지구의 중심
공통 무게 중심

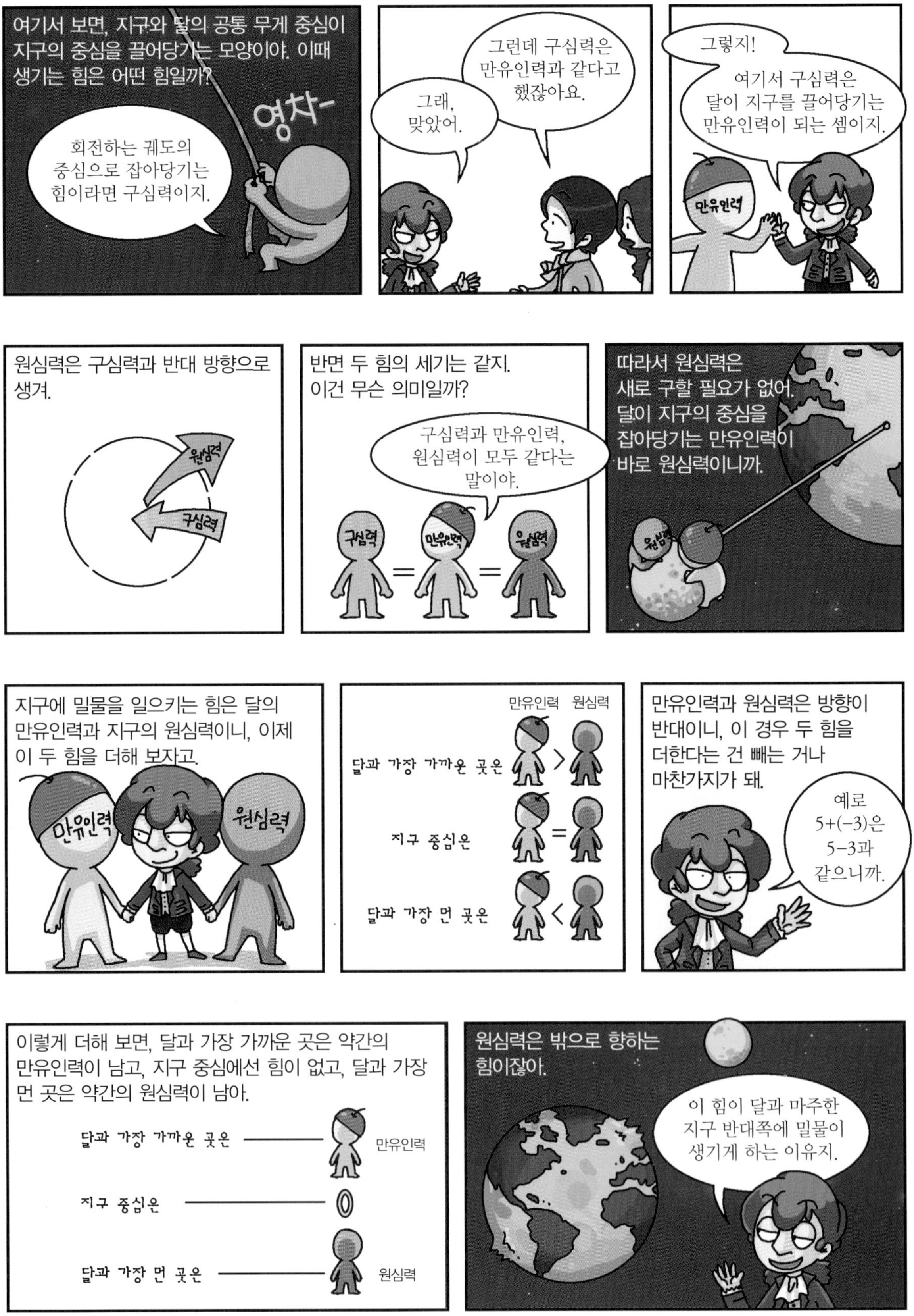
여기서 보면, 지구와 달의 공통 무게 중심이 지구의 중심을 끌어당기는 모양이야. 이때 생기는 힘은 어떤 힘일까?
영차-
회전하는 궤도의 중심으로 잡아당기는 힘이라면 구심력이지.
그런데 구심력은 만유인력과 같다고 했잖아요.
그래, 맞았어.
그렇지!
여기서 구심력은 달이 지구를 끌어당기는 만유인력이 되는 셈이지.
만유인력
원심력은 구심력과 반대 방향으로 생겨.
원심력
구심력
반면 두 힘의 세기는 같지. 이건 무슨 의미일까?
구심력과 만유인력, 원심력이 모두 같다는 말이야.
구심력
만유인력
원심력
따라서 원심력은 새로 구할 필요가 없어. 달이 지구의 중심을 잡아당기는 만유인력이 바로 원심력이니까.
원심력
지구에 밀물을 일으키는 힘은 달의 만유인력과 지구의 원심력이니, 이제 이 두 힘을 더해 보자고.
만유인력
원심력
만유인력 원심력
달과 가장 가까운 곳은 >
지구 중심은 =
달과 가장 먼 곳은 <
만유인력과 원심력은 방향이 반대이니, 이 경우 두 힘을 더한다는 건 빼는 거나 마찬가지가 돼.
예로 5+(−3)은 5−3과 같으니까.
이렇게 더해 보면, 달과 가장 가까운 곳은 약간의 만유인력이 남고, 지구 중심에선 힘이 없고, 달과 가장 먼 곳은 약간의 원심력이 남아.
달과 가장 가까운 곳은 만유인력
지구 중심은 0
달과 가장 먼 곳은 원심력
원심력은 밖으로 향하는 힘이잖아.
이 힘이 달과 마주한 지구 반대쪽에 밀물이 생기게 하는 이유지.

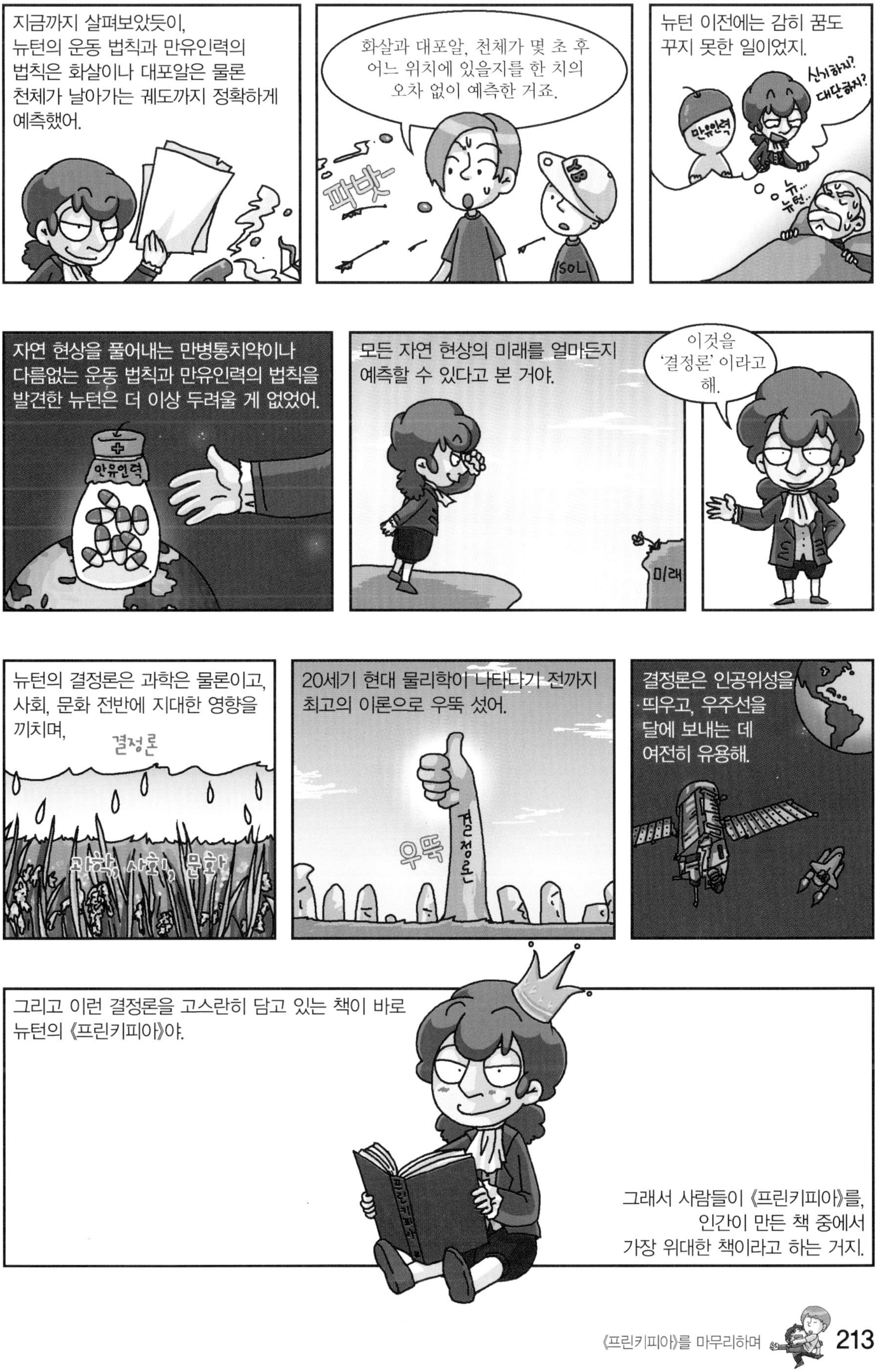

지금까지 살펴보았듯이, 뉴턴의 운동 법칙과 만유인력의 법칙은 화살이나 대포알은 물론 천체가 날아가는 궤도까지 정확하게 예측했어.
화살과 대포알, 천체가 몇 초 후 어느 위치에 있을지를 한 치의 오차 없이 예측한 거죠.
파밧
YB
SOL
뉴턴 이전에는 감히 꿈도 꾸지 못한 일이었지.
신기하지? 대단하지?
만유인력
뉴... 뉴턴...
자연 현상을 풀어내는 만병통치약이나 다름없는 운동 법칙과 만유인력의 법칙을 발견한 뉴턴은 더 이상 두려울 게 없었어.
만유인력
모든 자연 현상의 미래를 얼마든지 예측할 수 있다고 본 거야.
미래
이것을 '결정론' 이라고 해.
뉴턴의 결정론은 과학은 물론이고, 사회, 문화 전반에 지대한 영향을 끼치며,
결정론
과학, 사회, 문화
20세기 현대 물리학이 나타나기 전까지 최고의 이론으로 우뚝 섰어.
우뚝
결정론
결정론은 인공위성을 띄우고, 우주선을 달에 보내는 데 여전히 유용해.
그리고 이런 결정론을 고스란히 담고 있는 책이 바로 뉴턴의 《프린키피아》야.
그래서 사람들이 《프린키피아》를, 인간이 만든 책 중에서 가장 위대한 책이라고 하는 거지.

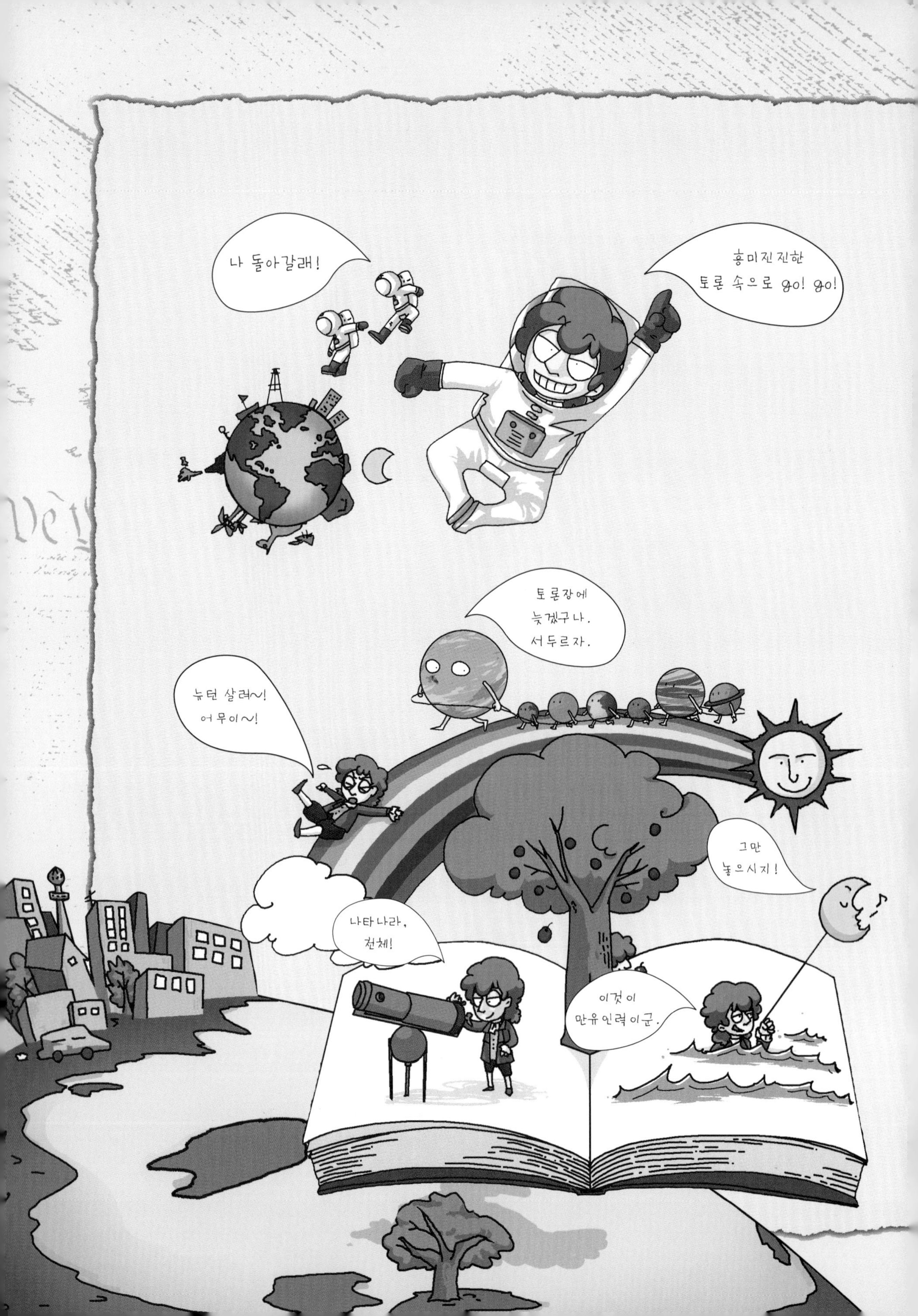
나 돌아갈래!
흥미진진한 토론 속으로 go! go!
토론장에 늦겠구나. 서두르자.
뉴턴 살려~! 어무이~!
그만 놓으시지!
나타나라, 천체!
이것이 만유인력이군.

가상 대토론

뉴턴 VS 아인슈타인

중력을 논하다!

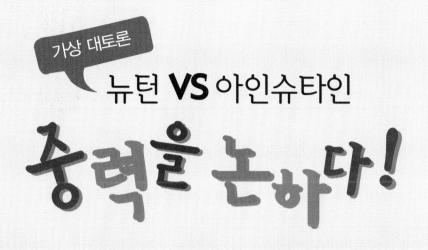

세기의 과학자 뉴턴과 아인슈타인이 한 자리에서 만난다면?
말이 안 된다고? 물론 그렇다. 서로 다른 시대를 산 두 사람이 만난다는 건
절대 있을 수 없는 일일 테니까. 하지만 상상 속에서라면 가능하지 않을까?
중력을 주제로 두 과학자의 생각을 가상 토론으로 엮어 보았다.
한 치의 양보도 없이 팽팽한 설전이 오가는 열띤 토론의 현장 속으로 들어가 보자!

뉴턴　아인슈타인　사회자

| 논쟁 1라운드 |

중력과 가속도

두 분 모두 과학계에 혁혁한 업적을 쌓으신 걸로 알고 있습니다.

감사합니다.

고맙습니다.

두 분은 자신의 가장 뛰어난 업적이 뭐라고 생각하십니까?

만유인력이라고 봐야겠지요.

상대성 이론이지요.

만유인력은 중력이라는 힘을 다루는 걸로 아는데요.

그렇습니다.

상대성 이론은 특수 상대성 이론과 일반 상대성 이론이 있는 걸로 압니다만.

맞습니다.

그중 하나가 중력과 깊은 관계가 있더군요.

잘 아시는군요. 일반 상대성 이론이 중력과 밀접한 관계가 있지요.

두 분 모두 중력에 대한 이론을 발표하셨으니, 이번 토론 주제는 중력으로 하는 게 어떨까요?

좋습니다.

저도 괜찮습니다.

그럼 존칭은 쓰지 않고 토론을 진행하도록 하겠습니다, 괜찮으신지요?

네. 그렇게 하시지요.

상대성 이론이 나오기 전까지 물리학의 주인공은 단연 뉴턴이었지요?

물론입니다. 저의 이론은 우리가 늘 마주하는 역학 현상에서부터 태양계 행성의 운동에 이르기까지 설명하지 못하는 현상이 없었으니까요.

그렇군요.

19세기까지 뉴턴 물리학은 그야말로 모든 자연 현상을 설명해 주는 만병통치약이나 다름없었습니다.

아인슈타인, 동의하십니까?

네.

뉴턴 물리학을 의심한다는 건 감히 상상하기도 어려운 일이었겠네요?

20세기 전까지는 그렇습니다.

그 말씀은?

저는 뉴턴 물리학에 심각한 문제가 있다고 보았습니다. 그래서 뉴턴 물리학을 밑바닥부터 다시 생각하기 시작했지요.

당연히 중력에 대한 의심이었겠군요?

물론입니다.

!!!!

그럼 뉴턴 물리학이 안고 있는 문제점이 뭐라고 생각하셨나요?

중력과 가속도의 관계였습니다.

뉴턴, 가속도에 대해서는 이미 법칙으로 만들어 놓으셨죠?

물론입니다. 제2 운동 법칙에 깔끔하게 정리해 놓았지요.

거기서 중력과 가속도의 관계에 대해서도 설명하셨나요?

아닙니다.

왜죠?

중력은 중력이고, 가속도는 가속도니까요.

중력과 가속도가 아무런 연관이 없다는 뜻인가요?

그렇습니다.

아인슈타인도 같은 생각이신가요?

당연히 아니지요.

그럼 중력과 가속도가 연관이 있다는 말씀인가요?

그렇습니다. 아주 깊은 연관이 있지요.

이해가 안 됩니다.

뭐가요?

중력은 잡아당기는 힘이고, 가속도는 속도가 변한다는 의미잖습니까?

그렇지요.

중력과 가속도는 전혀 같을 수가 없는 물리량입니다. 그런데 어떻게 둘이 깊은 연관이 있다고 보는지 저로서는 도무지 이해가 안 가네요.

제가 봐도 중력과 가속도는 동떨어진 개념 같은데요?

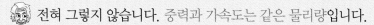

전혀 그렇지 않습니다. 중력과 가속도는 같은 물리량입니다.

같다고요?

믿을 수 없어요!

믿어야 합니다.

중력과 가속도가 같다는 걸 원리나 이론으로 체계화시키셨나요?

물론입니다.

어떤 이론인가요?

등가 원리입니다.

등가란 같다는 뜻이지요?

그렇습니다. 등가 원리는 '가속도와 중력이 같다' 라는 걸 증명한 이론이지요.

tip

아인슈타인의 등가 원리

만유인력과 관성력을 구별할 수 없다는 원리이다. 예를 들어 낙하하는 놀이기구에 탄 사람은 무중력 상태를 경험하게 되는데, 이때 가속에 의해 무게가 변하는 것과 중력에 의해 무게가 변하는 것을 구분할 수 없다는 것이다. 아인슈타인은 이 원리를 발판 삼아 일반 상대성 이론을 펼쳐 나갔다.

| 논쟁 2라운드 |

만유인력

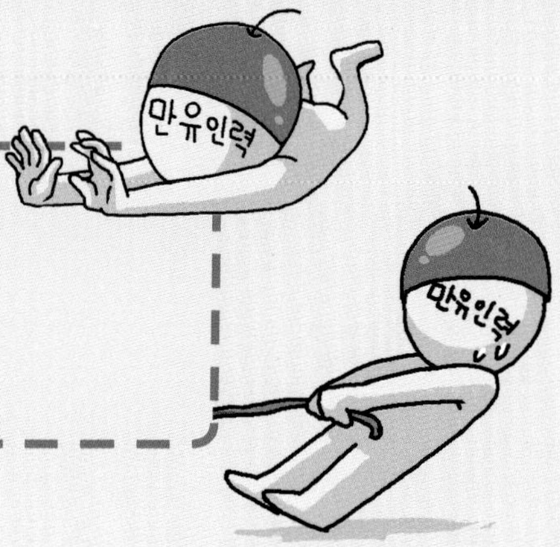
만유인력
만유인력

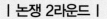

아인슈타인, 그럼 만유인력에 대해서는 어떻게 생각하십니까?

근본부터 고민했습니다.

만유인력이 틀렸다고 보는 건가요?

틀렸다기보다는 수정 보완이 필요하다고 보는 게 맞겠지요.

구체적으로 말씀해 주시죠?

뉴턴, 지구와 태양 사이에도 만유인력이 작용하지요?

물론입니다.

어떻게 작용하나요?

순간적으로요.

지금 순간적이라고 하셨나요?

그렇습니다.

순간적이라는 것은 속도가 굉장히 빠르다는 뜻이겠지요?

맞습니다.

속도가 무한하다고 봐도 상관없나요?

그렇습니다.

만유인력

하지만 그건 우주의 진리에 어긋납니다.

무한한 속도가 우주의 진리에 맞지 않는다는 말씀이신가요?

그렇습니다.

좀 더 자세히 설명해 주시죠.

저는 특수 상대성 이론에서 우주에서 가장 빠른 존재는 빛이라는 것을 뚜렷하게 밝혔습니다. 빛의 속도는 초속 약 300,000km이지요.

그렇다면 빛의 속도가 우주의 한계 속도가 되겠군요.

바로 그렇습니다. 그런데 뉴턴의 설명대로 만유인력이 순간적으로 전해지는 것이라면 빛보다 더 빨리 움직여야 합니다. 그 어떤 것도 빛보다 빠를 수 없는데 말이지요. 이건 모순입니다.

오호, 그렇군요!

만유인력

tip

빛의 빠르기, 광속

옛 사람들은 빛의 빠르기가 무한하다고 생각했다. 그런 생각에 반기를 들고 처음으로 광속을 재 보려고 한 과학자가 갈릴레이였다. 그러나 갈릴레이는 광속을 정확히 측정해 내진 못했다. 그 일은 영국의 물리학자 맥스웰이 이루어 냈다. 맥스웰은 광속이 진공에서 초속 300,000km라는 사실을 밝혀냈다.

달의 만유인력

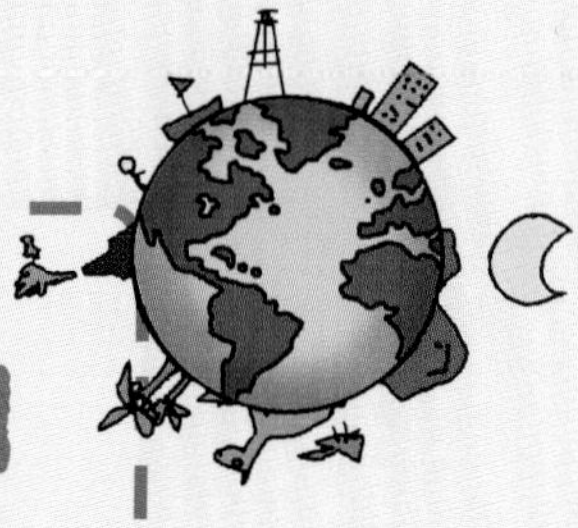

중력과 빛의 휘는 성질

아인슈타인은 중력이 가속도와 같고, 만유인력은 허점이 있다는 사실을 밝혀냈습니다. 이뿐인가요?

물론 아니지요.

그럼 계속 말씀해 주시죠.

빛은 휩니다.

빛이 휜다고요?

네.

아인슈타인의 말에 동의하십니까?

네.

그럼 두 분 모두 빛이 곧게 나아가지 않는다는 말씀인가요?

물론 주위에 아무 것도 없으면 빛은 빨랫줄처럼 직진하지요. 그게 빛의 주요 특성 중 하나니까요.

그럼 주위에 뭔가가 있으면 휜다는 뜻인가요?

그렇습니다. 천체가 있으면 휘지요.

이유가 궁금합니다.

빛은 입자로 이루어져 있습니다.

입자라면 알갱이를 말씀하시는 건가요?

네. 눈에 보이지 않는 작디작은 알갱이라고 보시면 됩니다.

빛을 이루는 작은 입자를 현대 물리학에선 '광자' 라고 부르지요.

아무리 작더라도 무게는 있겠지요?

물론입니다. 작디작아서 무게를 느끼긴 어렵지만, 여하튼 무게는 있습니다.

이해가 됩니다.

자, 그럼 질량을 가진 물체끼리는 어떻게 되지요?

서로 잡아당기지요.

그렇습니다. 그게 바로 제가 내놓은 만유인력의 핵심 내용입니다. 천체도 질량이 있고, 빛도 질량을 갖고 있으니 어떻게 되겠습니까?

끌어당길 겁니다.

바로 그겁니다. 그래서 빛이 휘는 거지요.

아인슈타인도 같은 생각이신가요?

네. 멋진 설명입니다.

그럼 이 부분에서는 의견 차이가 없군요.

의견 차이가 없다니요?

두 분 모두 빛이 휜다는 것에 동의하셨으니 차이가 없다는 뜻입니다.

아니지요.

그럼 차이가 있단 말인가요?

그렇습니다.

구체적으로 말씀해 주시죠?

저는 빛이 휘는 각도를 계산했습니다.

tip

빛이 휘는 각도, 입증할 방법은?

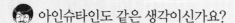

아인슈타인은 빛이 휠 거라는 자신의 생각을 입증할 방법까지 알려 주었다. 일식이 일어날 때, 태양 주변을 지나는 빛이 꺾이는 각도를 확인하면 된다는 것. 1919년 5월 29일 일식이 일어난 날, 영국의 과학자들이 관측을 통해 아인슈타인의 예측을 검증했다. 결과는 아인슈타인의 예측대로였다.

| 논쟁 4라운드 |

빛이 휘는 각도

뉴턴은 빛이 휘는 각도를 직접 계산하지 않았나요?

아 네, 저는…… 계산하지 않았습니다.

그렇더라도 만유인력은 뉴턴이 알아낸 법칙이니까, 그걸로 빛이 휘는 각도를 계산하면 별 문제 없지 않나요?

날카로운 지적입니다. 하지만 그 정도의 문제라면 제가 이 주제를 논쟁의 장으로 끌고 들어오지도 않았을 겁니다.

아, 그렇군요.

저는 빛이 휘는 각도를 계산하는 데 만유인력의 법칙을 사용하지 않았습니다.

그럼 무엇을……?

일반 상대성 이론에서 유도한 중력장 방정식을 사용했습니다.

만유인력의 법칙이 아닌 중력장 방정식으로 빛이 휘는 각도를 구했다는 말씀이시군요?

그렇습니다.

놀랍군요!

놀랍다는 반응은 아직 선부른 것 같습니다만.

그 말씀은?

중요한 건 무엇으로 계산했느냐가 아니라, 답이 맞느냐일 테니까요.

옳은 말씀입니다.

만유인력으로 계산한 값과 다른가요?

당연히 다릅니다. 그러나 처음부터 그렇게 판단한 것은 아니었습니다. 저도 처음에는 빛이 만유인력으로 계산한 것만큼만 휠 거라고 보았습니다. 그러나 생각해 보니까 그게 아니더군요. 저는 근본적인 물음으로 되돌아갔습니다.

근본적인 물음이란 무엇입니까?

'빛은 왜 휠까?' 였습니다.

만유인력 때문이라고 하지 않았습니까?

그것도 하나의 요인이긴 합니다. 그러나…….

중력 말고 빛을 휘게 하는 또 다른 요인이 있다는 말씀이군요?

그렇습니다.

그게 뭔지 몹시 궁금하군요.

공간입니다.

공간이오?

어렵게 생각할 필요 없습니다. 우리가 살고 있는 이 세상이 바로 공간이니까요. 빛은 공간 속을 움직입니다.

그렇죠.

그런데 그 공간이 휘어 있다면 어떻게 되겠습니까?

아니, 잠깐! 공간이 휘어 있다니 몹시 혼란스럽군요.

저 역시 무척 당혹스럽습니다.

지구도 공간 속에 있고, 태양도 공간 속에 있지 않습니까?

그렇지요.

지금 그런 공간이 휘어 있다고 말씀하시는 건가요?

물론입니다.

아닙니다. 절대 아닙니다. 그건 아인슈타인께서 잘못 알고 계신 겁니다.
공간은 절대로 휘어 있지 않습니다.

그럼 어떤 모양이라고 생각하시나요?

공간은 평평합니다.

아닙니다. 공간은 분명히 휘어져 있습니다.

좋습니다. 공간이 휘어 있다고 칩시다. 그렇다면 우리가 그것을 확인할 수 있어야 하지 않나요?

그렇군요.

확인할 수 없다면 그건 말장난에 불과할 뿐입니다.

그야 물론 확인할 수 있습니다.

자신감이 넘치시는군요.

어떻게 확인할 수 있다는 거지요?

빛은 만유인력이 잡아당기는 힘만큼 휩니다.

그렇지요.

그런데 빛이 지나가는 공간까지 휘었다면 어떻게 되겠습니까?

빛은 공간이 휘어진 각도만큼 더 휘겠지요.

바로 그겁니다.

설명을 좀 더 자세히 해 주시죠.

예를 들어 만유인력이 빛을 1도만큼 휘게 하고 공간이 1도만큼 휘어져 있다면, 빛은 2도만큼 휘어야 할 겁니다.

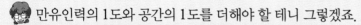

만유인력의 1도와 공간의 1도를 더해야 할 테니 그렇겠죠.

그럼 빛이 얼마나 휘는가를 확인하면 되겠군요.

맞습니다. 빛이 휘는 각도가 만유인력이 계산한 값만큼이면 뉴턴의 이론이 맞고, 제 중력장 방정식으로 계산한 값만큼이면 일반 상대성 이론이 옳지요.

관건은 빛이 얼마나 휘느냐이겠군요.

바로 보셨습니다.

tip

빛이 휘는 각도, 정답은?

만유인력으로 계산하면 빛은 0.875초만큼만 휘어야 한다. 그러나 공간이 굽어 있다면 빛은 그것의 두 배인 1.75초만큼 휘어야 한다. 자, 그럼 누구의 말이 맞았을까? 정답은 빛이 1.75초만큼 휘었다는 것! 아인슈타인의 일반 상대성 이론이 옳다는 게 입증되었다.

토론을 마치며

만유인력의 법칙이 일반 상대성 이론 앞에 무릎을 꿇었습니다. 뉴턴, 인정하십니까?

인정합니다.

이렇게 되면 뉴턴의 만유인력의 법칙은 틀린 이론이라고 해야 하나요?

그건 아닙니다.

아니라니요? 틀린 이론이 아니라는 건가요?

네.

왜죠?

우리가 일상에서 마주하는 자연 현상은 뉴턴의 이론만으로도 충분히 설명할 수 있기 때문이지요.

예를 들어 주실 수 있나요?

지구 상공에 인공위성을 띄우거나, 달에 우주선을 보낼 때에는 비행 궤도를 꼼꼼히 계산해야 하지요.

물론입니다. 그게 잘못되면 큰일 날 테니까요.

그래요. 아주 정밀하게 계산해야 합니다. 그런데 그 정도의 계산은 뉴턴의 중력 이론을 사용해도 별 무리가 없습니다.

정말인가요?

그럼요. 실제로도 뉴턴의 중력 이론을 사용하고 있습니다.

그렇다면 만유인력의 법칙이 언제 문제가 되나요?

자연 현상을 매우 세밀하게 파헤쳐 들어갈 때 문제가 생깁니다. 일반 상대성 이론이 그에 대한 보완을 해 주고 있지요.

우리가 일상생활에서 늘 만나는 현상을 다루는 데는 뉴턴의 만유인력의 법칙을 적용해도 전혀 문제가 되지 않습니다. 만유인력의 법칙이 완벽한 이론이 아님에도 과학 시간에 중요하게 배우는 이유이지요. 세기를 대표하는 천재 과학자들의 열띤 토론은 여기서 마치도록 하겠습니다.

아주 유익한 토론이었소.

저도 대선배님을 만나 뵙게 되어 즐거웠습니다.

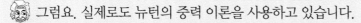

tip

뉴턴 VS 아인슈타인, 결론 한마디!

- 뉴턴이 본 중력과 공간
  중력은 물질을 잡아당기는 힘이다. 중력이 작용하는 세상은 평평한 공간이다.
- 아인슈타인이 본 중력과 공간
  중력은 가속도와 같은 하나의 물리적 현상이다. 중력은 공간을 휘게 한다.

뉴턴 프린키피아

송은영 글 | 홍소진 그림

01 《프린키피아》를 쓴 사람은 누구일까요?

① 아인슈타인 ② 다윈 ③ 코페르니쿠스
④ 갈릴레이 ⑤ 뉴턴

02 중심으로 향하게 하는 힘을 무엇이라고 할까요?

① 조석력 ② 원심력 ③ 마찰력
④ 구심력 ⑤ 전자기력

03 뉴턴의 운동 법칙 중 제1법칙을 다른 말로 무엇이라고 할까요?

① 관성의 법칙 ② 작용의 법칙 ③ 반작용의 법칙
④ 힘의 법칙 ⑤ 가속도의 법칙

04 다음 설명에 해당하는 법칙은 무엇일까요?

- 지구의 중력을 우주로 확장시켜서 얻어 낸 법칙이다.
- 우주의 보편적인 법칙이란 뜻이 담겨 있다.

① 타원 궤도의 법칙 ② 면적속도 일정의 법칙
③ 케플러의 제3법칙 ④ 조화의 법칙
⑤ 만유인력의 법칙

05 다음은 《프린키피아》에 나오는 지구타원체에 대한 설명입니다. 잘못된 것을 고르세요.

① 옛 사람들은 지구가 평평하다고 생각했다.

② 지구가 둥글긴 한데 완벽한 구 모양은 아니다.

③ 지구 중심에서 적도까지의 거리는 극까지의 거리보다 약간 더 길다.

④ 적도 쪽이 약간 부푼 지구의 모양을 지구타원체라고 한다.

⑤ 지구타원체는 지구의 공전 운동 때문에 생긴다.

06 '천동설'과 '지동설'에 대한 설명입니다. 틀린 것을 고르세요.

① 플라톤은 천동설을 주장했다.

② 아리스타르코스는 천동설을 부정했다.

③ 프톨레마이오스는 천동설을 완성했다.

④ 아리스토텔레스는 과학혁명의 신호탄을 쏘았다.

⑤ 갈릴레이는 목성 주위에 있는 네 개의 위성을 발견했다.

05 ⑤ : 지구타원체는 지구가 하루에 한 번씩 회전하는 자전 운동 때문에 생깁니다.

06 ④ : 과학혁명의 신호탄을 쏜 사람은 코페르니쿠스입니다.

07 《자연철학의 수학적 원리》 / 08 혜성 / 09 영(0)

10 복잡할 필요 없이 단순하고, 실험 결과와 일치해야 하고, 많은 자연 현상을 설명할 수 있어야 합니다.

만유인력

07 뉴턴이 쓴 《프린키피아》의 정식 제목은 무엇일까요?

08 다음은 무엇에 대한 설명일까요?

- 태양을 향한 구심력을 받고 있는 천체이다.
- 뉴턴은 《프린키피아》에서 이것의 움직임을 예측할 수 있다고 말했다.
- 핼리가 76년마다 나타나는 이것을 예측했다.

09 뉴턴은 지구 중심에서 중력의 세기가 얼마라고 했을까요?

10 뉴턴은 《프린키피아》에서 올바른 이론이 되기 위한 조건을 적어 놓았습니다. 무엇인지 간단히 설명하세요.

정답

01 ⑤ / 02 ④

03 ① : 관성의 법칙은 정지한 물체는 계속 정지하고, 움직이는 물체는 계속 움직인다는 법칙입니다.

04 ② : 만유인력의 법칙은 우주의 모든 물체에 작용하는, 질량에 비례하고 거리의 제곱에 반비례하는 법칙입니다.